Dépannage PC

LE GUIDE COMPLET

RETIRÉ DE LA COLLECTION UNIVERSELLE
Bibliothèque et Archives nationales du Québec

Micro Application

Copyright

© 2009 Micro Application
20-22, rue des Petits-Hôtels
75010 Paris

1ère Édition - Mai 2009

Auteurs

Xavier CREUSET, Laurent TIXIER et Eric VIEGNES

Toute représentation ou reproduction, intégrale ou partielle, faite sans le consentement de MICRO APPLICATION est illicite (article L122-4 du code de la propriété intellectuelle).

Cette représentation ou reproduction illicite, par quelque procédé que ce soit, constituerait une contrefaçon sanctionnée par les articles L335-2 et suivants du code de la propriété intellectuelle.

Le code de la propriété intellectuelle n'autorise aux termes de l'article L122-5 que les reproductions strictement destinées à l'usage privé et non destinées à l'utilisation collective d'une part, et d'autre part, que les analyses et courtes citations dans un but d'exemple et d'illustration.

Avertissement aux utilisateurs

Les informations contenues dans cet ouvrage sont données à titre indicatif et n'ont aucun caractère exhaustif voire certain. A titre d'exemple non limitatif, cet ouvrage peut vous proposer une ou plusieurs adresses de sites Web qui ne seront plus d'actualité ou dont le contenu aura changé au moment où vous vous en prendrez connaissance.

Aussi, ces informations ne sauraient engager la responsabilité de l'Editeur. La société MICRO APPLICATION ne pourra être tenue responsable de toute omission, erreur ou lacune qui aurait pu se glisser dans ce produit ainsi que des conséquences, quelles qu'elles soient, qui résulteraient des informations et indications fournies ainsi que de leur utilisation.

Tous les produits cités dans cet ouvrage sont protégés, et les marques déposées par leurs titulaires de droits respectifs. Cet ouvrage n'est ni édité, ni produit par le(s) propriétaire(s) de(s) programme(s) sur le(s)quel(s) il porte et les marques ne sont utilisées qu'à seule fin de désignation des produits en tant que noms de ces derniers.

ISBN : 978-2-300-022067

MICRO APPLICATION
20-22, rue des Petits-Hôtels
75010 PARIS
Tél. : 01 53 34 20 20
Fax : 01 53 34 20 00
http://www.microapp.com

Support technique :
Également disponible sur
www.microapp.com

Retrouvez des informations sur cet ouvrage !

Rendez-vous sur le site Internet de Micro Application **www.microapp.com**. Dans le module de recherche, sur la page d'accueil du site, entrez la référence à 4 chiffres indiquée sur le présent livre. Vous accédez directement à sa fiche produit.

→ RECHERCHE

2206　OK

Livre

Avant-propos

Destinée aussi bien aux débutants qu'aux utilisateurs initiés, la collection *Guide Complet* repose sur une méthode essentiellement pratique. Les explications, données dans un langage clair et précis, s'appuient sur de courts exemples. En fin de chaque chapitre, découvrez, en fonction du sujet, des exercices, une check-list ou une série de FAQ pour répondre à vos questions.

Vous trouverez dans cette collection les principaux thèmes de l'univers informatique : matériel, bureautique, programmation, nouvelles technologies...

Conventions typographiques

Afin de faciliter la compréhension des techniques décrites, nous avons adopté les conventions typographiques suivantes :

- **gras** : menu, commande, boîte de dialogue, bouton, onglet.
- *italique* : zone de texte, liste déroulante, case à cocher, bouton radio.
- `Police bâton` : Instruction, listing, adresse internet, texte à saisir.
- ✂ : indique un retour à la ligne volontaire dû aux contraintes de la mise en page.

REMARQUE Il s'agit d'informations supplémentaires relatives au sujet traité.

ATTENTION Met l'accent sur un point important, souvent d'ordre technique qu'il ne faut négliger à aucun prix.

ASTUCE Propose conseils et trucs pratiques.

DEFINITION Donne en quelques lignes la définition d'un terme technique ou d'une abréviation.

Chapitre 3   Le réseau   109

Chapitre 4   La sécurité   163

Chapitre 6   Les applications Internet   293

Chapitre 7   Annexes   365

Chapitre 8   Index   389

Le matériel (ou hardware)

Les ordinateurs, qu'ils soient de type portable ou de bureau, restent des appareils fragiles, sensibles aux agressions de toutes sortes (surtensions, poussière, humidité, chocs...). Si l'ensemble est robuste, il n'est pas rare qu'un élément tombe en panne et empêche le fonctionnement de l'ordinateur au complet.

Cependant, les pannes matérielles ne sont pas essentiellement physiques. Tout composant de l'ordinateur doit impérativement être connu du système d'exploitation pour être utilisé. Ainsi, les problèmes peuvent être d'ordre logiciel (pilote défaillant) mais avoir des conséquences sur le bon fonctionnement matériel.

De plus, dans le cas de l'utilisation d'un ordinateur assemblé (et non manufacturé comme les ordinateurs de marque), il peut arriver que certains composants soient incompatibles avec d'autres composants installés (barrettes de mémoire incompatibles entre elles).

Nous allons voir dans ce chapitre comment détecter, diagnostiquer et résoudre les pannes les plus fréquentes que vous pouvez rencontrer. Les éléments décrits sont utilisés avec le système d'exploitation Windows Vista.

1.1. Détail des composants et pilotes

Il existe une multitude de composants et une multitude de marques. Chaque marque utilise ses propres pilotes (drivers) pour un composant donné.

Le pilote permet au système d'exploitation de connaître et d'utiliser le périphérique (et toutes ses fonctionnalités). Le DVD d'installation de Windows Vista contient presque 20 000 pilotes (concernant les périphériques les plus répandus) alors que les versions précédentes de Windows en intégraient à peine plus de 10 000. Cependant, Vista intègre également des pilotes génériques, permettant de prendre en charge de façon minimaliste un composant compatible.

REMARQUE

Version d'un pilote
   Au même titre que pour Windows Vista, les pilotes de périphériques sont modifiés et mis à jour de façon régulière. Il est donc nécessaire de penser à rechercher et installer régulièrement les dernières versions disponibles soit depuis Windows Update (mises à jour facultatives), soit directement depuis le site du constructeur du périphérique.

Windows Vista regroupe les différents composants ou périphériques sous forme de grandes familles :

- *Appareils mobiles*. Regroupe les périphériques liés à la mobilité, tels que les lecteurs de cartes mémoire, les PDA, etc.

- *Cartes graphiques*. Regroupe la ou les cartes graphiques installées sur l'ordinateur.

- *Cartes réseau*. Regroupe les composants réseau (cartes réseau, cartes ou clés Wi-Fi, cartes ou clés Bluetooth).

- *Claviers*. Le clavier est présent dans cette catégorie.

- *Contrôleurs audio, vidéo et jeu*. Regroupe les éléments éponymes c'est-à-dire, la carte son, les cartes Tuner TV (analogique ou TNT), les cartes d'acquisition vidéo et les contrôleurs de jeux (joysticks, volant...).

- *Contrôleurs de bus USB*. Regroupe les éléments USB connectés à l'ordinateur et non classés dans une autre catégorie, mais également les contrôleurs hôtes et les concentrateurs USB intégrés à la carte mère de l'ordinateur.

- *Contrôleur de stockage*. Contient l'initiateur iSCSI qui permet de se connecter à un ou plusieurs disques réseau de type SAN.

- *Contrôleur hôte de bus IEEE 1394*. Regroupe les composant FireWire ou IEEE 1394 présents sur la carte mère ou sous forme de carte PCI.

- *Contrôleurs IDE ATA/ATAPI*. Regroupe les contrôleurs de disques IDE, ATA, SATA installés sur le PC, et les canaux ATA de ces derniers. (Sur chaque canal, il est possible de connecter deux disques durs, le premier en Master et le second en Slave.)

- *Lecteurs de disques*. Regroupe les disques durs connectés au système. Ces derniers peuvent être internes (IDE, SATA...) ou externes avec une connexion USB, ou encore de type Flash (clé USB ou cartes mémoire).

- *Lecteur de DVD/CD-ROM*. Regroupe les lecteurs et graveurs de DVD/CD-ROM connectés à l'ordinateur.

- *Moniteurs*. Regroupe les moniteurs connectés à la ou les cartes graphiques installées dans l'ordinateur.

- *Ordinateur*. Permet la reconnaissance du type d'ordinateur sur lequel Windows Vista est installé.

- *Périphériques d'interface utilisateur*. Regroupe les composant d'interface entre l'utilisateur et l'ordinateur (souris, lecteur d'empreintes digitales...).

- *Périphériques système*. Regroupe pour schématiser tous les composants de la carte mère spécifiques à cette dernière (BUS PCI, contrôleurs de RAM, horloge système...).

- *Ports (COM et LPT)*. Regroupe les ports série et parallèle de l'ordinateur.

- *Processeurs*. Regroupe le ou les processeurs de l'ordinateur.

- *Souris et autres périphériques de pointage*. Regroupe les périphériques utilisés pour piloter le curseur (souris, trackball, stylet).

Toutes ces familles de périphériques, et les périphériques eux-mêmes sont accessibles depuis le Gestionnaire de périphériques en cliquant sur l'icône *Gestionnaire de périphériques* du Panneau de configuration en mode Affichage classique, ou depuis **Matériel et audio/Afficher le matériel et les périphériques** dans le Panneau de configuration en mode Page d'accueil.

Figure 1.1 : *Le Gestionnaire de périphériques et le détails des périphériques système*

Détecter un périphérique mal installé ou rencontrant des problèmes de pilote

Les périphériques sont (sauf lorsque clairement explicité par le message : *Lancer le programme d'installation avant de connecter le périphérique...*) *plug and play*. Cela signifie qu'ils sont en mesure d'être détectés par Windows Vista, et que ce dernier pourra de façon automatique installer le pilote dédié, ou vous demander d'insérer le CD-ROM livré avec le périphérique.

Dans le cas où l'installation échoue, le périphérique ne sera pas utilisable, ou seulement partiellement. Dans ce dernier cas, Windows utilise un pilote générique, permettant de faire fonctionner le périphérique, mais sans exploiter les capacités de ce dernier (touches programmables d'un clavier, résolution d'une carte vidéo, fonctionnalités d'une carte son, etc.).

Dans le cas d'une installation ratée, en raison d'un pilote défaillant ou inadapté, le périphérique en question apparaît dans le Gestionnaire de périphériques dans la famille *Autres périphériques*, et se retrouve nommé *Périphérique inconnu*.

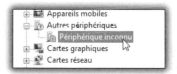

Figure 1.2 :
Le pilote étant introuvable ou inadapté, le périphérique n'est pas reconnu par Windows Vista

Pour utiliser le périphérique, il est à présent obligatoire de récupérer le pilote le concernant et prévu pour Windows Vista. Si vous possédez un disque d'installation du périphérique, utilisez ce dernier et suivez les instructions de l'Assistant d'installation.

Si vous ne possédez pas de disque d'installation, depuis la fenêtre **Gestionnaire de périphériques**, double-cliquez sur le périphérique en erreur :

- Dans la fenêtre **Propriété de Périphérique inconnu**, cliquez sur le bouton **Réinstaller le pilote**.

- Dans la boîte de dialogue **Mettre à jour le pilote logiciel - Périphérique inconnu**, cliquez sur **Rechercher automatiquement un pilote logiciel mis à jour**. (Sauf si vous avez un disque contenant le pilote. Dans ce cas, cliquez sur **Recherchez un pilote logiciel sur mon ordinateur** et spécifiez l'emplacement de ce dernier.)

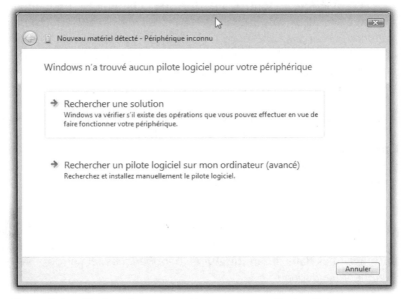

Figure 1.3 : Recherche automatique ou manuelle de pilotes

Si les opérations précédentes n'ont pas permis de trouver et de réinstaller correctement le pilote du périphérique, vous pouvez également utiliser l'outils **Rapports et solutions aux problèmes de Windows Vista**. Lors de la tentative et de l'échec de l'installation du périphérique, un problème a été créé dans cet outil. Il peut dans certains cas vous permettre de trouver très rapidement la solution.

- ▦ Dans le Panneau de configuration en mode Affichage classique, double-cliquez sur l'icône *Rapports et solutions aux problèmes*.
- ▦ Dans la fenêtre **Rapports et solutions aux problèmes**, si votre problème a été identifié, cliquez sur la solution proposée depuis la rubrique *Solutions à installer*.

REMARQUE

Solutions à installer

Cette rubrique peut être renseignée uniquement si le paramétrage accessible depuis le volet **Tâches** (**Modifier les paramètres**) permet à Windows Vista de rechercher automatiquement des solutions.

■ Si aucune solution n'est disponible, vous pouvez suivre les conseils proposés pour le problème en cours, en cliquant dessus depuis la rubrique *Informations sur les autres problèmes*. Dans la majeure partie des cas, pour un problème de pilote, la solution proposée sera de télécharger le pilote adéquat depuis le site Internet du constructeur du périphérique. Cliquez sur le lien précédé d'une coche verte pour que le site du constructeur s'affiche dans une fenêtre d'Internet Explorer.

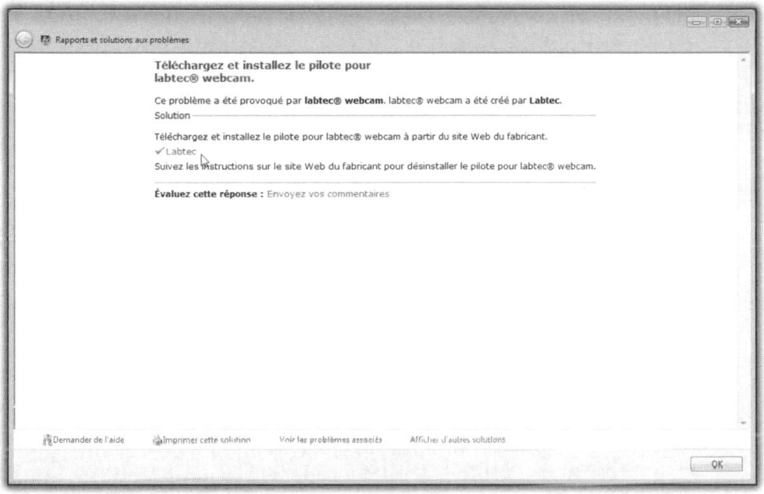

Figure 1.4 : *Le lien vous permet d'accéder directement au site Internet du constructeur du périphérique*

■ Téléchargez et installez le ou les pilotes . Si le périphérique refuse toujours de fonctionner, il est alors soit défectueux, soit incompatible avec Windows Vista.

Mettre à jour un pilote de périphérique

Au même titre que Microsoft pour Windows Vista, les constructeurs de périphériques ne cessent de corriger les pilotes de leur matériel ou de les adapter aux nouveautés des systèmes d'exploitation. Il n'est pas rare que des mises à jour soient proposées plusieurs fois par an sur leurs sites Internet.

De la même façon, Windows Vista, par le biais de son utilitaire Windows Update peut vous proposer des mises à jour, classées en tant que *Mises à jour facultatives*. Cependant, tous les constructeurs ne travaillent pas en collaboration avec Microsoft, et cette tâche peut être à réaliser manuellement. Tous les périphériques ne sont pas concernés ; ces mises à jour ne sont pas nécessaires pour un disque dur, mais elles peuvent être très appréciées en ce qui concerne la carte vidéo ou une carte tuner.

1 Depuis le Panneau de configuration en mode Affichage classique, double-cliquez sur l'icône *Gestionnaire de périphériques*. Double-cliquez sur le périphérique pour lequel vous souhaitez mettre à jour le pilote.

2 Dans la fenêtre **Propriétés du périphérique**, cliquez sur l'onglet **Pilote** puis sur le bouton **Mettre à jour le pilote**. Windows Vista vous propose alors deux méthodes :

— *Rechercher automatiquement un pilote logiciel mis à jour*. Cette option fonctionnera uniquement si le constructeur de votre périphérique a un accord de partenariat avec Microsoft (c'est le cas pour les marques leaders du marché).

— *Rechercher un pilote logiciel sur mon ordinateur*. Cette opération est valable uniquement si vous possédez un disque contenant un pilote récent, ou si vous venez de télécharger le pilote le plus récent depuis le site du constructeur. Cette opération est également celle à utiliser en cas d'échec avec la méthode *Recherche automatiquement un pilote logiciel mis à jour*. Saisissez le chemin complet de l'emplacement du pilote, ou cliquez sur le bouton **Parcourir**, et sélectionnez le lecteur et le dossier où se trouve le pilote.

Vous pouvez également sélectionner le pilote à installer depuis une liste. Cette liste est élaborée par constructeur.

Une fois le pilote sélectionné, cliquez sur le bouton **Suivant**.

Si le pilote existe sur votre ordinateur, l'installation de ce dernier est réalisée. Si la version du pilote n'est pas supérieure à celle déjà présente, vous recevrez le message suivant : *Le meilleur pilote logiciel pour votre périphérique est déjà installé*, mais si Windows Vista échoue, vous recevrez le message *Windows n'a pu installer votre périphérique*. Dans ce dernier cas, cela signifie que le pilote que vous avez tenté d'installer n'est pas compatible Vista, ou ne correspond pas à votre périphérique. Il est également possible que le périphérique en question soit simplement incompatible avec Vista parce que trop ancien.

1.2. Identifier les différentes pannes liées au matériel (lors du démarrage de Vista)

La panne d'un composant ou d'un périphérique peut avoir plusieurs conséquences :

- L'ordinateur refuse de démarrer, il reste bloqué avant le chargement de Windows Vista.
- L'ordinateur démarre mais se bloque lors du chargement de Windows Vista.
- L'ordinateur et Windows Vista démarrent sans problème (aucun message d'erreur n'est affiché), mais des fonctionnalités manquent (disque absent, plus de port USB, clavier qui ne répond pas, souris inactive, carte son muette, affichage minimaliste, Internet et réseau inactifs, etc.).
- L'ordinateur et Windows Vista démarrent sans problème. Au bout d'un temps fixe ou aléatoire, l'ordinateur redémarre seul.
- L'ordinateur et Windows Vista démarrent sans problème. Au bout d'un temps fixe ou aléatoire, l'ordinateur plante (affichage figé et aucune action n'est possible avec le clavier ou la souris).

En fonction des éléments décrits précédemment, il est éventuellement possible de diagnostiquer l'origine de la panne et le composant responsable de cette dernière.

Déterminer l'origine de la panne lors du démarrage de l'ordinateur

Lorsqu'une panne matériel grave survient (problème de mémoire, de processeur, de carte graphique) et que cette dernière empêche le POST de l'ordinateur (phase durant laquelle le BIOS teste les différents composants de l'ordinateur avant le chargement du système d'exploitation), il est possible d'identifier cette dernière à partir des sons émis depuis le haut-parleur de la carte mère, ou des messages Post BIOS affichés à l'écran.

Cependant, sur certains ordinateurs de marque, seuls la marque ou le logo du PC apparaissent. Le BIOS reste toutefois accessible, il suffit pour ce faire de lire les instructions à l'écran. Généralement, vous pouvez en fonction de la marque de votre ordinateur accéder au BIOS en appuyant sur la touche [Suppr], [F1] ou [F2] du clavier pendant l'affichage du logo. Vous n'avez plus qu'à consulter la documentation de votre ordinateur, ou de rechercher depuis le site du constructeur de votre BIOS sur Internet, la signification des signaux sonores.

Émission des bips

Pour que la carte mère émette des sons, il est impératif que cette dernière possède un piezzo (petit haut-parleur intégré) ou qu'elle soit reliée au haut-parleur du boîtier. Autrement, même en cas de panne, vous ne recevrez aucun message sous forme de bips.

BIOS AWARD récents

Les versions les plus récentes des BIOS AWARD n'émettent plus de bips par l'intermédiaire du haut-parleur de la carte mère, sauf pour informer d'un problème avec la carte graphique. Cependant, les erreurs sont affichées par un code de deux caractères. Pour trouver la signification de ces codes, reportez-vous à la documentation livrée avec votre ordinateur ou votre carte mère.

Déchiffrer les messages affichés lors de la phase de POST BIOS

Lors du démarrage de l'ordinateur, le BIOS se charge de la prise en compte de tous les composants installés et teste ces derniers. Cette phase de démarrage est appelée le POST (*Power On Self Test*). Elle consiste à tester tous les composants lors de l'allumage de l'ordinateur.

Les éléments de l'ordinateur sont testés dans l'ordre suivant :

- test du processeur ;
- vérification du BIOS ;
- vérification de la configuration CMOS (partie du BIOS contenant les informations matérielles de l'ordinateur) ;
- initialisation de l'horloge interne (timer) ;
- initialisation du contrôleur DMA (contrôleur gérant les accès direct à la mémoire) ;

- vérification de la mémoire vive et des mémoires cache (L1 et L2 du processeur) ;
- chargement des fonctionnalités du BIOS ;
- contrôle de chargement des composants déclarés (clavier, carte graphique, disques durs, lecteur de CD-ROM…).

Si la carte graphique est opérationnelle, ou si aucune erreur grave n'empêche cette dernière de fonctionner, les éventuels messages d'erreur ne sont plus indiqués sous forme de bips mais apparaissent en clair à l'écran.

Le fait qu'un de ces messages soit affiché empêchera Vista de démarrer. Vous trouverez dans le tableau suivant une liste non exhaustive de ces messages, et les actions que vous pouvez tenter pour résoudre le problème.

Tableau 1.1 : *Correspondance des messages du POST BIOS*

Message d'erreur	Signification	Solution
BIOS ROM CHECKSUM ERROR SYSTEM HALTED	Erreur constatée au niveau du composant contenant le BIOS	Remplacez la puce (EEPROM) du BIOS, ou contactez votre revendeur pour cette opération.
CACHE MEMORY BAD. DO NOT ENABLE CACHE	Problème sur la mémoire cache du processeur	L'auto détection de la quantité de mémoire cache L1 et L2 du processeur a provoqué une erreur. Modifiez ces paramètres dans le BIOS ou désactivez le cache L1 et L2 du processeur.
CMOS CHECKSUM FAILURE	La pile de sauvegarde de la carte mère est vide.	Remplacez la pile de sauvegarde de la carte mère.
CMOS MEMORY SIZE MISMATCH	Erreur constatée entre la quantité de mémoire vive installée, et la quantité de mémoire vive constatée.	Normalement, la quantité de mémoire installée est détectée automatiquement par le BIOS. Ce type d'erreur laisse à croire qu'un ou plusieurs modules de mémoire est défectueux. Retirez et replacez un à un les modules de mémoire.
CMOS SYSTEM OPTIONS NOT SET RUN SETUP UTILITY	Aucun paramètre n'est défini dans le BIOS	Accédez au BIOS et procédez à la définition des paramètres de base (date, heure, disques…).

Tableau 1.1 : *Correspondance des messages du POST BIOS*

Message d'erreur	Signification	Solution
DMA BUS TIME OUT	Un composant enfichable (carte PCI) a provoqué une erreur en bloquant le bus de données.	Éteignez l'ordinateur et retirez tous les cartes PCI (ne pas retirer la carte vidéo). Remettez-les en place une à une en redémarrant l'ordinateur à chaque fois pour les tester. La carte responsable (reproduisant le message d'erreur) sera à remplacer.
FDD CONTROLLER FAILURE	Erreur du contrôleur du lecteur de disquette	Si votre ordinateur est équipé d'un lecteur de disques, vérifiez la connexion de ce dernier. Sinon, vérifiez dans le BIOS qu'aucun lecteur de disquette n'est défini.
HDD CONTROLLER FAILURE	Erreur du contrôleur de disque dur	Vérifiez la connexion du ou des lecteurs de disques. Il est également possible que ce message apparaisse si aucun disque dur n'est défini dans la BIOS. Positionnez cette option en auto détection. Si le problème persiste, vous devrez ajouter une carte contrôleur afin de pallier la défaillance du contrôleur de disque de la carte mère.
KEYBORD IS LOCKED	Le clavier est verrouillé.	Une protection de l'ordinateur a été activée. Ces dernières peuvent être les suivantes : verrouillage du boîtier à l'aide d'une clé ou cavalier de protection positionné sur la carte mère empêchant l'utilisation du clavier.
KEYBOARD INTERFACE ERROR	Le clavier n'est pas détecté.	Vérifiez la connexion du clavier, ou changez de clavier.
MEMORY ERROR	Erreur lors du test de la mémoire de l'ordinateur	Éteignez l'ordinateur. Vérifiez que les barrettes de mémoire sont bien connectées à la carte mère. Testez-les une à une et remplacez (le cas échéant) la barrette défectueuse.

Tableau 1.1 : *Correspondance des messages du POST BIOS*		
Message d'erreur	**Signification**	**Solution**
NO ROM BASIC	Absence de définition de l'unité de boot dans le BIOS (aucun périphérique, disque dur ou lecteur de disquettes n'a été défini comme lecteur d'amorçage)	Entrez dans le BIOS afin de définir l'unité servant d'unité de BOOT (de démarrage). Par défaut, sélectionnez votre disque dur principal ou le lecteur de CD-ROM.
UNABLE TO INITIALIZE HARD DRIVE	Le disque dur déclaré dans le BIOS ne correspond pas à celui trouvé lors du POST.	Entrez dans le BIOS et spécifiez *Auto* ou *AutoDetect* dans la rubrique *Hard Drive*.

Permettre à l'ordinateur de démarrer (booter) depuis le DVD d'installation de Windows Vista

Le chargement du système d'exploitation (ici Vista) se fait à partir du premier lecteur (disque dur ou DVD) présent dans la liste des éléments bootables du BIOS, possédant une partition de Boot (un secteur de démarrage).

Si votre lecteur de DVD fonctionne correctement mais que votre ordinateur refuse de démarrer à partir de ce dernier, cela signifie que :

- Le DVD contenu dans le lecteur n'est pas bootable.
- Le lecteur de DVD ne contient pas de DVD.
- Le lecteur de DVD n'est pas défini en tant que périphérique de démarrage.
- Le lecteur de DVD est positionné après le disque dur sur lequel Vista est installé. Comme un secteur de démarrage est trouvé sur ce dernier, l'ordinateur ne cherche jamais à booter depuis le lecteur de DVD.

La meilleure méthode consiste à mettre le lecteur de CD et DVD en première position de la liste de Boot du BIOS de l'ordinateur. En effet, si un disque dur (sur lequel se trouve un système d'exploitation tel que Vista ou Linux) est détecté, le PC ne démarrera à partir du CD-ROM ou DVD que si l'utilisateur appuie sur une touche du clavier lorsque cela le lui sera demandé. Dans le cas contraire, au bout de quelques secondes, le PC démarrera normalement à partir du disque dur.

Procédez ainsi :

1 Au démarrage de votre ordinateur, pendant la phase de BIOS, appuyez sur la touche [Suppr] ou [F1] ou [F2] de votre clavier, tel qu'annoncé à l'écran.

2 Dans le BIOS de votre ordinateur, à l'aide des touches de direction du clavier, allez dans la section *Boot*.

3 Dans la section *Boot*, sélectionnez **Boot Device Priority**.

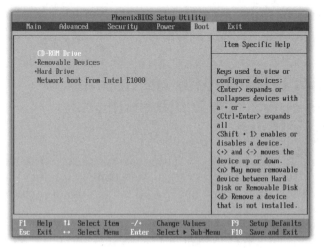

Figure 1.5 : Mettez l'option CD-ROM Drive en première position de la liste

4 Déplacez-vous sur *[CDROM]* et positionnez-le en première position à l'aide de la touche [+] du clavier.

5 Sauvegardez vos modifications et quittez le BIOS. L'ordinateur redémarre.

6 Lors du redémarrage de l'ordinateur, si un CD-ROM ou un DVD est détecté dans le lecteur, vous devez appuyer sur une touche pour démarrer à partir de ce dernier.

Figure 1.6 : Un disque bootable est détecté dans le lecteur. Pour démarrer à partir de ce dernier, appuyez sur n'importe quelle touche du clavier

Problème de disque dur invisible sous Windows Vista

Les problèmes liés aux disques durs (à l'exception des problèmes de fichiers ou de perte de données) peuvent avoir deux causes distinctes :

- Un problème physique (panne du disque) ou de connexion avec l'ordinateur.
- Un problème d'initialisation. En effet, pour qu'un disque soit utilisable, il ne suffit pas que ce dernier soit connecté. Il est impératif qu'il soit "préparé" à recevoir des données. Lors de la connexion d'un disque dur neuf à un ordinateur, une phase d'initialisation est obligatoire.

REMARQUE

Disque invisible

Après une attaque virale, un ou la totalité de vos disques durs peuvent être vidés de leur contenu, mais également de leurs partitions. Les disques sont donc considérés par Vista comme non initialisés.

Résoudre les problèmes de connexion

Un disque dur interne utilise deux connexions dans le PC :

- le connecteur d'alimentation ;
- le connecteur ATA ou SATA.

Si l'une de ces deux connexions n'est pas correcte, le disque dur ne fonctionnera pas et sera invisible dans Windows Vista.

Pour contrôler les connexions du disque dur, vous êtes obligé d'ouvrir le boîtier de l'unité centrale. Attention, l'ouverture du boîtier peut annuler la garantie de l'ordinateur.

Procédez ainsi :

1 Arrêtez votre ordinateur et débranchez la prise d'alimentation secteur de ce dernier.

2 Ouvrez le panneau latéral du boîtier et contrôlez les connexions d'alimentation et du cordon (ou nappe) de données du disque dur.

3 Contrôlez que le cordon (ou nappe) de données est correctement connecté à la carte mère de l'ordinateur.

4 Refermez le boîtier et rebranchez l'unité centrale au secteur. Si après le redémarrage de l'ordinateur, le disque dur refuse toujours de fonctionner, il est probable que le problème vienne du disque dur lui-même, ou du boîtier d'alimentation du boîtier. Il est fortement conseillé aux utilisateurs novices de contacter le revendeur de l'ordinateur et d'apporter ce dernier en garantie. En revanche, pour les utilisateurs avertis, avant de procéder à l'échange de l'alimentation du boîtier, il est conseillé de démonter le disque dur et de le tester sur un autre ordinateur, ou par le biais d'un boîtier externe USB.

Un autre type d'erreur est fréquemment commis lors de l'ajout d'un disque interne dans l'ordinateur, et ce sans erreur de branchement.

REMARQUE

Maître ou esclave

Tous les disques durs sont équipés d'un cavalier (ou *jumper*) permettant de définir leur position sur le port IDE. Un disque peut ainsi occupé le rôle de maître (*Master*) ou d'esclave (*Slave*). Lorsque le disque est connecté seul sur le port IDE, le fait qu'il soit maître ou esclave n'a aucune incidence. En revanche, il n'est pas possible d'avoir deux disques du même type sur le même port. L'impact de ce type d'erreur n'affectera pas seulement le dernier disque à avoir été branché, mais les deux disques du canal IDE. Si à la suite de l'ajout d'un disque vous constatez ce type de problème, contrôlez le positionnement du cavalier pour chacun d'eux.

Résoudre un problème d'initialisation d'un disque dur

Après avoir installé un disque dur neuf dans l'ordinateur, ce dernier est visible dans le Gestionnaire de périphériques mais Windows ne peut l'utiliser. Il est impératif de le partitionner et de le formater. Le partitionnement consiste à définir la partie du disque à employer en tant que lecteur et lui affecter une lettre de lecteur (D:, E:,...), à savoir une partie ou la totalité. Le formatage, pour sa part, permet de préparer le support à recevoir les fichiers.

Sous Windows Vista, les opérations de partitionnement et de formatage se font à partir de la console **Gestion de l'ordinateur** :

Procédez ainsi :

1 Cliquez du bouton droit sur l'icône *Ordinateur*. Dans le menu contextuel, cliquez sur **Gérer** ou sur **Ordinateur** depuis le menu **Démarrer**.

2 Dans la partie gauche de la fenêtre de la console **Gestion de l'ordinateur**, cliquez sur **Stockage** puis sur **Gestion des disques**.

3 Votre nouveau disque apparaît non pas dans la partie supérieure de la fenêtre mais dans la partie inférieure, avec la mention *Disque x*, *Inconnu*, le tout barré par une icône "sens interdit".

Figure 1.7 : *Le disque "Inconnu"*

4 Cliquez du bouton droit sur le nouveau disque. Dans le menu contextuel, cliquez sur **Initialiser le disque**.

5 Dans la boîte de dialogue **Initialiser le disque**, vérifiez que le nouveau disque est coché. Si plusieurs disques apparaissent dans cette boîte de dialogue, assurez-vous qu'ils ne contiennent pas de données ; sinon ces dernières seront définitivement perdues. Cliquez sur **Suivant**, après avoir décoché les disques ne devant pas être initialisés.

6 Le disque est à présent initialisé et apparaît *En ligne*.

7 Cliquez du bouton droit sur le disque. Dans le menu contextuel, cliquez sur **Nouveau volume simple**. Une boîte de dialogue **Assistant création d'un volume simple** s'ouvre. Cliquez sur **Suivant**.

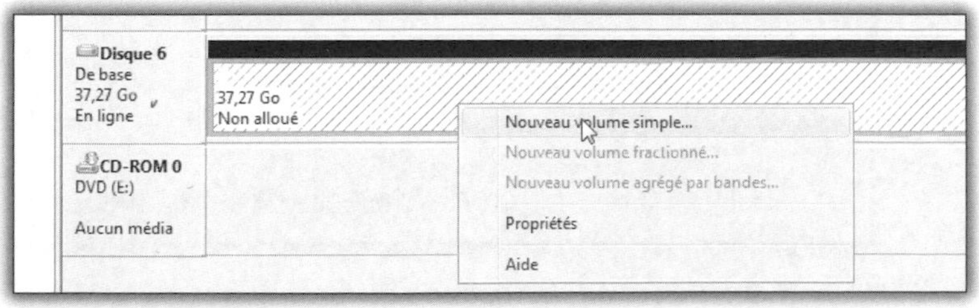

Figure 1.8 : *Création d'un nouveau volume*

8 Vous devez sélectionner le type de partition qui sera sur votre nouveau disque, parmi les deux choix proposés. Si votre disque est un jour destiné à servir de disque principal, sélectionnez l'option *Partition principale*, sinon choisissez *Partition étendue* puis cliquez sur **Suivant**.

9 L'Assistant Création d'un volume simple vous invite à définir la taille du volume à créer. Par défaut, ce dernier propose d'utiliser la totalité du disque. Vous pouvez toutefois spécifier une taille inférieure et créer par la suite un ou plusieurs autres lecteurs avec l'espace restant. Cliquez sur **Suivant**.

10 L'Assistant vous propose d'attribuer ou non une lettre au lecteur. Si votre disque est monté en interne dans l'unité centrale, cette opération est obligatoire. Cependant, si ce dernier est destiné à une fonction nomade (dans un boîtier USB), vous pouvez ne pas attribuer de lettre au lecteur. Cliquez sur le bouton **Suivant**.

11 L'Assistant vous propose de formater le lecteur. Il faut choisir le type de formatage souhaité, la taille d'unité d'allocation et le nom de volume. Pour gagner du temps, vous pouvez également cocher l'option *Effectuer un formatage rapide*. Il est conseillé, sous Windows Vista, de choisir une partition de type NTFS avec une taille d'unité d'allocation par défaut. Cliquez sur **Suivant**.

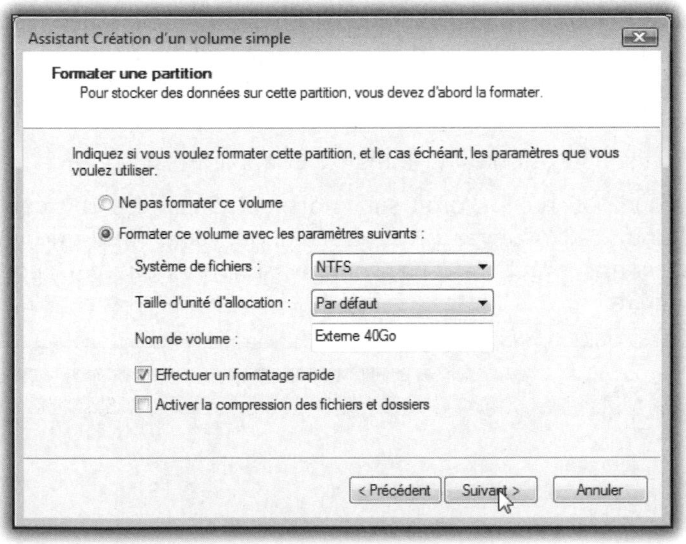

Figure 1.9 : *Sélection des options de formatage*

12 Cliquez sur **Terminer** dans l'écran récapitulatif pour valider vos choix.

13 Dans la fenêtre principale de l'outil **Gestion de l'ordinateur**, vous constatez que votre disque est reconnu en tant que volume et que ce dernier est prêt à recevoir vos données.

Figure 1.10 : Le disque est prêt à recevoir des données

14 Si vous n'avez pas employé tout l'espace du disque, vous pouvez récupérer l'espace inutilisé et l'affecter à d'autres lecteurs.

1.3. Régler les problèmes de la carte vidéo

Il existe différentes sortes et modèles de cartes vidéo. De plus en plus d'ordinateurs sont équipés d'une carte mère intégrant un chipset vidéo. Si cette solution n'offre pas les meilleures performances espérées, elle a au moins l'avantage de garantir un affichage basique pour un coût défiant toute concurrence. Cependant, pour profiter de la nouvelle interface graphique de Windows Vista (Aero), quel que soit le modèle de votre ordinateur, l'ajout d'une carte vidéo avec des performances moyennes (mais suffisantes) est obligatoire.

Sans être exhaustif, il existe trois grandes catégories de problèmes avec la carte vidéo, pour lesquels les maux et les solutions sont indissociables.

La carte vidéo ne produit aucun affichage

Lors de l'allumage de l'ordinateur, le démarrage de Windows Vista est précédé par la phase de BIOS et de Post BIOS. Pendant cette phase, les composants principaux de l'ordinateur sont testés et affichés à l'écran. Cependant, si vous êtes en possession d'un PC de marque, il est possible que l'affichage de cette phase soit remplacé par l'affichage du logo du constructeur. Si votre moniteur reste noir, veillez avant tout à vérifier que le moniteur est allumé.

Si un problème est détecté pendant la phase de BIOS, le PC émet une série de bips, permettant ainsi de diagnostiquer l'élément responsable. Concernant la carte vidéo, si un problème survient, en fonction de la marque du BIOS, une série de bips est également émis.

Tableau 1.2 : Information sonore d'un problème de la carte vidéo pendant l'initialisation de l'ordinateur	
BIOS	**Série de bips**
AMI	8 bips courts
AWARD	8 bips courts ou 1 long et 2 courts
Phoenix	série de 3 + 3 + 4 bips

Ces séries de bips ne désigne en aucun cas un problème de connexion entre la carte vidéo et le moniteur. Ils signalent un problème lors de l'initialisation de la carte vidéo. Ce problème peut être de diverses natures (connexion entre la carte vidéo et la carte mère) mais n'est pas causé par un problème de pilote.

Si la carte vidéo est intégrée à la carte mère, la seule solution pour l'utilisateur est le redémarrage complet de l'ordinateur (avec arrêt électrique). Si la situation n'évolue pas, il vous faudra faire jouer la garantie de votre ordinateur.

En revanche, si la carte vidéo est un modèle enfichable sur un port PCI Express, il suffit de retirer et de réinsérer cette dernière (attention toutefois, si votre boîtier est scellé, le fait de déchirer le sceau de garantie peut annuler cette dernière). Le problème peut provenir d'un mauvais contact sur le connecteur, provoqué par l'humidité (oxydation) ou la poussière. Il est également indispensable que la carte soit vissée au boîtier pour garantir une connexion parfaite.

Si le fait de retirer et de réinsérer la carte ne résout pas le problème, vous pouvez soit tenter de faire jouer la garantie, soit acheter une nouvelle carte graphique (le prix est fonction de la puissance de cette dernière, c'est-à-dire de 50 euros à plusieurs centaines d'euros).

L'affichage est limité sous Windows Vista

La détection d'un affichage limité sous Windows Vista est relativement difficile, sauf si l'on souhaite utiliser Aero et que ce dernier refuse de fonctionner. La cause de cet affichage est toujours un problème de pilote. Si votre carte vidéo est mal ou non reconnue par Windows Vista, le pilote utilisé sera un pilote générique VGA. Même si ce dernier permet d'employer une résolution élevée avec un grand nombre de couleurs, les fonctionnalités 3D et la mémoire de la carte vidéo ne seront ni reconnues, ni utilisées à leur maximum.

REMARQUE

Aero

Aero a besoin de certaines ressources pour fonctionner. Toutefois, il est également indispensable d'être en possession d'une licence valide de Windows Vista afin que l'interface Aero puisse être activée. Toutefois, Aero n'est pas disponible sur la version "Basic" de Windows Vista.

Vous pouvez tester votre système avec l'évaluation des performances de Vista :

1 Cliquez sur **Démarrer**. Cliquez du bouton droit sur **Ordinateur**.

2 Dans la fenêtre **Système**, rubrique **Système**, cliquez sur **Indice de performance Windows**.

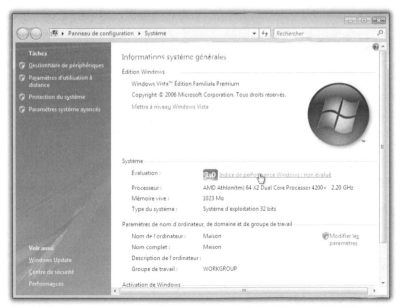

Figure 1.11 : *L'accès au calcul de l'Indice de performances Windows*

3 En lançant l'évaluation, les éléments principaux de l'ordinateur sont testés (processeur, mémoire, carte vidéo et vitesse des disques).

4 La valeur de l'indice prend automatiquement la valeur la plus basse des sous-indices. Un total ou un sous-indice de 1 signifie que les éléments de votre ordinateur ne sont pas assez puissants pour profiter de toutes les options de Vista. Si votre carte vidéo hérite d'un indice de 1 pour les *Performances du Bureau* pour *Windows Aero*, il est impératif de contrôler si Vista lui a associé les bons pilotes.

Évaluez et améliorez les performances de votre ordinateur.

Vous n'êtes pas sûr de savoir où commencer ?
Apprenez comment améliorer les performances de votre ordinateur.

Votre ordinateur a un indice de performance Windows de **1,0**

Composant	Ce qui est évalué	Sous-indice	Indice de base
Processeur :	Calculs par seconde	4,1	
Mémoire vive :	Opérations mémoire par seconde	4,5	
Graphiques :	Performances du Bureau pour Windows Aero	1,0	**1,0**
Graphiques de jeu :	Performances graphiques pour jeux et application professionnelles 3D	1,0	Déterminé par le sous-indice le plus bas
Disque dur principal :	Taux de transfert des données sur le disque	5,9	

Afficher et imprimer les détails   Que signifient ces chiffres ?

En savoir plus sur les indices en ligne   Mettre à jour mon indice

Rechercher sur Internet les logiciels correspondant à l'indice de performance de mon ordinateur

Dernière évaluation : 20/09/2007 14:34:38

Figure 1.12 : *Le score complet du PC est assujetti au faible score des capacités de la carte vidéo*

5 La vérification du pilote utilisé s'effectue directement depuis le Bureau de Windows Vista. Cliquez du bouton droit sur un emplacement vide. Dans le menu contextuel, cliquez sur **Personnaliser**.

6 Dans la fenêtre **Personnalisation**, cliquez sur **Paramètres d'affichage**.

7 Dans la fenêtre **Paramètres d'affichage**, vous pouvez consulter immédiatement la résolution et le nombre de couleurs utilisées par la carte, mais surtout vérifier si le couple moniteur/carte vidéo a correctement été reconnu et installé par Vista.

![Fenêtre Paramètres d'affichage montrant un moniteur numéroté 1, avec les mentions « Moniteur non Plug-and-Play générique sur Carte graphique VGA standard », une résolution de 1024 par 768 pixels et des couleurs « Optimale (32 bits) »]

Figure 1.13 : *Dans cet exemple, la carte et le moniteur n'ont pas été reconnus et Vista les utilise à partir de pilotes génériques minimalistes*

REMARQUE

Écran plug-and-play générique

L'utilisation d'un pilote générique n'a d'impact que sur les résolutions maximales gérées par votre moniteur. Ce dernier fonctionnera correctement mais vous n'aurez peut-être pas accès à des modes spécifiques, destinés à améliorer votre confort de travail (fréquence de rafraîchissement supérieure à 75 hertz).

8 Cliquez sur le bouton **Paramètres avancés**.

9 Depuis l'onglet **Carte** de la fenêtre **Propriétés de ...**, cliquez sur le bouton **Propriétés** de la rubrique *Type de carte*.

10 Dans la fenêtre **Propriétés de Carte graphique...**, cliquez sur l'onglet **Pilote**.

11 Dans l'onglet **Pilote**, cliquez sur le bouton **Mettre à jour le pilote**.

12 Dans la fenêtre **Mettre à jour le pilote logiciel**, cliquez sur **Rechercher automatiquement un pilote logiciel mis à jour**.

13 Si votre carte est compatible Vista et que ses pilotes soient connus de Windows, ceux-ci sont automatiquement installés. Dans la négative, si vous possédez un CD-ROM de pilotes pour votre carte graphique, vous devrez les installer manuellement.

La prise en compte de nouveaux pilotes pour la carte vidéo ne sera effective qu'après le redémarrage de l'ordinateur.

Vous pouvez réitérer le test de l'évaluation des performances. Cependant, il y a de fortes chances, si votre carte (et votre version de Windows Vista) est compatible et suffisamment puissante, pour que vous profitiez de l'interface Aero dès le redémarrage de l'ordinateur.

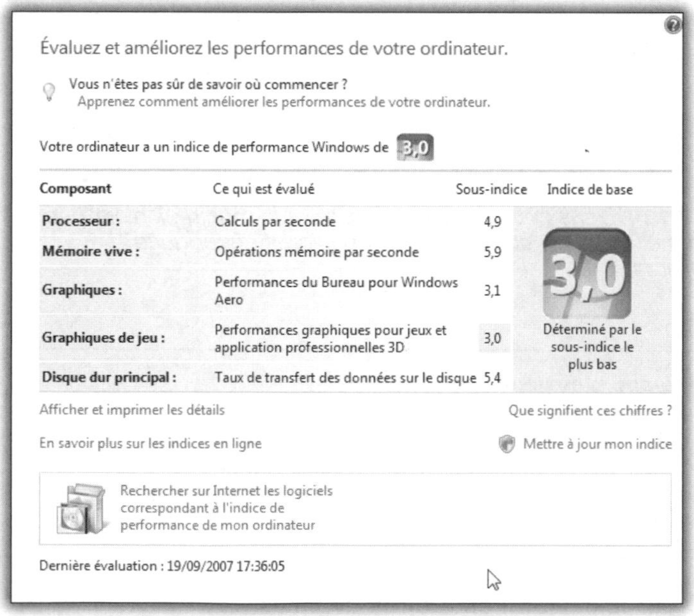

Figure 1.14 : Les performances de la carte graphique sont immédiatement différentes lorsque Vista utilise les bons pilotes

1.4. Corriger et prévenir les problèmes liés aux disques durs

Le ou les disques durs servent à stocker programmes et données sur votre ordinateur sous forme de fichiers, classés dans des dossiers. Le disque est un élément fragile. Plusieurs actions (manuelles ou planifiées) sont nécessaires pour que ce dernier reste opérationnel dans les meilleurs conditions possibles.

Il est toutefois possible qu'après une attaque virale, un plantage ou tout simplement un problème mécanique, il ne soit plus en mesure d'assurer sa mission. Il est donc fortement conseillé d'effectuer des sauvegardes régulières de vos données, et de stocker ces dernières en lieu sûr.

Un disque dur est composé de plateaux magnétiques sur lesquels les données sont inscrites. Pour diverses raisons, il est possible que certaines zones (ou la totalité) de ces plateaux ne soit plus lisibles, ce qui provoque la perte des données. La perte d'un fichier de données n'affecte pas le fonctionnement de l'ordinateur, mais certains secteurs du disque sont plus sensibles que d'autres. C'est le cas entre autres des secteurs de démarrage. C'est à partir de ces derniers que l'ordinateur charge Windows Vista lors du démarrage. Un problème sur un secteur de démarrage peut empêcher l'accès à toute une partition du disque (c'est-à-dire le contenu de ce dernier). Cependant, il existe des outils permettant de recréer ces secteurs perdus, et ainsi de récupérer la quasi-totalité du disque.

Résoudre un problème lié à un fichier manquant au démarrage de Vista

Certains fichiers sont plus importants que d'autres. Une grande partie des fichiers contenus dans le dossier *c:\windows\system32* sont critiques et indispensables à l'initialisation de Windows Vista. Heureusement, ces fichiers sont protégés et ne peuvent être accidentellement effacés par un utilisateur (ni un administrateur). Cependant, l'installation d'un patch de sécurité, d'un programme ou d'un périphérique peut altérer l'un de ces fichiers, au même titre qu'une défaillance physique sur le disque dur. Si la solution la plus simple lors d'une telle panne est la réinstallation complète de Windows Vista, il existe une solution tout aussi simple, plus rapide et offrant d'excellents résultats.

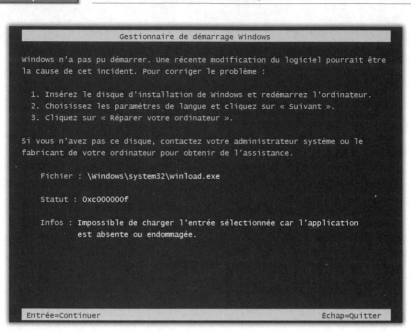

```
                    Gestionnaire de démarrage Windows

Windows n'a pas pu démarrer. Une récente modification du logiciel pourrait être
la cause de cet incident. Pour corriger le problème :

   1. Insérez le disque d'installation de Windows et redémarrez l'ordinateur.
   2. Choisissez les paramètres de langue et cliquez sur « Suivant ».
   3. Cliquez sur « Réparer votre ordinateur ».

Si vous n'avez pas ce disque, contactez votre administrateur système ou le
fabricant de votre ordinateur pour obtenir de l'assistance.

    Fichier : \Windows\system32\winload.exe

    Statut : 0xc000000f

    Infos : Impossible de charger l'entrée sélectionnée car l'application
            est absente ou endommagée.




 Entrée=Continuer                                            Échap=Quitter
```

Figure 1.15 : *Exemple de fichier absent ou endommagé empêchant le démarrage de Vista (Winload.exe, Hal.dll, etc.)*

Si lors du démarrage de l'ordinateur, l'écran affiche le message suivant : *Windows n'a pu démarrer.* Une récente modification du logiciel pourrait être la cause de cet incident. Pour corriger le problème, vous n'avez pas d'autre choix que de réparer Windows Vista. Le fichier indiqué à l'écran est indispensable et ne semble plus être présent. Vous devez vous munir du DVD-ROM d'installation de Windows Vista et redémarrer à partir de ce dernier.

REMARQUE

Ordinateur avec système d'exploitation pré installé sur disque dur

Certains ordinateurs sont vendus sans DVD-ROM d'installation de Windows Vista. Cependant, lors de la première mise en route de l'ordinateur, il a été proposé à l'utilisateur de générer et de graver sur DVD les disques d'installation (pré installés sur le disque dur). Si tel est votre cas, munissez-vous des DVD générés et suivez les explications décrites ci-après.

Il existe toutefois des modèles pour lesquels il n'est pas possible de générer le DVD d'installation de Windows Vista. Si c'est votre cas, consultez la documentation livrée avec votre ordinateur à la rubrique *Pannes*.

Procédez ainsi :

1 Insérez le DVD-ROM d'installation de Windows Vista dans le lecteur et redémarrez votre ordinateur.

2 Après la phase de Boot, vous avez quelques secondes pour appuyer sur une touche du clavier afin de forcer le démarrage à partir du DVD-ROM.

Figure 1.16 : Appuyez sur une touche pour démarrer à partir du DVD d'installation de Vista

3 Dans la fenêtre **Installer Windows**, sélectionnez les langues à installer depuis les listes déroulantes. Cliquez sur le bouton **Suivant**.

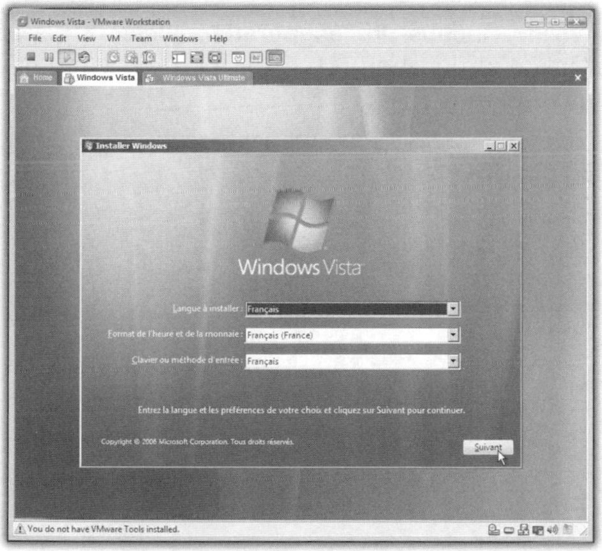

Figure 1.17 : Sélectionnez la langue et cliquez sur le bouton Suivant

4 Dans la fenêtre suivante, ne cliquez pas sur le bouton **Installer** mais cliquez sur **Réparer l'ordinateur**.

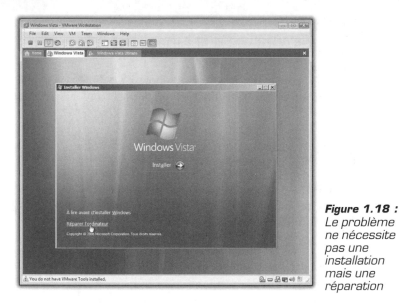

Figure 1.18 :
Le problème
ne nécessite
pas une
installation
mais une
réparation

5 Dans la fenêtre **Options de récupération système**, sélectionnez votre système d'exploitation (*Microsoft Windows Vista*) et cliquez sur le bouton **Suivant**.

6 Dans la rubrique *Choisir un outil de récupération*, cliquez sur **Réparation du démarrage**.

Figure 1.19 :
Cliquez sur
Réparation
du
démarrage

7 L'outil de redémarrage système recherche les problèmes sur le système. Le fichier manquant ou corrompu est remplacé.

8 Une fois la réparation effectuée, vous êtes invité à redémarrer l'ordinateur. Si les opérations de réparations ont réussi, Windows Vista redémarrera normalement. Cliquez sur le bouton **Terminer**.

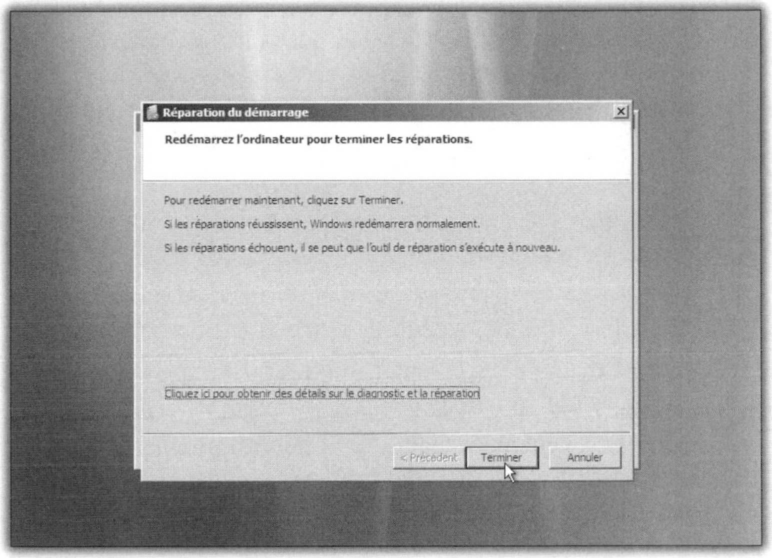

Figure 1.20 : *Cliquez sur le bouton Terminer pour redémarrer l'ordinateur. Si l'opération de réparation a réussi, Windows Vista démarrera normalement*

Il est également possible que l'outil **Réparation du démarrage** vous informe qu'il n'a pu réparer le problème. Vous pouvez toutefois réessayer une nouvelle réparation. Si l'opération échoue à nouveau, vous n'aurez d'autre choix que de réinstaller Windows.

Résoudre un problème causé par une défaillance de disque dur

Certaines pannes sont longues à se mettre en place et ont pour conséquence des défaillances aléatoires du système. Ces pannes peuvent être diagnostiquées depuis l'outil **Observateur d'événements** de Vista.

Procédez ainsi :

1 Cliquez sur **Démarrer/Panneau de configuration**.

2 Dans le Panneau de configuration (en mode Affichage classique), double-cliquez sur l'icône *Outils d'administration*.

3 Dans la fenêtre **Outils d'administration**, double-cliquez sur **Observateur d'événements**.

4 Dans le volet de gauche de la fenêtre **Observateur d'événements**, cliquez sur **Journaux Windows** puis sur **Système**. Les événements système sont affichés dans la partie principale de la fenêtre. Ces derniers sont classés par dates (du plus récent au plus ancien).

Il existe quatre types d'événement :

- *Information* : événement sans conséquence mais ayant tout de même été tracé.

- *Avertissement* : événement notant un dysfonctionnement ayant empêché la bonne exécution d'une fonction particulière.

- *Erreur* : événement notant l'impossibilité de traiter une demande ou d'exécuter un service.

- *Critique* : événement ayant provoqué un plantage du système et le redémarrage de ce dernier. Les événements critiques sont à traiter le plus rapidement possible.

Prenons l'exemple d'un événement de type *Avertissement* créé suite à une défaillance disque. Ce dernier, bien que n'ayant eu aucune incidence dramatique pour le système, est signe de petites défaillances du disque qui pourront s'avérer plus graves par la suite, puisque ce dernier n'a pas réussi l'écriture d'un fichier (voir Figure 1.21).

À partir de ce message, il faut effectuer une vérification du disque dur principal :

1 Cliquez sur **Démarrer/Ordinateur**.

2 Dans la fenêtre **Ordinateur**, cliquez sur le disque dur principal de votre ordinateur. Dans le menu contextuel, cliquez sur **Propriétés**.

3 Dans la fenêtre **Propriétés de ...**, cliquez sur l'onglet **Outils**.

4 Dans la rubrique *Vérification des erreurs*, cliquez sur le bouton **Vérifier maintenant**.

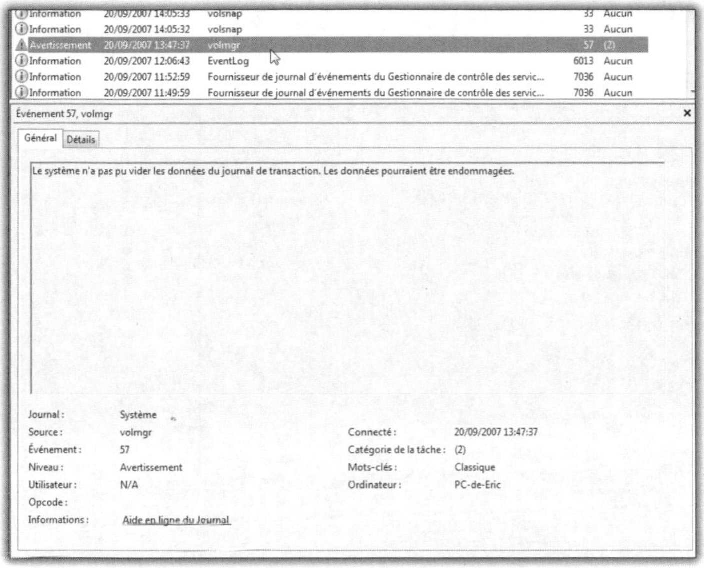

ⓘ Information	20/09/2007 14:05:33	volsnap	33	Aucun
ⓘ Information	20/09/2007 14:05:32	volsnap	33	Aucun
⚠ Avertissement	20/09/2007 13:47:37	volmgr	57	(2)
ⓘ Information	20/09/2007 12:06:43	EventLog	6013	Aucun
ⓘ Information	20/09/2007 11:52:59	Fournisseur de journal d'événements du Gestionnaire de contrôle des servic...	7036	Aucun
ⓘ Information	20/09/2007 11:49:59	Fournisseur de journal d'événements du Gestionnaire de contrôle des servic...	7036	Aucun

Événement 57, volmgr ✕

Général | Détails

Le système n'a pas pu vider les données du journal de transaction. Les données pourraient être endommagées.

Journal :	Système		
Source :	volmgr	Connecté :	20/09/2007 13:47:37
Événement :	57	Catégorie de la tâche :	(2)
Niveau :	Avertissement	Mots-clés :	Classique
Utilisateur :	N/A	Ordinateur :	PC-de-Eric
Opcode :			
Informations :	Aide en ligne du Journal		

Figure 1.21 : *Exemple d'un avertissement dans l'observateur d'événements, indiquant qu'une maintenance du disque est nécessaire*

5 Dans la boîte de dialogue **Vérification du disque**, décochez les options *Réparer automatiquement les erreurs de système de fichiers* et *Rechercher et tenter une récupération des secteurs défectueux*. (Ces options empêchent l'exécution de la vérification lorsque Vista est actif, et vous imposent un redémarrage de l'ordinateur pour vérifier le disque avant le chargement de Windows. Cette opération étant longue, elle peut s'avérer inutile si le disque est sain.) Cliquez sur le bouton **Démarrer**.

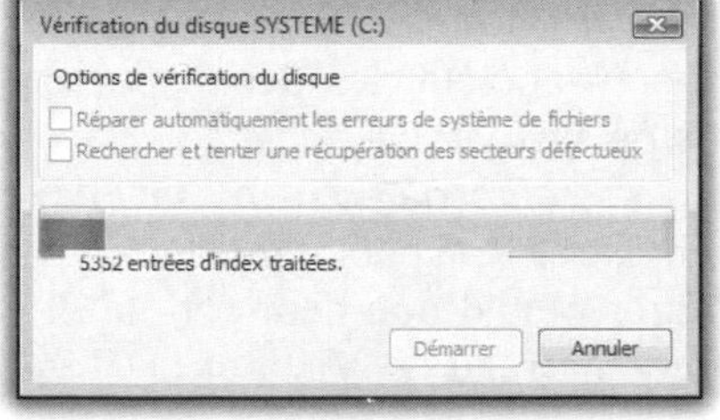

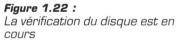

Vérification du disque SYSTEME (C:)

Options de vérification du disque

☐ Réparer automatiquement les erreurs de système de fichiers
☐ Rechercher et tenter une récupération des secteurs défectueux

5352 entrées d'index traitées.

Démarrer | Annuler

Figure 1.22 :
La vérification du disque est en cours

6 Une fois la vérification terminée, l'outil affiche un rapport des opérations effectuées. Vous pouvez accéder à des informations plus détaillées, et consulter les actions correctrices à réaliser avec un redémarrage de l'ordinateur, en cliquant sur *Voir les détails*.

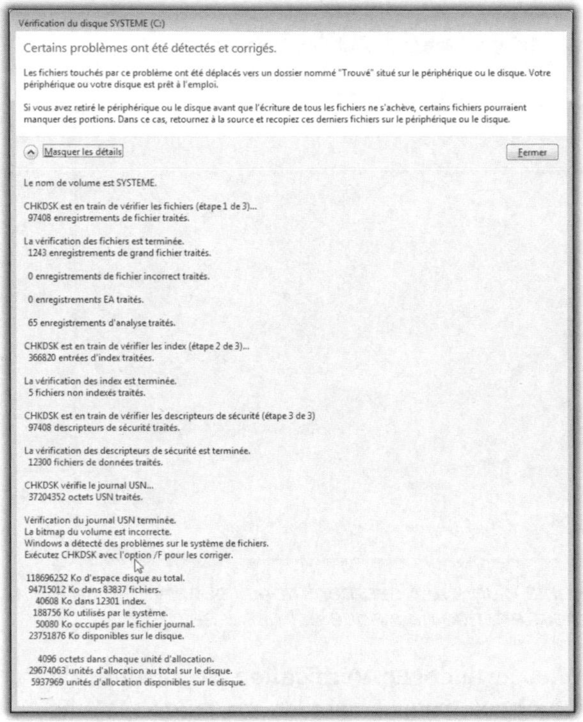

Figure 1.23 : Le rapport détaille les opérations réalisées, et propose d'exécuter la commande CHKDSK /F pour corriger les éléments n'ayant pu l'être pendant la vérification depuis Vista

Si des erreurs ont été trouvées sur le disque, la commande associée pour fixer le problème vous est proposée avec les paramètres propres au problème rencontré :

7 Vous pouvez soit utiliser la commande CHKDSK /F, soit recommencer la vérification en cochant les deux options *Réparer automatiquement les erreurs de système de fichiers* et *Rechercher et tenter une récupération des secteurs défectueux*. Quelle que soit l'opération que vous choisirez, sachez qu'une vérification complète du disque peut durer plus d'une heure et qu'elle ne sera exécutée qu'au prochain redémarrage de Vista et de l'ordinateur.

8 Pour utiliser la commande CHKDSK /F, cliquez sur **Démarrer**, saisissez CMD dans la zone de recherche et validez en appuyant sur la touche [↵].

9 Dans la fenêtre de commandes, saisissez CHKDSK /F et appuyez sur la touche [↵]. L'opération ne pouvant être exécutée pendant le fonctionnement de Vista, appuyez sur la touche ⊙ pour valider la vérification au prochain redémarrage de Vista ou sur ⋈ pour annuler l'opération et appuyez sur ⏎.

Figure 1.24 : *Saisissez O pour programmer la vérification au prochain redémarrage du système*

Lors du redémarrage, la vérification du disque est effectuée. Lorsque celle-ci se termine, les erreurs trouvées sont corrigées, et l'ordinateur redémarre.

Figure 1.25 : *Vérification du disque réalisée. Le système va redémarrer*

Prévenir les pannes dues à la fragmentation

L'écriture des données sur le disque dur n'est pas faite au hasard. Certaines règles sont appliquées et respectées par Windows Vista. Ainsi, lors de la suppression d'un programme ou d'un fichier du disque, la place laissée vide par ce dernier est remise à disposition du système. Mais cette place ne correspond pas forcément à la taille requise pour l'écriture complète d'un nouveau fichier, ce dernier étant alors écrit sur différents emplacements libres du disque. Cette règle permet d'utiliser au maximum les portions d'espace libre d'un disque dur. Cependant, si elle a l'avantage de récupérer les portions d'espace libre, elle accroît les temps de lecture d'un fichier, puisque l'intégralité des données de ce dernier n'est pas contiguë.

Un disque fragmenté réduit les performances de lecture/écriture du disque dur, et ainsi, les performances globales de l'ordinateur.

Cependant, contrairement aux versions précédentes de Windows, Vista pratique automatiquement la défragmentation des secteurs de démarrage du disque, afin d'optimiser le temps nécessaire au démarrage de l'ordinateur.

Avec Vista, la défragmentation est planifiée pour être lancée automatiquement le mercredi à 1H00. Cependant, si votre ordinateur n'est pas allumé à ces horaires, la défragmentation ne sera pas effectué. Vous devez donc planifier cette dernière à une heure où votre ordinateur est allumé, mais également à une heure où vous n'avez pas besoin de toute la puissance de ce dernier. Vous pouvez également lancer des défragmentations manuelle :

1 Cliquez sur **Démarrer/Tous les programmes/Accessoires/Outils système/Défragmenteur de disque**.

2 Dans la fenêtre **Défragmenteur de disque**, vous pouvez au choix valider ou invalider l'exécution planifiée, et modifier cette dernière en cliquant sur le bouton **Modifier la planification**.

3 Dans la boîte de dialogue **Modifier la planification**, sélectionnez la fréquence, le jour et l'heure d'exécution de la défragmentation. Validez en cliquant sur le bouton OK.

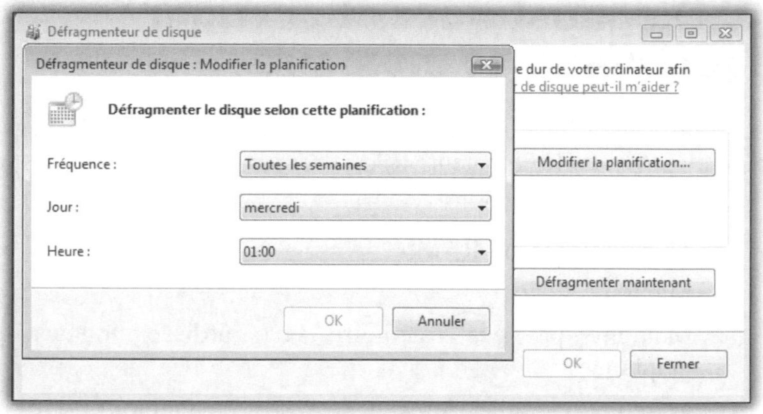

Figure 1.26 : *Modification de la planification de la défragmentation*

4 Dans la fenêtre **Défragmenteur de disque**, vous pouvez également lancer une défragmentation manuelle en cliquant sur le bouton **Défragmenter maintenant**. L'opération de défragmentation peut durer plusieurs heures, en fonction de la taille de vos disques durs et de leur taux de fragmentation.

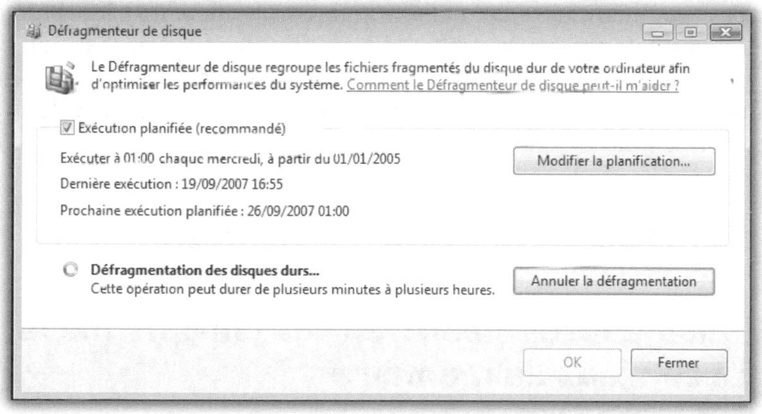

Figure 1.27 : *La défragmentation en cours*

5 Pendant la défragmentation, vous pouvez fermer la fenêtre **Défragmenteur de disque** en cliquant sur le bouton **Fermer**. La défragmentation, quant à elle, continuera à être réalisée en tâche de fond.

1.5. Diagnostiquer et corriger un problème de mémoire

Lorsque l'on parle de mémoire, le premier réflexe est de penser à la mémoire vive de l'ordinateur (RAM). Cependant, Windows Vista utilise différents types de mémoire :

- Mémoire vive ou RAM.
- Mémoire vidéo.
- Mémoire partagée (mémoire vive utilisée pour la gestion graphique).
- Mémoire virtuelle. Au lieu de rester en mémoire vive, certains programmes sont copiés sur le disque. La portion de disque dur utilisée est alors appelée mémoire virtuelle ou Swap disc.
- Mémoire cache. Il en existe deux types : L1 et L2. Toutes deux associées au processeur, elles permettent d'entreposer les données en attente de traitement.

En tant qu'utilisateur, vous ne pouvez agir que sur la quantité de deux types de mémoire : la mémoire vive (en ajoutant des barrettes de mémoire) et la mémoire virtuelle (en définissant l'espace disque alloué). De ces deux types de mémoire, un mauvais paramétrage peut entraîner aussi bien des blocages de l'ordinateur qu'une chute spectaculaire de ses performances.

Problèmes de mémoire physique

Blocage intempestif du PC (écrans bleus) après ajout de mémoire

Si suite à l'ajout de barrettes de mémoire, votre PC se bloque régulièrement et qu'il affiche un écran bleu (DUMP) ou reste simplement figé et que vous ne trouviez aucun message d'erreur particulier dans l'Observateur d'événement, vous avez de fortes chances d'être confronté à un problème d'incompatibilité entre les anciennes et les nouvelles barrettes mémoire.

La recherche de la cause se fait en plusieurs phases :

REMARQUE

Manipulation des barrettes de mémoire

Les barrettes de mémoire sont des éléments très sensibles aux décharges électrostatiques. Il est donc impératif que ces dernières soient manipulées le PC éteint, et il est préférable d'utiliser un bracelet antistatique.

- Retirez les nouvelles barrettes et rallumez votre ordinateur. Si les plantages ne se reproduisent plus, on peut facilement en déduire qu'elles provoquent le problème.

- Remplacez à présent les barrettes d'origine par les nouvelles barrettes, et redémarrez votre ordinateur. Si ce dernier fonctionne sans plantage, cela signifie que les nouvelles barrettes peuvent être la cause des plantages, mais seulement lorsqu'elles sont connectées en même temps que les barrettes d'origine. Si tel est votre cas, vérifiez que les barrettes sont de la même catégorie (type, fréquence de fonctionnement, capacité...). Si vous avez un doute concernant leur compatibilité, n'hésitez pas à consulter le revendeur.

Blocage intempestif du PC (sans ajout de mémoire)

De même qu'après un ajout de barrettes mémoire incompatibles avec les barrettes d'origine de votre ordinateur, il est possible qu'une barrette soit défaillante, rendant tout le système instable. Si vous ne trouvez aucune trace du plantage dans l'Observateur d'événements (excepté le redémarrage du système), utilisez l'outil de diagnostic mémoire de Windows Vista.

1 Cliquez sur **Démarrer/Panneau de configuration**.

2 Dans la fenêtre du **Panneau de configuration** (en mode Affichage classique), double-cliquez sur l'icône *Outils d'administration*.

3 Dans la fenêtre **Outils d'administration**, double-cliquez sur **Outil Diagnostic de la mémoire**.

4 Dans la boîte de dialogue **Outil Diagnostic de la mémoire Windows,** cliquez sur **Redémarrer maintenant et rechercher les problèmes éventuels.**

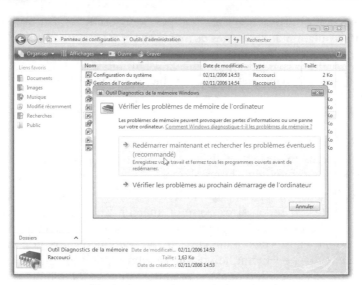

Figure 1.28 : *Choix du type de test de la mémoire*

5 Au redémarrage de l'ordinateur, l'outil de diagnostic de la mémoire démarre avant le chargement de Windows Vista. Les tests peuvent être longs et générer des temps d'inactivité de l'ordinateur.

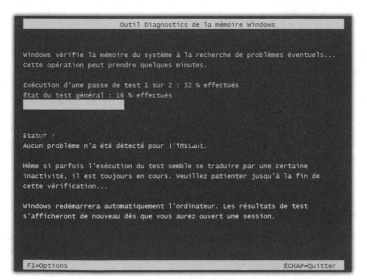

Figure 1.29 : *Le test de la mémoire en cours d'exécution*

À la fin des tests, l'ordinateur redémarre. Le résultat des tests est affiché dès l'ouverture d'une session sous Windows Vista depuis une info bulle de la zone de notification.

Figure 1.30 :
Le résultat des tests

Ces tests permettent à défaut d'identifier le responsable des blocages de l'ordinateur, au moins d'éliminer les barrettes de mémoire de la liste des suspects.

La quantité de RAM annoncée ne correspond pas à la quantité installée

Si votre ordinateur est équipé de quatre barrettes de 512 Mo, Vista devrait détecter 2 Go (ou 2 048 Mo) de mémoire. Si vous constatez que depuis la fenêtre **Système** du Panneau de configuration, la quantité de mémoire détectée est inférieure de 512 Mo ou 1 Mo à celle installée, cela signific qu'une ou deux barrettes mémoire sont mal insérées ou non reconnues.

REMARQUE

Limite des 3 Gigas

Avoir un ordinateur équipé en standard de 4 Go de mémoire vive est devenu courant. Cependant, vous constaterez très vite que Vista n'utilise qu'à peine 3 Go. Cette situation n'est pas anormale et ne doit pas être considérée comme une panne. Vista est en mesure de reconnaître 4 Go, mais utilise 1 Go pour gérer cette mémoire. Ainsi, la mémoire vraiment utilisable pour les application ne dépasse pas 2.813 Mo.

Utiliser la fonction ReadyBoost

L'accès à une mémoire flash de type clé USB est beaucoup plus rapide que l'accès à un disque dur. Par défaut, la mémoire virtuelle de Windows Vista (le fichier d'échange) est stockée sur le ou les disques durs de l'ordinateur. Windows Vista propose d'utiliser des périphériques de stockage de type flash avec un taux de transfert élevé pour stocker une partie du fichier d'échange Cette fonction nommée *ReadyBoost* permet, lors de la connexion d'un périphérique USB 2, d'utiliser tout ou partie de ce périphérique pour y stocker le fichier d'échange.

1 Après avoir connecté votre clé USB sur un port USB2, double-cliquez sur l'icône *Ordinateur* du Bureau ou sur **Démarrer/ Ordinateur**.

2 Cliquez du bouton droit sur votre périphérique USB.

3 Dans la fenêtre **Propriétés de disque amovible**, cliquez sur l'onglet **ReadyBoost**.

4 Si ce dernier n'a pas été reconnu comme pouvant être utilisé par *ReadyBoost*, cliquez sur le bouton **Retester**.

5 Si ce dernier est reconnu comme compatible, cochez l'option *Utiliser ce périphérique*.

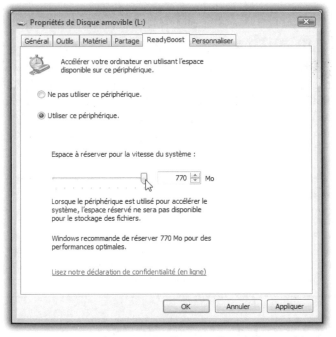

Figure 1.31 : *Périphérique utilisé par ReadyBoost, à hauteur de 770 Mo pour accélérer le système*

6 Dans la rubrique *Espace à réserver pour la vitesse du système*, déplacez le curseur pour ajuster l'espace à réserver pour la vitesse du système. Par défaut, Vista recommande d'utiliser la totalité de l'espace libre.

REMARQUE **Espace réservé**

L'espace réservé sur le périphérique par *ReadyBoost* n'est plus disponible pour le stockage des données. Si tout l'espace à été alloué à *ReadyBoost*, votre clé USB peut se retrouver dédiée à cet usage.

7 Validez en cliquant sur les boutons **Appliquer** et OK.

Récupérer l'espace alloué à ReadyBoost

Sur un système bien équilibré, la fonction *Readyboost* améliore sensiblement les performances de votre ordinateur. Cependant, cette fonctionnalité peut vous léser de l'usage d'une clé USB. En cas de besoin d'espace sur la clé, vous constaterez très vite que le fichier *ReadyBoost* présent sur le périphérique ne peut être supprimé.

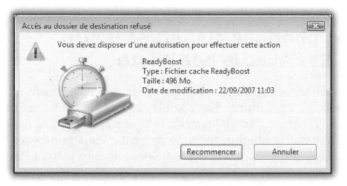

Figure 1.32 : *La suppression du fichier ReadyBoost n'est pas possible*

Pour récupérer cet espace, vous devez désactiver la fonction *ReadyBoost* sur le périphérique :

1 Double-cliquez sur l'icône *Ordinateur* du Bureau ou cliquez sur le menu **Démarrer/Ordinateur**.

2 Cliquez du bouton droit sur le périphérique puis sur **Propriété** dans le menu contextuel.

3 Dans la fenêtre **Propriétés de Disque amovible**, cliquez sur l'onglet **ReadyBoost**.

4 Cochez l'option *Ne pas utiliser ce périphérique*.

5 Cliquez sur les bouton **Appliquer** et OK.

Le fichier *ReadyBoost* est alors automatiquement supprimé de la clé, et l'espace alloué est libéré pour le stockage de vos données.

1.6. Résoudre les problèmes des périphériques USB

La norme USB (que ce soit le 1/0, le 1.1 ou le 2.0) apporte beaucoup de flexibilité pour la connexion de périphériques sur l'ordinateur. En effet, les périphériques USB peuvent être connectés et déconnectés "à chaud", et pour un grand nombre d'entre eux, l'installation se fait sans ajout de pilotes spécifiques.

Toutefois certaines erreurs sont à éviter lorsque l'on travaille avec des périphériques USB, notamment lorsque l'on souhaite les débrancher (surtout pour les périphériques de stockage, tels que les clés USB).

Cas d'un périphérique qui refuse d'être reconnu, même avec le bon pilote

Généralement, pour employer un périphérique USB sur votre ordinateur, il suffit de connecter ce dernier, d'attendre quelques secondes et de l'utiliser. Bien que répondant tous à la norme *plug and play*, pour certains périphériques, il est nécessaire d'installer au préalable leurs pilotes sous Vista. Si le périphérique est connecté avant de pouvoir être reconnu par Vista, ce dernier ne sera reconnu que comme périphérique inconnu. Même une installation postérieure des pilotes peut ne pas résoudre le problème.

La résolution va consister à supprimer du Gestionnaire de périphériques tous les composants USB du système et à les faire reconnaître à nouveau par Windows Vista. Cette opération aura pour conséquence une réinitialisation complète des ports USB et des composants qui y sont rattachés.

Procédez ainsi :

1 Cliquez sur **Démarrer**. Cliquez du bouton droit sur **Ordinateur**.

2 Dans le menu contextuel, cliquez sur **Propriétés**.

3 Dans le volet **Tâches** de la fenêtre **Système**, cliquez sur **Gestionnaire de périphériques**.

4 Dans la fenêtre **Gestionnaire de périphériques**, ouvrez la rubrique *Contrôleur de bus USB*.

5 Cliquez du bouton droit sur les *Contrôleurs d'hôte xxxxe*. Dans leur menu contextuel, cliquez sur **Désinstaller** (reproduisez l'opération pour tous les contrôleurs hôtes). Dans la boîte de dialogue **Confirmation de la désinstallation du périphérique**, cliquez sur le bouton OK.

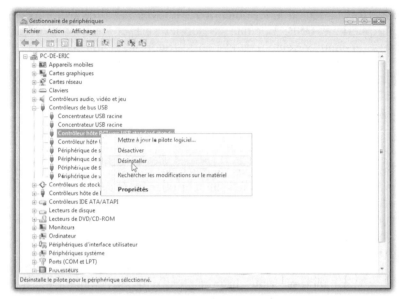

Figure 1.33 : *Désinstallation du périphérique*

6 Après la suppression des contrôleurs hôtes, la rubrique *Contrôleur de bus USB* n'est plus présente.

REMARQUE

Périphérique inconnu

Il peut être nécessaire de désinstaller manuellement le périphérique inconnu si ce dernier ne disparaît pas lors de la désinstallation des contrôleurs hôtes.

7 Cliquez sur le bouton **Rechercher les modifications sur le matériel** de la barre d'outils de la boîte de dialogue **Gestionnaire de périphériques**.

Figure 1.34 :
Recherche des modifications

8 Les contrôleurs USB vont être détectés et installés par Windows Vista.

Une fois la détection terminée, vous pouvez installer les pilotes de votre périphérique USB. Lorsque ce dernier sera connecté à l'ordinateur, il sera reconnu correctement et pourra fonctionner normalement.

Éviter la perte de données lors de la déconnexion d'un périphérique de stockage

Lorsque l'on transfert des fichiers sur un périphérique USB, il est préférable de déconnecter le périphérique de Vista avant de le déconnecter. En effet, la déconnexion physique d'un périphérique USB peut avoir des répercutions sur les performances et la stabilité du système :

- Le port USB utilisé peut rester réservé au périphérique.
- La bande passante du port n'est pas correctement réaffectée aux autres périphériques.
- Des données peuvent ne pas avoir été écrites sur le périphérique si l'option *Optimiser pour de meilleures performances* est validée pour le périphérique déconnecté depuis le Gestionnaire de périphériques.
- Le système peut devenir instable.

Il est préférable de déconnecter proprement les périphériques USB en utilisant l'icône de la zone de notification *Retirer le périphérique en toute sécurité*.

Figure 1.35 :
L'icône de retrait de périphériques

1 Double-cliquez sur l'icône *Retirer le périphérique en toute sécurité* dans la zone de notification.

2 Dans la boîte de dialogue **Supprimer le périphérique en toute sécurité**, sélectionnez le port USB concerné puis le périphérique USB à déconnecter du système.

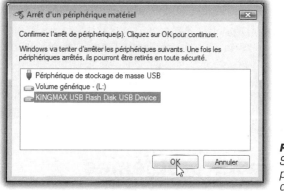

Figure 1.36 :
Sélection du périphérique à déconnecter

REMARQUE

Choix du périphérique à arrêter

Le périphérique est affiché dans une sous-catégorie. Avec une clé USB, les niveaux sont les suivants dans notre exemple :

▪ *Périphérique de stockage de masse USB* ;

▪ *Volume générique - (H)* ;

▪ *"Nom du Disque" USB Device*.

L'arrêt peut être sélectionné à n'importe quel niveau. Cependant, si vous utilisez un hub USB, il est indispensable de sélectionner au plus juste le niveau à arrêter, à savoir, au minimum le volume.

---

3 Cliquez sur le bouton **Arrêter**.

4 Dans la boîte de dialogue **Arrêt d'un périphérique matériel**, sélectionnez le périphérique à arrêter et cliquez sur OK.

5 Une info bulle vous informant que vous pouvez retirer le périphérique en toute sécurité est affichée dans la zone de notification. Vous pouvez à présent déconnecter le périphérique USB.

REMARQUE

Optimiser l'utilisation des périphériques USB avec le Service Pack 1 de Windows Vista

Une fois le *Service Pack 1* de Vista installé, il est possible de s'affranchir de l'attente avant le retrait d'un périphérique de stockage USB en formatant ce dernier en *NTFS* et non en *FAT* (utilisé par défaut).

Pour ce faire, avec le bouton droit de la souris, cliquez sur le périphérique connecté, et dans le menu contextuel, cliquez sur **Formater**.

Dans la fenêtre **Formater Disque Amovible**, sélectionnez *NTFS* dans la liste déroulante *Système de fichiers*, et cliquez sur le bouton **Démarrer**.

Avec le Service Pack 1, Windows enregistre les données sur un périphérique USB formaté en NTFS immédiatement, sans stocker ces dernières en mémoire virtuelle, tel que cela est réalisé avec le même périphérique formaté en FAT.

1.7. Résoudre les problèmes d'impression

De la même façon que tout autre périphérique, une imprimante nécessite un pilote spécifique pour être correctement reconnue par Vista. Cependant, lorsqu'un problème d'impression apparaît, il est important de savoir que le problème peut avoir plusieurs sources.

Les sources liées directement à l'imprimante sont les suivantes :

- *L'imprimante ne répond pas* : problème d'alimentation de l'imprimante ou de connexion entre elle et l'ordinateur.
- *L'impression déborde du papier* : problème de positionnement des feuilles vierges, mais cela peut également provenir d'un problème de paramétrage de l'impression (format).
- *Les couleurs sont absentes* : problème lié à un manque d'encre, ou dû à une commande d'impression monochrome.
- *Bourrage de papier* : problème lié au bac de papier de l'imprimante.

Windows Vista peut également être responsable des problèmes d'impression :

- Vista ne semble pas gérer les commandes d'impression : l'imprimante est-elle installée et reconnue par Windows Vista ?

- Vista gère correctement l'impression mais aucune feuille ne sort de l'imprimante : vérifiez que l'alimentation de l'imprimante est connectée à une prise secteur et que l'imprimante est reliée à l'ordinateur. Vérifiez également que cette dernière est en marche.

- Vista gère correctement l'impression mais l'imprimante ne dénote aucune activité : il est possible que l'imprimante ne soit pas définie comme imprimante par défaut.

- Après avoir lancé une impression depuis Vista, aucune page ne sort de l'imprimante : le spooler d'impression est peut-être bloqué.

Réinitialiser le spooler d'impression

Les impressions, lorsqu'elles sont ordonnées, ne sont pas directement transmises à l'imprimante mais sont stockées par un service de Windows Vista : le spooler d'impression.

Suite à des problèmes de communication avec l'imprimante, il arrive que le spooler soit bloqué avec une ou plusieurs impressions en attente. Vous restez dans l'impossibilité d'imprimer sans avoir à redémarrer votre PC.

Procédez ainsi :

1 Cliquez sur le menu **Démarrer**. Dans la zone de recherche, saisissez Services.msc. Validez en appuyant sur la touche ⏎.

2 Dans la fenêtre **Services**, recherchez le service *Spouleur d'impression*.

3 Cliquez du bouton droit dessus. Dans le menu contextuel, cliquez sur la commande **Arrêter**. Vista procède à l'arrêt du service.

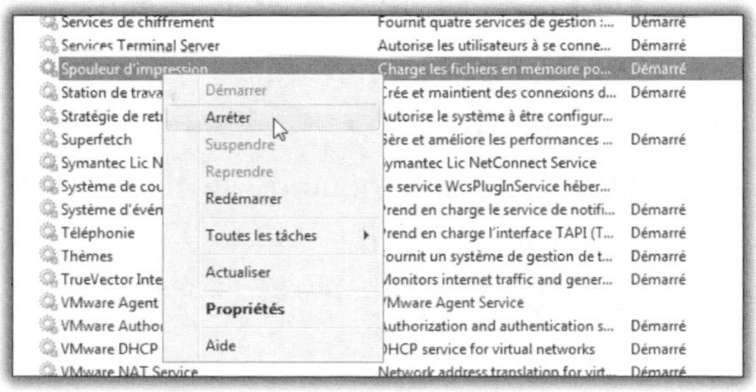

Figure 1.37 : *Arrêt du service Spouleur d'impression*

4 Cliquez à nouveau du bouton droit sur le service *Spouleur d'impression*. Dans le menu contextuel, cliquez sur **Démarrer**. Le service est démarré.

Le problème de blocage du spooler est résolu. Cependant, les impressions bloquées sont perdues et doivent être relancées.

1.8. Check-list

- comprendre les composants et les pilotes des périphériques de l'ordinateur ;
- diagnostiquer un problème de pilote logiciel pour un dysfonctionnement de périphérique ;
- mettre à jour les pilotes logiciels ;
- identifier les pannes matérielles lors du démarrage de l'ordinateur ;
- paramétrer l'ordinateur afin qu'il puisse démarrer depuis un CD-ROM ou DVD-ROM ;
- diagnostiquer une panne matérielle de la carte vidéo ;
- paramétrer la carte vidéo pour une utilisation optimale sous Vista (mise à jour des pilotes logiciels de la carte vidéo et du moniteur) ;
- diagnostiquer un problème de reconnaissance de disque dur ;
- réparer Vista suite à la perte de fichiers système ;
- défragmenter le disque dur ;
- corriger un problème consécutif à une défaillance du disque dur ;
- diagnostiquer un problème de mémoire physique ;
- résoudre un problème de compatibilité de barrettes mémoire ;
- résoudre les problèmes liés aux périphériques USB ;
- réinitialiser toute la chaîne USB ;
- déconnecter sans risque un périphérique de stockage USB ;
- résoudre les problèmes d'impression ;
- réinitialiser les impressions.

Chapitre 2

L'identification de problèmes système sur Windows Vista

Windows Vista est un système d'exploitation performant et extrêmement complexe. Aussi, il peut arriver que des erreurs, blocages ou incidents divers surviennent.

Ce système d'exploitation est livré avec tous les outils et utilitaires permettant de diagnostiquer et résoudre les problèmes qu'il peut être amené à rencontrer (matériels ou logiciels).

2.1. Résoudre les problèmes liés au démarrage du système

Si votre ordinateur ne peut redémarrer correctement, il existe un certain nombre de possibilités pour tenter de revenir à une situation normale.

Les options de démarrage avancé

Dès lors que votre ordinateur ne démarre pas correctement, il sera possible de démarrer l'ordinateur dans un état spécifique tel que le mode Sans échec ou la **Dernière bonne configuration connue**.

Ces options sont disponibles au démarrage du système. Lors du démarrage de l'ordinateur, maintenez la touche [F8] appuyée, vous obtiendrez un écran **Récupération d'erreur Windows**.

Il sera possible de sélectionner les options en vous déplaçant à l'aide des touches de direction du clavier. Validez par la touche [←] (voir Figure 2.1).

ATTENTION

Les options de démarrage avancé

Dans certains cas, les ordinateurs préinstallés utiliseront la touche [F5]. Et la dernière bonne configuration connue ne sera pas disponible.

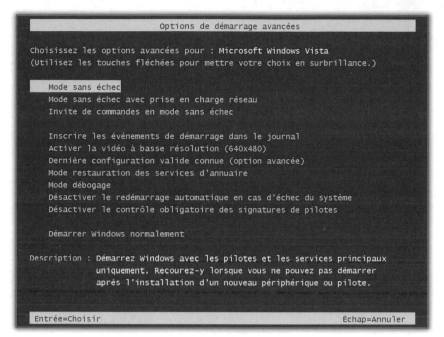

Figure 2.1 : *La récupération d'erreur Windows*

Dernière bonne configuration valide connue

La **Dernière bonne configuration valide connue** est une option permettant de restaurer l'état du service au dernier démarrage du système. Cette option n'est valable que si vous n'avez pas pu vous authentifier sur le système et que le Bureau n'est pas apparu depuis que vous avez modifié le système. Dans un autre cas, utilisez un point de restauration.

Mode Sans échec

Grâce au mode Sans échec de Windows Vista, on peut démarrer le système avec les fichiers et pilotes de base. Cet outil permet donc de valider le fait que le système d'origine fonctionne correctement, et de déterminer si un pilote ou tout autre programme est la cause de vos problèmes. Vous pourrez ainsi résoudre les problèmes sans être confronté aux soucis potentiels de pilotes ou de programmes interférents.

Voici les différents services chargés au démarrage du mode Sans échec.

Tableau 2.1 : *Les services chargés au démarrage en mode Sans échec*	
Service	**Description**
Journal d'événements	Permet d'enregistrer et de consulter les différents événements enregistrés sur l'ordinateur.
Plug and play	Système de détection des périphériques auto configurables. Ce service permet de démarrer les disques durs et autres CD-ROM.
Appel de procédure distante	Permet de communiquer avec d'autres ordinateurs Windows en réseau.
Services de chiffrement	Permet le cryptage des données.
Windows Defender	Permet de protéger l'ordinateur contre les différents programmes malveillants.
WMI (*Windows Management Infrastructure*)	Permet de connaître en temps réel l'état du système et des périphériques.

Voici les différents pilotes chargés au démarrage du système.

Tableau 2.2 : *Les pilotes utilisables en mode Sans échec*	
Pilote	**Description**
Lecteur de disquettes	USB
Lecteurs de CD-ROM/DVD-ROM	Interne ou USB
Lecteurs de disques durs	Internes ou externes
Clavier	USB, PS2 ou Série
Souris	USB ou PS2
Carte graphique en mode VGA	PCI ou AGP ou PCI express

Si le mode Sans échec avec prise en charge réseau est activé, les périphériques et services réseau suivants démarreront.

Tableau 2.3 : *Services et pilotes activés au démarrage du mode Sans échec avec prise en charge réseau*

Pilote ou service	Description
Pilote carte réseau	Ethernet ou Wi-Fi
Service client DHCP	Permet l'attribution d'une adresse IP automatiquement.
Service client DNS	Permet la résolution des noms en adresse IP.
Service Connexion réseau	Permet de gérer les connexions distantes et les connexions réseau locales.
Service Assistance NetBIOS sur TCP/IP	Permet la résolution des noms NetBIOS pour les clients présents sur le réseau.
Service Pare-feu Windows	Permet de protéger votre ordinateur contre les agressions extérieures.

Activer le mode Sans échec depuis l'interface Windows

Si votre ordinateur a pu démarrer sur l'interface graphique mais qu'un problème apparaisse quelques temps après, il vous sera possible d'activer le mode Sans échec par l'intermédiaire de l'interface Windows grâce à l'outil de configuration de système avancé.

Pour cela :

1 Cliquez sur le bouton **Démarrer**. Dans la zone de recherche, tapez `msconfig`. Dans la liste des programmes, cliquez sur **msconfig**.

2 Cochez la case *Démarrage sécurisé*. Activez la puce sur **Minimal**. Pour activer la prise en charge réseau, utilisez la puce *Réseau*. Validez avec le bouton OK.

3 L'ordinateur propose de redémarrer. Cliquez sur OK (voir Figure 2.2).

ATTENTION

Le mode Sans échec activé depuis l'interface Windows
Une fois vos investigations terminées, pensez à décocher la case *Démarrage sécurisé* pour activer le mode de démarrage normal.

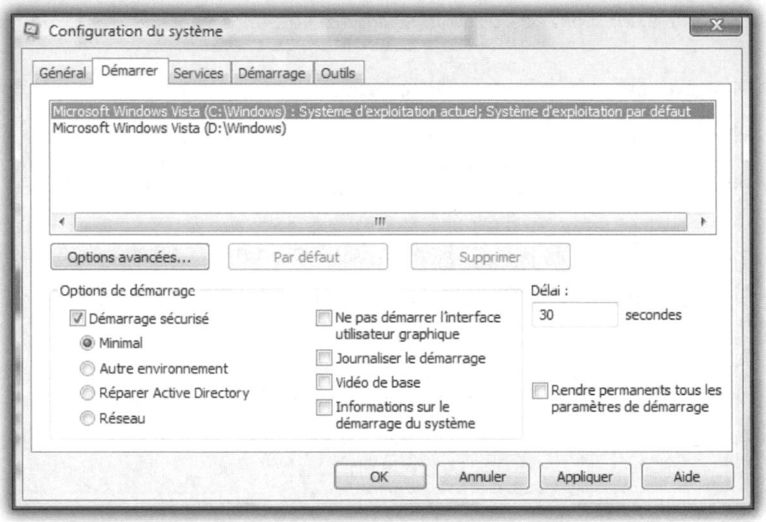

Figure 2.2 : *Msconfig : l'utilitaire de démarrage avancé*

Les outils disponibles en mode Sans échec

Une fois démarré en mode Sans échec correctement, il sera possible d'utiliser quelques outils :

Tableau 2.4 : *Les outils disponibles en mode Sans échec*		
Outil	**Commande**	**Description**
Restauration système	**Démarrer/Tous les programmes/Accessoires/ Outils Système/ Restauration Système**	Grâce aux points de restauration, vous pourrez revenir à un état antérieur de votre système.
Les outils du Panneau de configuration	**Démarrer/Panneau de configuration**	Modification de comptes d'utilisateurs, gestion des périphériques, gestion des programmes, état du système
Observateur d'événements	**Démarrer/Panneau de configuration/Outils d'administration/ Observateur d'événements**	Consulter la liste des événements système et applicatifs et de sécurité

Tableau 2.4 : *Les outils disponibles en mode Sans échec*

Outil	Commande	Description
Outils de diagnostic de la mémoire Windows	**Démarrer/Panneau de configuration/Outils d'administration/Outils de diagnostic de la mémoire Windows**	Permettra de détecter un problème matériel lié à la mémoire sur l'ordinateur.
Services	**Démarrer/Panneau de configuration/Outils d'administration/Services**	La liste des services activés ou non. Il sera possible de désactiver un service suspect au démarrage de l'ordinateur.
Gestionnaire de périphériques	**Démarrer/Panneau de configuration/gestionnaire de périphériques**	Contient la liste des périphériques système. Il sera possible de désactiver un périphérique ou de réinstaller un nouveau pilote.
Invite de commandes	**Démarrer/Tous les Programmes/accessoires**. Avec le bouton droit de la souris, sélectionnez **Invite de commandes**. Dans le menu contextuel, cliquez sur **Exécuter en tant qu'administrateur**.	Toutes les commandes d'administration existantes en invite de commandes

Invite de commandes en mode Sans échec

L'Invite de commandes en mode Sans échec vous permettra, si vous connaissez les commandes usuelles pour gérer efficacement votre système, de résoudre les problèmes.

Inscrire les événements de démarrage dans le journal

Dans les options de démarrage avancé, cette option aura pour effet de stocker dans un fichier journal, tous les pilotes chargés au démarrage. Le dernier événement stocké sera certainement la cause de l'incident. Le journal est stocké sur *c:\ntbtlog.txt*.

Activer la vidéo basse résolution

Cette option du démarrage avancé du système permet de ne pas charger le pilote vidéo du système. En cas de défaillance du pilote ou du périphérique vidéo utilisé, le système pourra être correctement employé, avec un affichage dégradé. Vous pourrez ainsi télécharger un nouveau pilote vidéo, ou utiliser votre ordinateur en attendant que le périphérique soit changé.

Le mode Restauration Active directory

Ce mode n'est pas utilisé pour les configurations de postes de travail.

Mode Débogage

Ce mode active le débogage du noyau. Le mode Débogage noyau permet d'utiliser une console externe connectée sur un port COM. Employé principalement en entreprise pour le dépannage d'un système critique.

Désactiver le redémarrage automatique en cas d'échec système

En cas d'écran bleu (page bleutée affichant un message d'erreur lié a la configuration, empêchant toute utilisation du système), le redémarrage de l'ordinateur s'effectuera après avoir réalisé un vidage mémoire dans un fichier (si cette option est paramétrée). Si vous devez contacter le support technique ou faire des recherches sur Internet à propos de cette erreur, il serait utile de pouvoir noter le problème. Cette option désactivera le redémarrage automatique ; vous pourrez donc démarrer manuellement l'ordinateur.

Désactiver le contrôle obligatoire de la signature des pilotes

Dans certains cas, Windows force une signature de pilotes. Un pilote signé est un pilote approuvé par Microsoft qui garantit une certaine stabilité. Cette option est utile si vous êtes amené à utiliser des pilotes non officialisé, encore en test.

Configurer le démarrage de Vista avec Msconfig

Msconfig est un utilitaire permettant de gérer efficacement le démarrage du système.

Dans certains cas, le système peut être lent ou ne fonctionne pas en raison de programmes de démarrage que vous aurez choisis ou non d'installer.

1 Pour démarrer l'utilitaire **Msconfig**, cliquez sur le bouton **Démarrer**.

2 Dans la zone de recherche, tapez `msconfig`. Dans la section *programme*, cliquez sur l'icône *Msconfig*.

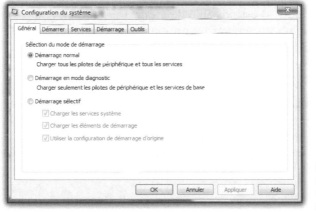

Figure 2.3 :
Utilitaire de
configuration
système

Les modes de démarrage de diagnostic

L'onglet général de **Msconfig** permet de définir plusieurs niveaux de démarrage du système.

Tableau 2.5 : Les différents modes de démarrage paramétrables	
Mode de démarrage	**Description**
Démarrage normal	Permet de démarrer Windows normalement.
Démarrage en mode Diagnostic	Permet de démarrer seulement les pilotes et les services de base. Utile pour éliminer un problème éventuel venant du système.

| **Tableau 2.5** : Les différents modes de démarrage paramétrables ||
Mode de démarrage	Description
Démarrage sélectif	Permet de choisir quels éléments seront chargés, tels que les services système, les éléments définis pour le démarrage, ainsi que les programmes de démarrage de votre choix.

Ces différents modes de démarrage vous permettront de diagnostiquer simplement et efficacement la cause d'un problème éventuel.

Différents modes de démarrage du système

Lors du démarrage de Windows Vista, il est possible d'activer le mode Sans échec. Ce mode permet en premier lieu d'éliminer les causes système. Toutefois, il est possible de créer un mode un peu plus évolué pour diagnostiquer ou réparer un ordinateur exécutant Windows Vista.

Procédez ainsi :

1 Dans l'outil **Msconfig**, cliquez sur l'onglet **Démarrer**.

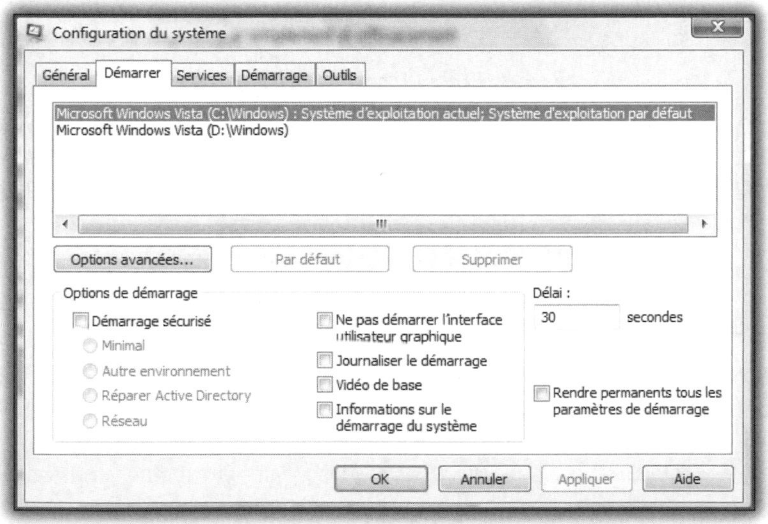

Figure 2.4 : Utilitaire de configuration système onglet Démarrer

2 Si vous cochez la case *Démarrage sécurisé*, vous aurez accès aux options suivantes.

Les différents modes de démarrage disponibles sont.

Tableau 2.6 : Les modes de démarrage	
Mode de démarrage sécurisé	**Description**
Minimal	Démarrera l'interface graphique avec les services de critiques, sans support réseau.
Réseau	Démarrera avec l'interface graphique en n'exécutant uniquement les services système critiques.

Cliquez sur le bouton **Option avancée**. Ce bouton permettra de limiter l'utilisation de un ou plusieurs processeurs, ainsi que la quantité de mémoire utilisable par le système.

Empêcher le démarrage de certains services au démarrage de l'ordinateur

Dans l'utilitaire **Msconfig**, il est possible de définir quel service doit ou non démarrer.

Pour cela, rendez-vous dans l'onglet **Service**, la majorité des services Microsoft lancés au démarrage de l'ordinateur sont requis (voir optimisation du système).

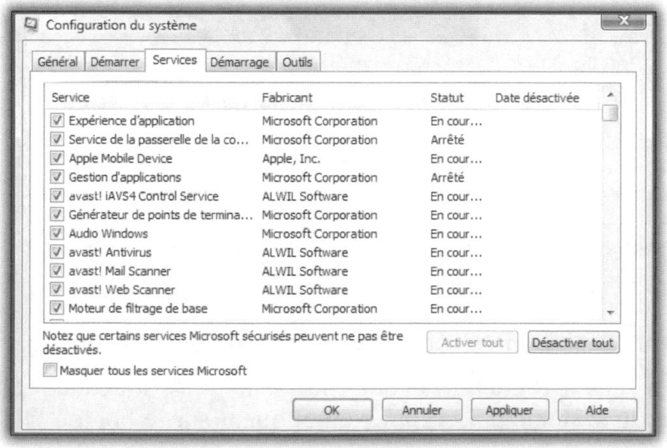

Figure 2.5 : Utilitaire de configuration système onglet Services

- Pour consulter la liste des services non fournis par Microsoft présents au démarrage de l'ordinateur, cochez la case *Masquer tous les services Microsoft*.

- Pour désactiver le service qui ne serait pas requis au démarrage du système, décochez la case en face du nom de celui-ci.

Empêcher l'exécution d'un programme au démarrage de l'ordinateur

Régulièrement certains programmes tiers, pour des raisons de performances au sein de l'application, se chargent au démarrage, ceci au détriment des performances système. Pensez également si une instabilité de votre système se fait ressentir depuis l'installation d'un programme, à vérifier que celui-ci ne se lance pas au démarrage. Dans ce cas, désactivez-le.

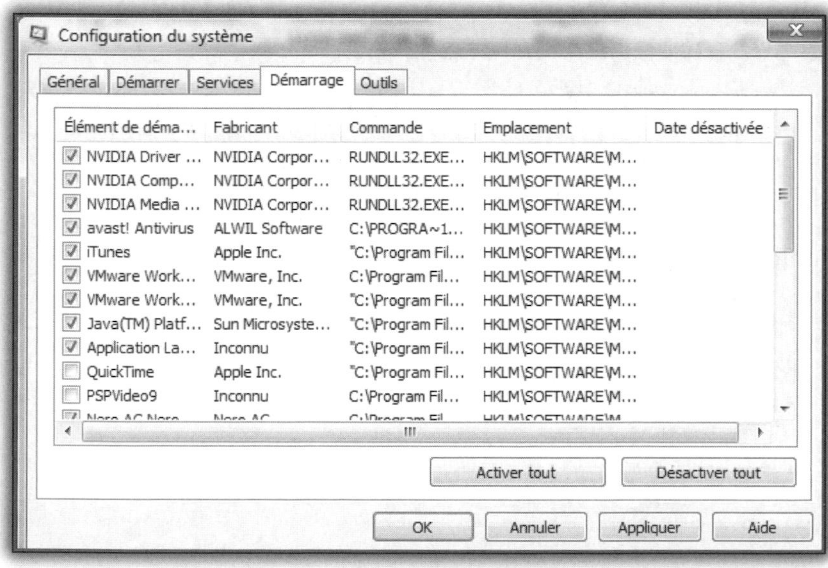

Figure 2.6 : *Utilitaire de configuration système onglet Démarrage*

1 Rendez-vous dans l'onglet **Démarrage** de l'utilitaire **Msconfig**.

2 Recherchez les programmes qui ne sont pas souhaités au démarrage du système puis validez en cliquant sur le bouton OK.

2.2. Les outils de diagnostic de Windows Vista

Utiliser l'Observateur d'événements

L'Observateur d'événements est un outil affichant les événements qui ont pu se produire au sein de Windows Vista. Qu'ils soient applicatifs ou au sein du système, tout est énuméré, de même que les informations de sécurité.

Bases de l'Observateur d'événements

Les événements recensés par le système sont de quatre types :

- Les *Informations*. Événements sans gravité. Indiquent un changement dans une configuration ou une opération s'étant déroulée correctement.
- Les *Avertissements*. Un problème perturbant s'est produit, ceci peut avoir une incidence sur la stabilité d'une application ou des résultats sont erronés.
- Les *Erreurs*. Un problème grave s'est produit, ceci peut avoir une incidence sur la stabilité du système tout entier, ou le fonctionnement de l'application.
- *Critique*. Un problème grave s'est produit, cela implique que le système ou l'application sont indisponibles et cette erreur ne peut être résolue automatiquement.

Les événements de sécurité auront également deux types d'enregistrements :

- Les *Audits de réussite*. Seront stockées les informations concernant des actions de sécurité ayant réussi telles qu'une ouverture de session ou l'accès à un fichier.
- Les *Audits d'échecs*. Toute tentative non aboutie sera stockée sous forme d'échec.

L'Observateur d'événements se décompose en quatre journaux :

- Le *Journal d'applications* : stockera les événements liés aux applications, tels que les services ou MSN live Messenger.

■ Le *Journal de sécurité* : stockera les informations liées événements de sécurités telles que les ouvertures de session, les modifications de permissions.

■ Le *Journal de configuration* : enregistrera les modifications de configurations du système telles que Windows update et le passage de certains patchs.

■ Le *Journal système* : tous les événements système seront stockés, comme les erreurs d'écriture sur un disque dur, les démarrages du système, les mises à jour de configuration réseau.

Utiliser l'Observateur d'événements

L'Observateur d'événements, comme tout autre programme d'administration, se trouve dans le Panneau de configuration, section *Outils d'administration* :

Procédez ainsi :

1 Cliquez sur le bouton **Démarrer/Panneau de configuration**. Cliquez sur le lien *Système et maintenance*.

2 Cliquez sur **Outils d'administration** puis double-cliquez sur **Observateur d'événements**.

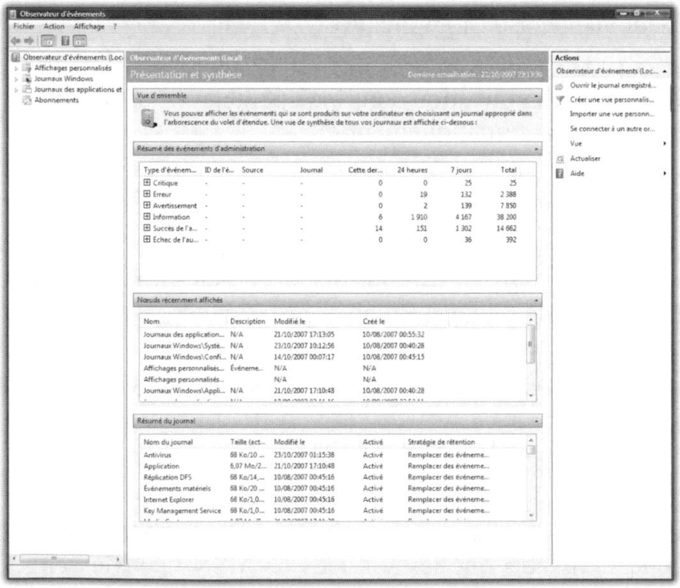

Figure 2.7 *: La console de gestion de l'observateur d'événements*

L'affichage des événements est regroupé en quatre sections ; ces sections sont disponibles dans le volet de gauche :

- **Affichage personnalisé** permet de gérer vos propres journaux d'événements, en fonction de règles que vous aurez prédéfinies.
- **Journaux Windows** regroupe les événements génériques : application, sécurité et système.
- **Journaux d'applications et de services**. Les applications développées pour utiliser le journal d'événements pourront inscrire leurs propres événements dans l'un des journaux de cette section.
- **Abonnement**. L'ordinateur pourra interroger d'autres ordinateurs, pour recenser ses événements.

Administrer les journaux d'événements

Les journaux d'événements sont stockés dans des fichiers à l'extension *evtx* ; ces fichiers possèdent une taille limitée. Il sera possible de définir une taille plus grande, d'enregistrer les journaux dans un fichier sauvegarde et de purger ces fichiers.

Pour afficher, les propriétés d'un journal, cliquez sur la liste déroulante *Journaux Windows* du volet de gauche, sélectionnez le journal à modifier avec le bouton droit de la souris puis cliquez sur **Propriétés**.

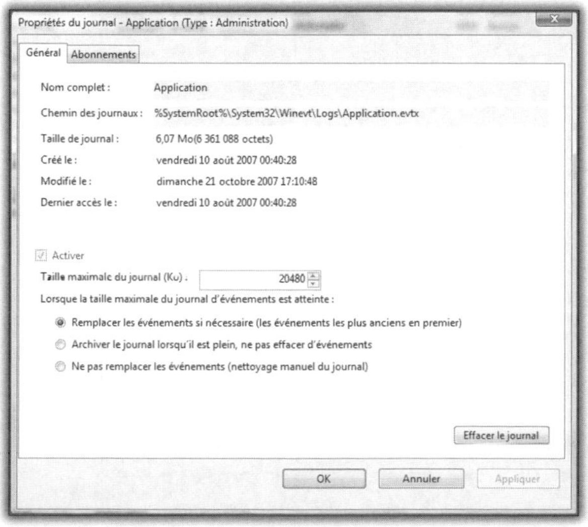

Figure 2.8 :
Les propriétés d'un journal

Dans la boîte de dialogue du journal, vous pourrez modifier l'emplacement du fichier journal, augmenter la taille du fichier, modifier le comportement de ce fichier si celui-ci est plein.

Il est également possible de sauvegarder le journal avant de le purger.

1 Sélectionnez le journal à enregistrer avec le bouton droit de la souris puis cliquez sur **Effacer le journal…**. Une boîte de dialogue propose trois bouton : **Enregistrer et effacer**, **Effacer**, **Annuler**. Sélectionnez **Enregistrer et effacer**.

2 Définissez l'emplacement et le nom du fichier. Utilisez un nom permettant de retrouver la date d'effacement tel que *Application20071020.evtx*. Cliquez sur le bouton **Enregistrer**.

Analyse d'un événement

Un événement, quel qu'il soit, possède plusieurs informations liées à sa situation.

Un événement possède avant tout un niveau. Ce niveau définit le type d'événement tel qu'expliqué précédemment, une source (l'application, le service, …), un numéro d'événement ainsi qu'une description.

Dans le cas d'un reboot intempestif de la machine, l'Observateur d'événements stockera dans son journal système un code *6008* avec la description suivante : *L'arrêt système précédant à 13:51:07 le 05/10/2007 n'était pas prévu.*

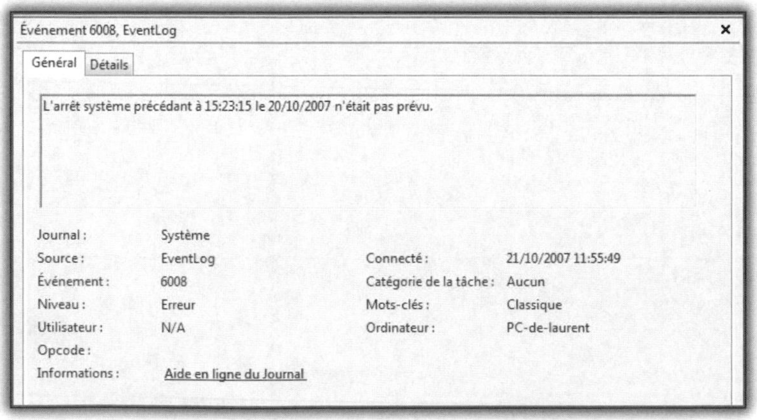

Figure 2.9 : *Détail d'une erreur dans le journal d'événements*

Utilisation du site TechNet de Microsoft pour diagnostiquer les événements

Le site web de Microsoft nommé TechNet permet d'effectuer une recherche par événement et de résoudre les problèmes s'ils sont référencés.

Procédez ainsi :

1 Ouvrez un navigateur Internet et tapez l'adresse suivante : `http://www.microsoft.com/technet/support/ee/ee _advanced.aspx`.

2 Dans la liste déroulante *Produit Microsoft*, sélectionnez *Windows operating system*. Sélectionnez ensuite *Windows Vista* dans la liste déroulante *Version*, puis saisissez le code de l'événement à rechercher dans la zone de saisie *ID*.

Un certain nombre de résultats seront disponibles pour vous aider à résoudre ce problème. Cependant, vous aurez plus de chances de trouver une réponse en choisissant la langue anglaise.

Filtrer des événements

Les événements du type Information sont nombreux et peuvent polluer la lisibilité de la liste des événements si vous recherchez des erreurs ou des avertissements.

Procédez ainsi :

1 Sélectionnez le journal *Système*. Dans le volet *Action*, cliquez sur le lien *Filtrer le journal actuel*.

2 Dans la boîte de dialogue **Filtrer le journal actuel**, décochez toutes les cases de niveau d'événement sauf les cases *Avertissement* et *Erreur*.

3 Validez en cliquant sur le bouton OK (voir Figure 2.10).

REMARQUE

Le filtrage des événements
Vous pourrez filtrer sur une période en cliquant sur la liste déroulante connectée. Des filtres pourront être établis sur les numéros d'événements, des mots-clés ou des utilisateurs.

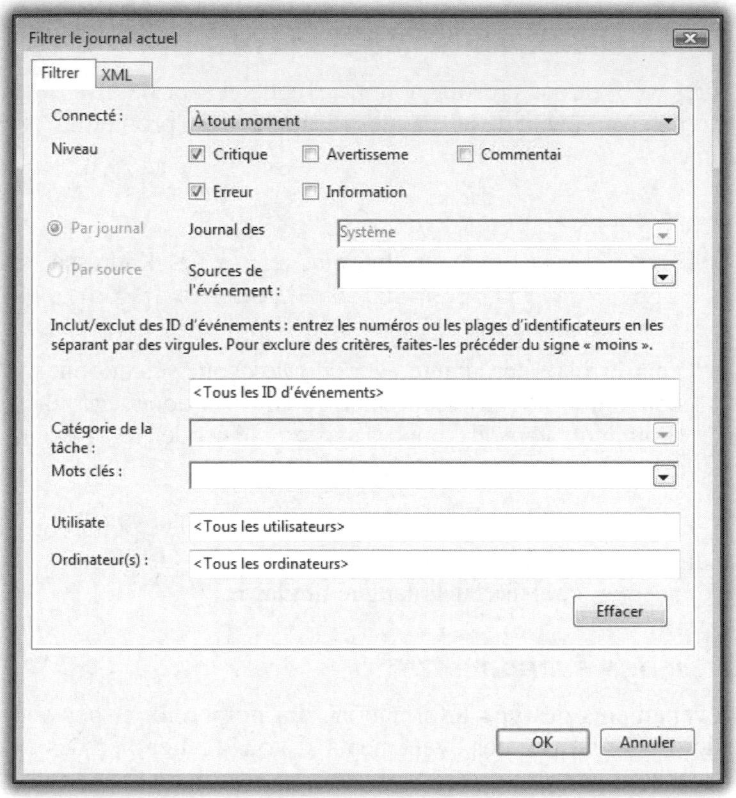

Figure 2.10 : *Filtres sur les journaux*

Journaux des applications et des services

Les journaux des applications et des services sont des journaux nouvellement ajoutés dans Windows Vista. Ils permettent de connaître tous les événements liés par exemple à l'antivirus ou les événements matériels.

Distinctions des éléments des journaux d'applications et de services

Cette section est un ensemble d'événements fourre-tout du système. Néanmoins certaines de ces informations peuvent être utiles pour un diagnostic système poussé.

Tableau 2.7 : *Les journaux d'applications et de services*

Nom du journal	Description
Antivirus	L'antivirus inscrira les différents événements marquants, tels que la mise à jour de la base de données de virus, la date du dernier scan antivirus ou le moment de la détection d'un virus.
Microsoft/Windows/ Diagnostics Performances	Permettra de diagnostiquer quel programme est consommateur en ressources mémoire ou CPU, à une date donnée.
Microsoft/Windows/ Windows Update Client	Affichera l'historique d'installation des patchs de sécurité Microsoft. Il arrive que certains patchs cumulés à certaines applications soient la source d'un problème. Ainsi vous pourrez repérer le patch posant problème.

Utiliser la résolution des problèmes de Microsoft

Si dans les versions précédentes de Windows, il était possible lors d'un plantage d'envoyer un rapport à Microsoft par le biais d'Internet, vous ne conserviez pas trace de ce rapport, et la résolution était éventuellement intégrée à un correctif ou patch de sécurité, sans que vous en soyez réellement informé. L'autre solution consistait a effectuer une recherche depuis le site Internet de Microsoft ou à consulter les forums de discussions.

L'outil de résolution des problèmes permet, pour chaque problème identifié par Vista, de rechercher directement si ce denier est référencé, et d'appliquer la solution proposée lorsqu'il en existe une.

Les plantages graves, conduisant l'ordinateur à redémarrer tout seul sont relativement rares, mais essentiellement dus à des problèmes de pilotes de périphériques ou de programmes qui n'ont pas été spécifiquement écrits pour Vista.

Lorsque votre ordinateur subit un plantage et redémarre seul, une boîte de dialogue vous informe que Windows a eu un problème. En cliquant sur *Afficher les détails*, vous pouvez obtenir plus d'informations sur le problème.

Figure 2.11 :
Les détails de l'arrêt non planifié

Vous pouvez, à condition d'être connecté à Internet, rechercher si la solution relative au problème existe en cliquant sur le bouton **Rechercher une solution**.

Figure 2.12 :
Un problème a provoqué le redémarrage (arrêt non planifié) de Windows Vista

La recherche de solution démarre. L'opération peut durer quelques minutes.

Si le problème est identifié comme étant dû à un pilote de périphérique, le lien Internet du constructeur du périphérique vous est proposé pour télécharger de meilleurs pilotes et ainsi corriger le problème.

Figure 2.13 :
La solution proposée consiste à mettre à jour les pilotes du périphérique incriminé, directement depuis le site du constructeur

Nous venons de voir la version automatique de **Rapports et solutions aux problèmes**. Il est également possible de lancer manuellement cet outil en double-cliquant sur l'icône *Rapports et solutions aux problèmes* du Panneau de configuration.

Sur l'écran d'accueil, vous trouverez la liste des solutions à installer (cette dernière peut être vide, si aucune nouvelle solution en attente de résolution n'est disponible), mais également la liste des problèmes en cours.

Figure 2.14 : *La fenêtre principale de Rapports et solutions aux problèmes*

En cliquant sur un problème depuis la rubrique *Informations sur les autres problèmes*, vous pourrez suivre les instructions fournies par Microsoft afin de le résoudre définitivement.

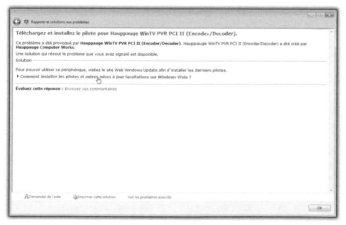

Figure 2.15 : *Utilisation d'une solution pour résoudre un problème*

REMARQUE

Résolution de vos problèmes

Pour que l'outil vous propose des solutions afin de résoudre vos problèmes, il est impératif que ce dernier soit en mesure de rechercher une solution lorsque le problème survient et que vous le laissiez rechercher une solution en cliquant sur le bouton **Rechercher** ou en envoyant un rapport à Microsoft.

Consulter les problèmes à rechercher et envoyer des rapports à Microsoft

Depuis l'onglet **Tâches** de la fenêtre **Rapports et solutions aux problèmes**, cliquez sur **Voir les problèmes à rechercher**.

La liste des problèmes non résolue est affichée. Pour effectuer une nouvelle recherche de solution auprès des bases de connaissances de résolution de problèmes Microsoft, pour un problème donné, sélectionnez celui-ci en cochant la case le précédant, ou effectuez une recherche globale en cochant l'option *Sélectionner tout*. Cliquez ensuite sur le bouton **Rechercher des solutions**.

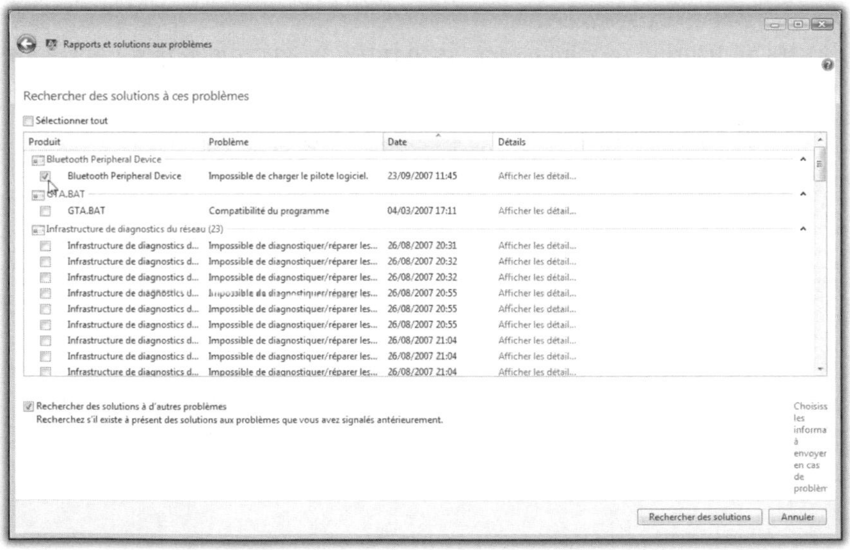

![Capture d'écran de la fenêtre Rapports et solutions aux problèmes]

Figure 2.16 : *Recherche de solution pour un problème non résolu*

Si le problème ne possède pas encore de solution, il vous est demandé d'envoyer plus de détails, afin d'aider Microsoft à élaborer une solution. Pour consulter les informations à envoyer, cliquez sur *Afficher les détails du problème* puis sur le bouton **Envoyer les informations**.

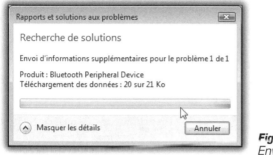

Figure 2.17 :
Envoi du rapport

Si aucune solution n'existe pour l'instant, une boîte de dialogue **Rapports et solutions aux problèmes** vous en informe en affichant le message : *Aucune nouvelle solution trouvée*. Cliquez sur le bouton **Fermer** pour fermer la fenêtre.

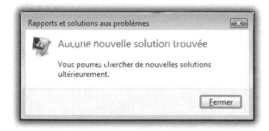

Figure 2.18 :
La solution au problème n'est pas encore mise à disposition

Consulter l'historique des problèmes

En cliquant sur **Afficher l'historique des problèmes** dans le volet **Tâches** de la fenêtre principale **Rapports et solutions aux problèmes**, vous avez la possibilité de consulter l'intégralité des problèmes survenus sur votre ordinateur et de connaître l'état de ces derniers :

- *Rapport envoyé* ;
- *Solution disponible* ;
- *Non signalé*.

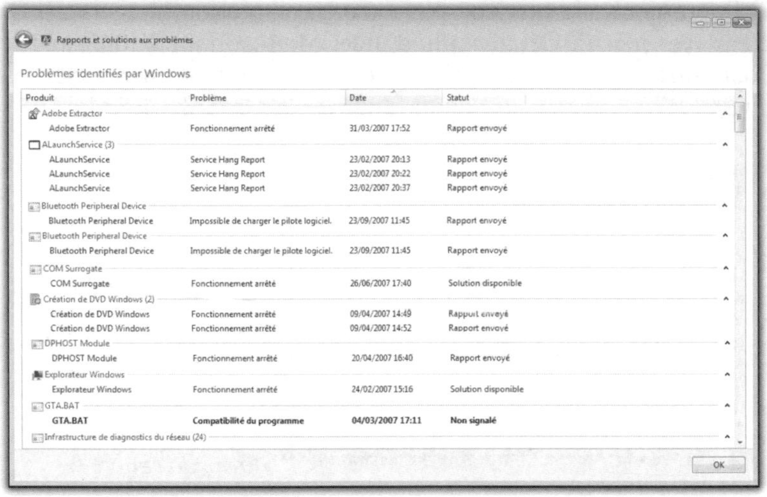

Figure 2.19 : Historique et état des problèmes

Pour obtenir les détails d'un problème, double-cliquez dessus.

Modifier le paramétrage de Rapports et solutions aux problèmes

Par défaut, *Rapports et solutions aux problèmes* est configuré pour rechercher automatiquement des solutions aux problèmes. Si une solution est mise à disposition, vous en serez informé par une info bulle depuis la zone de notifications.

Cependant, vous pouvez également rendre cette tâche manuelle en cochant l'option *Me demander de vérifier si un problème survient*, depuis **Modifier les paramètres** dans le volet **Tâches** de la fenêtre principale de **Rapports et solutions aux problèmes**.

En cliquant sur **Paramètres avancés**, vous pouvez également désactiver la signalisation des problèmes, ou paramétrer le fonctionnement automatique de cet outil pour tous les utilisateurs ayant un compte sur l'ordinateur.

Il vous est également possible de forcer l'envoi automatique d'informations complémentaires relatives au problème à Microsoft, en cochant l'option *Envoyer automatiquement d'autres informations si elles sont requises pour résoudre les problèmes*.

Vous pouvez aussi créer une liste rouge de programmes, qui même en cas de plantage, ne seront pas traités par *Rapports et solutions aux problèmes*.

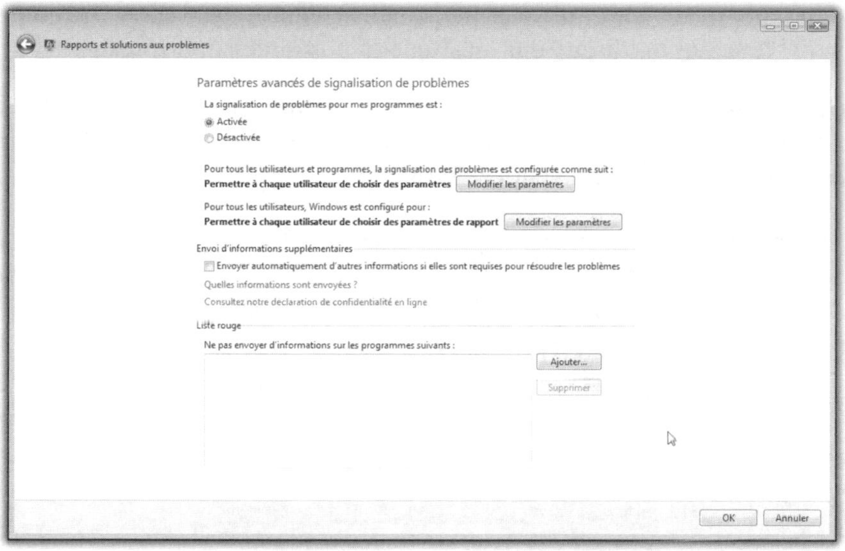

Figure 2.20 : *Paramètres avancés de Rapports et solutions aux problèmes*

Le moniteur de fiabilité et analyseur de performances

Le moniteur de fiabilité et de performances permet à la fois une analyse en temps réel et une analyse a posteriori d'un problème détecté par le système.

Pour accéder au moniteur de fiabilité et de performance rapidement :

1 Cliquez sur le bouton **Démarrer** puis cliquez du bouton droit sur **Ordinateur**.

2 Cliquez sur **Gérer** pour obtenir la Console de gestion de l'ordinateur.

3 Une fois la Console de gestion activée, cliquez dans le volet de gauche sur **Fiabilité et performances**.

Vue d'ensemble du moniteur de fiabilité et de performances

Le moniteur de fiabilité permet, lors de son affichage, de consulter l'état du microprocesseur (vitesse et fréquence actuelle), l'état de la mémoire, le débit actuel du disque dur ainsi que la consommation réseau.

Chaque élément est représenté graphiquement par des courbes. Pour afficher le détail de chaque courbe, cliquez dessus ; la liste correspondant à cet élément se déroulera.

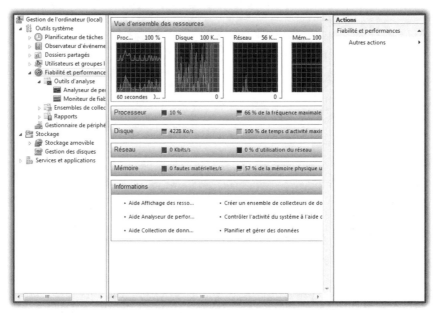

Figure 2.21 : *Le moniteur de fiabilité et de performances*

Dans des versions précédentes de Windows, il était seulement possible de connaître les processus utilisant de la mémoire ou du temps processeur (grâce au Gestionnaire de tâches). Maintenant grâce à cet outil, il sera possible de savoir en temps réel quel programme utilise du débit disque dur ou réseau.

Ceci simplifiera grandement vos recherches de diagnostics sur des problèmes de performances.

Vous trouvez ci-après les descriptions de l'affichage des informations en fonction de l'élément analysé.

L'analyse de performances sur le microprocesseur

Le microprocesseur utilise deux valeurs principales : le taux d'utilisation et la fréquence.

- Le taux d'utilisation, représenté en pourcentage, indique ce que le microprocesseur est capable de gérer.

- La fréquence définit la vitesse maximale à laquelle un microprocesseur travaille. Sur les microprocesseurs actuels pour des besoins de baisse de consommation d'énergie, le microprocesseur a la possibilité de réduire sa fréquence s'il n'est pas ou peu utilisé.

La liste déroulante processeur permet d'afficher les programmes en cours consommant des ressources. Les informations représentées sont divisées en colonnes afin de simplifier leur lisibilité. Toutefois, leur compréhension n'est pas aisée.

Tableau 2.8 : Les informations de performances du microprocesseur	
Élément représenté	**Description**
Image	Représente le nom du programme en cours d'exécution.
PID	Identificateur du processus. Chaque programme en cours d'exécution crée un numéro unique d'identification lors de son démarrage. Cela permet de l'identifier de manière unique au sein du système.
Description	Si le programme possède une description, celle-ci sera consultable depuis cette colonne.
Threads	Sortes de micro programmes, les threads sont des divisions de programmes permettant l'exécution de tâches simultanées.
Processeur	Le temps processeur utilisé par ce programme sur la machine est affiché en pourcentage.
UC moyenne	Le temps processeur utilisé en moyenne par ce programme, depuis les soixante dernières secondes

Cet outil permettra de déterminer l'origine d'un ralentissement de la machine lié au disque dur.

La liste déroulante disque est représentée par deux compteurs :

Processeur	■ 8 %		■ 66 % de la fréquence maximale			⊙
Image		PID	Description	Threads	Processeur	UC moyenne
SnippingTool.exe		5712	Outil Capture	9	0	3.28
mmc.exe		4496	Microsoft Management Co...	24	2	2.68
dwm.exe		1600	Gestionnaire de fenêtres d...	6	0	2.56
vmware-authd.exe		1404	VMware Authorization Ser...	4	0	1.44
sqlservr.exe		2372	SQL Server Windows NT	27	0	0.83
sqlservr.exe		2528	SQL Server Windows NT	28	0	0.77
sidebar.exe		4528	Volet Windows	14	0	0.59
explorer.exe		10328	Explorateur Windows	42	0	0.55
iexplore.exe		12732	Internet Explorer	36	0	0.54

Figure 2.22 : *Détail de la consommation des processus pour le microprocesseur*

■ *Le débit*. Le transfert de données actuelles permettra de voir si le disque dur consomme beaucoup de ressources en transfert de données.

■ *Le pourcentage de temps d'activité maximal* permettra d'afficher si le disque dur est au maximum de ses capacités ou non.

Cette liste déroulante permettra, lors d'un simple clic, de dérouler la liste des programmes en cours d'exécution, consommant ou non de la ressource disque.

Voici la liste des éléments de disques analysés :

Tableau 2.9 : Les informations de performances des disques durs	
Élément représenté	**Description**
Image	Représente le nom du programme en cours d'exécution.
PID	Identificateur du processus. Chaque programme en cours d'exécution crée un numéro unique d'identification lors de son démarrage. Cela permet de l'identifier de manière unique au sein du système.
Fichier	Indique quel fichier est utilisé par le processus en cours.
Lecture en octets par seconde	Débit actuel des données lues par le programme exécutant le fichier
Ecriture en octets par seconde	Débit actuel des données écrites par le programme exécutant le fichier.
Priorité E/S	Priorité d'exécution de l'image pour les entrées et sorties sur le disque dur

Tableau 2.9 : Les informations de performances des disques durs	
Élément représenté	**Description**
Temps de réponse	À quelle vitesse répond le disque dur sur cette tâche en millisecondes.

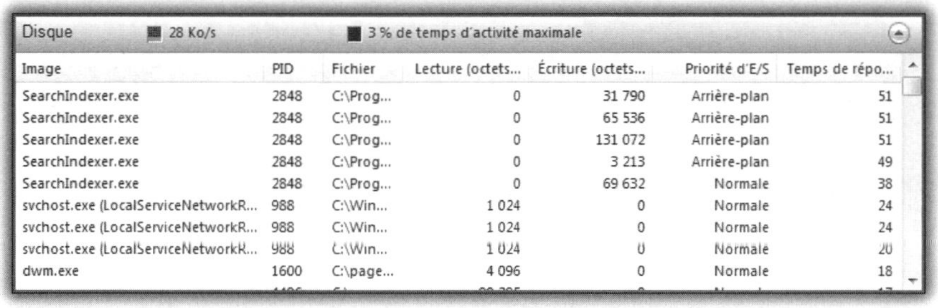

Disque	■ 28 Ko/s			■ 3 % de temps d'activité maximale			
Image	PID	Fichier	Lecture (octets...	Écriture (octets...	Priorité d'E/S	Temps de répo...	
SearchIndexer.exe	2848	C:\Prog...	0	31 790	Arrière-plan	51	
SearchIndexer.exe	2848	C:\Prog...	0	65 536	Arrière-plan	51	
SearchIndexer.exe	2848	C:\Prog...	0	131 072	Arrière-plan	51	
SearchIndexer.exe	2848	C:\Prog...	0	3 213	Arrière-plan	49	
SearchIndexer.exe	2848	C:\Prog...	0	69 632	Normale	38	
svchost.exe (LocalServiceNetworkR...	988	C:\Win...	1 024	0	Normale	24	
svchost.exe (LocalServiceNetworkR...	988	C:\Win...	1 024	0	Normale	24	
svchost.exe (LocalServiceNetworkR...	988	C:\Win...	1 024	0	Normale	20	
dwm.exe	1600	C:\page...	4 096	0	Normale	18	

Figure 2.23 : Détail de la consommation des processus pour les disques durs

Analyse des performances du réseau

Le réseau est composé de deux indicateurs principaux, le débit actuel et le taux d'utilisation.

En cliquant sur la liste déroulante, vous obtiendrez les informations suivantes en fonction des programmes en cours d'exécution :

Tableau 2.10 : Les informations de performances du réseau	
Élément représenté	**Description**
Image	Représente le nom du programme en cours d'exécution.
PID	Identificateur du processus, chaque programme en cours d'exécution crée un numéro unique d'identification lors de son démarrage. Cela permet de l'identifier de manière unique au sein du système.
Adresse	Adresse avec laquelle l'ordinateur échange des informations ; sous forme d'adresses IP ou de nom DNS.
Envoi en octets par minute	Nombres d'octets par minute envoyés à cette adresse, par le programme.
Réception en octets par minute	Nombres d'octets par minute reçus par cette adresse, par le programme.

Tableau 2.10 : *Les informations de performances du réseau*

Élément représenté	Description
Total en octets par minute	Nombre d'octets par minute totaux (reçus et envoyés) sur cette adresse par le programme.

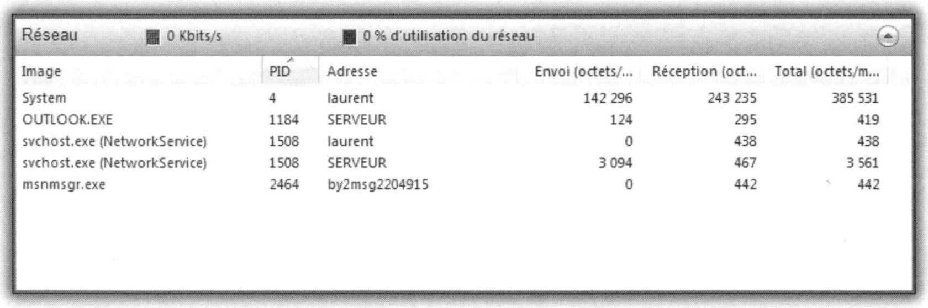

Réseau	0 Kbits/s		0 % d'utilisation du réseau			
Image	PID	Adresse		Envoi (octets/...	Réception (oct...	Total (octets/m...
System	4	laurent		142 296	243 235	385 531
OUTLOOK.EXE	1184	SERVEUR		124	295	419
svchost.exe (NetworkService)	1508	laurent		0	438	438
svchost.exe (NetworkService)	1508	SERVEUR		3 094	467	3 561
msnmsgr.exe	2464	by2msg2204915		0	442	442

Figure 2.24 : *Détail de la consommation des processus pour les accès réseau*

Analyse des performances de la mémoire

Les performances de la mémoire sont composées de deux indicateurs principaux : les fautes matérielles et le pourcentage de mémoire totale utilisée.

Tableau 2.11 : *Les informations de performances de la mémoire*

Élément représenté	Description
Image	Représente le nom du programme en cours d'exécution.
PID	Identificateur du processus, chaque programme en cours d'exécution crée un numéro unique d'identification lors de son démarrage. Cela permet de l'identifier de manière unique au sein du système.
Fautes matérielles par minute	Une faute matérielle n'est pas un problème physique lié à la mémoire. Il s'agit principalement d'un problème d'accès à la mémoire, généralement une tentative d'accès à une page mémoire référencée, qui n'existe plus. Si le nombre de fautes est élevé, il s'agit principalement d'un problème de performances de l'application.
Plage de travail (ko)	L'espace mémoire total utilisé par cette application en kilooctets

Tableau 2.11 : Les informations de performances de la mémoire	
Élément représenté	**Description**
Partageable (ko)	Nombre de kilooctets disponibles pour être partagés avec une autre application
Privé (ko)	Nombre de kilooctets utilisés dédiés à cette application

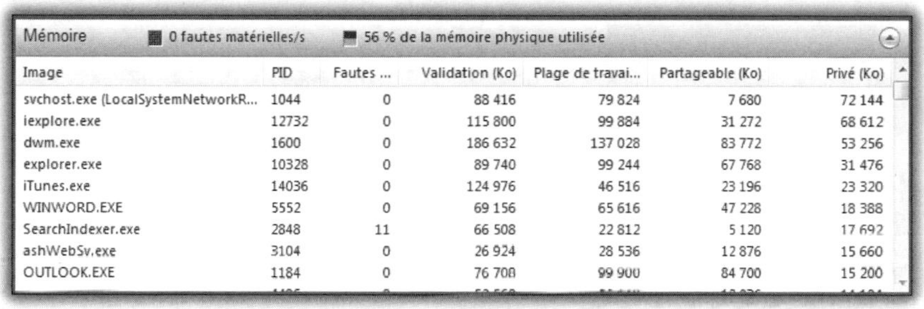

Mémoire	■ 0 fautes matérielles/s		■ 56 % de la mémoire physique utilisée				
Image	PID	Fautes ...	Validation (Ko)	Plage de travai...	Partageable (Ko)	Privé (Ko)
svchost.exe (LocalSystemNetworkR...	1044	0	88 416	79 824	7 680	72 144
iexplore.exe	12732	0	115 800	99 884	31 272	68 612
dwm.exe	1600	0	186 632	137 028	83 772	53 256
explorer.exe	10328	0	89 740	99 244	67 768	31 476
iTunes.exe	14036	0	124 976	46 516	23 196	23 320
WINWORD.EXE	5552	0	69 156	65 616	47 228	18 388
SearchIndexer.exe	2848	11	66 508	22 812	5 120	17 692
ashWebSv.exe	3104	0	26 924	28 536	12 876	15 660
OUTLOOK.EXE	1184	0	76 708	99 900	84 700	15 200

Figure 2.25 : Détail de la consommation des processus pour la mémoire

Les outils d'analyse

Le moniteur de fiabilité et de performances propose deux outils d'analyse supplémentaires.

L'Analyseur de performances grâce auquel il sera possible d'analyser en temps réel et de manière différées, les différents composants du système, permet de cibler les processus ou les composants de Windows posant problèmes.

L'Analyseur de performances

L'Analyseur de performances s'appuie sur l'utilisation de compteurs. Les compteurs sont des données en pourcentages ou en valeurs réelles telles que le nombre d'octets utilisés ou transmis, le nombre de threads (sous-parties de l'application).

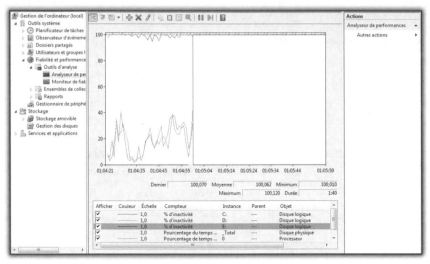

Figure 2.26 : *L'analyseur de performances en temps réel affiche le taux d'utilisation des microprocesseurs*

Configuration de l'analyseur de performances

L'analyseur de performances est disponible dans le moniteur de fiabilité et de performances, dans la sous-rubrique *Outils d'analyse*.

Lors de son exécution, aucun compteur n'est activé, donc aucun histogramme n'apparaîtra.

Pour ajouter un compteur :

1 Cliquez dans la barre d'outils sur le bouton **Ajouter** en forme de croix.

La liste des composants à auditer s'affichera. Il peut être utile, par exemple, de visualiser l'activité du processeur de l'ordinateur. Si celui-ci est un double cœur ou plus, il sera possible de visualiser l'activité de chaque processeur indépendamment.

2 Cliquez sur la liste déroulante du processeur. Sélectionnez *Pourcentage de temps processeur*. Dans la liste *Instance* de l'objet sélectionné, choisissez *0* puis cliquez sur le bouton **Ajouter**.

3 Renouvelez l'opération avec l'instance 1 2 et 3, en fonction du nombre de cœurs ou de processeurs dans votre ordinateur. Vous obtiendrez ainsi un graphique en pourcentage de l'activité de chaque processeur.

Pour modifier le type d'affichage, dans la barre de boutons, cliquez sur le bouton **Modifier l'affichage**. Plusieurs choix seront proposés :

- *La vue en ligne* affichera des lignes en fonction du temps. Idéal pour une échelle en pourcentages ou un historique.

- *La vue en barres d'histogrammes* permettra de comparer, sur une même échelle, les valeurs de plusieurs composants.

- *La vue rapport* permettra d'afficher les valeurs numériques de chaque composant. Cette vue sera idéale dans le cas d'utilisation de composants à échelles multiples.

Le Moniteur de fiabilité

Le Moniteur de fiabilité recense tous les événements affectant le système sur une période donnée. Ce moniteur s'appuie sur les événements enregistrés dans l'Observateur d'événements.

Le moniteur de fiabilité s'appuie sur un index utilisant une échelle de 1 à 10, 1 étant le moins fiable.

Cet outil permet de visualiser immédiatement les pannes matérielles ou logicielles.

Le Moniteur de fiabilité est disponible dans le Moniteur de fiabilité et de performances, sous-rubrique *Outils d'analyse*.

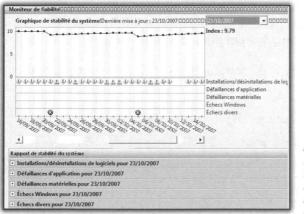

Figure 2.27 :
Le Moniteur de fiabilité affiche les incidents affectant l'index de performances

Sur l'index de fiabilité, il est utile de savoir qu'une panne récente pèsera plus lourd qu'une panne ancienne. Cette panne sera considérée comme isolée et n'affectera pas l'index.

Le moniteur affichera, sur une période, les différents événements tels que les redémarrages ou l'installation de pilotes ou de correctifs.

Pour connaître le détail de l'incident produit sur une journée, cliquez sur cette journée dans la date affichée et consultez, dans la zone *Rapport de stabilité*, les différentes informations.

Générer un rapport de fiabilité et de performances

Pour générer de manière fiable un rapport, fermez la fenêtre **Gestion de l'ordinateur**.

1 Ouvrez une Invite de commandes avec des privilèges administrateur.

2 Cliquez sur le bouton **Démarrer**. Dans la zone de saisie *Rechercher*, tapez CMD. Cliquez du bouton droit sur le programme puis cliquez sur **Exécuter en tant qu'administrateur**.

3 Dans la fenêtre **Invite de commandes** ouverte, tapez perfmon /report. Un rapport de fiabilité sera calculé. Ceci prendra environ une minute.

4 Une fois calculé, le rapport s'affichera. Il sera également disponible dans le moniteur de fiabilité, sous la section **Rapports/Système/System diagnostic** (voir Figure 2.28).

Les rapports de fiabilité et de performances se décomposent en plusieurs sous-sections :

Tableau 2.12 : Les sections des rapports de fiabilité et de performances	
Section	**Description**
Rapport du diagnostic	Comprenant les informations de la génération du rapport telles que la durée
Résultat du diagnostic	Affichant les avertissements tels que les services non opérants, ainsi que l'état des performances
Configuration logicielle	Lors de la création du rapport, l'ordinateur interrogera l'état des composants logiciels.

Tableau 2.12 : *Les sections des rapports de fiabilité et de performances*

Section	Description
Configuration matérielle	Lors de la création de rapport, une interrogation générale sera effectuée. L'ordinateur recensera les erreurs matérielles actuelles ou prévisibles (disques dur à technologie S.M.A.R.T, par exemple).
Processeur	Les différents processus seront affichables, ainsi que les différents compteurs disponibles.
Réseau	Comprendra les détails sur l'interface, ainsi que pour le protocole IP les informations UDP et TCP envoyées.
Disque	Seront analysés : les fichiers les plus utilisés, les données échangées au moment de la création du rapport.
Mémoire	Seront analysées les statistiques mémoire, ainsi que les différents processus.
Statistiques du rapport	Les différentes informations sur la génération du rapport.

Rapport de diagnostics du système

Ordinateur: LAURENT
Collecté: vendredi 19 octobre 2007 10:07:17
Durée: 67 secondes

Résultats du diagnostic

Avertissements

Erreur

Symptômes:	Un service est signalé comme ayant un code d'erreur inattendu
Cause:	Un ou plusieurs services ont échoué. Le service ne s'est pas arrêté normalement, ce qui peut indiquer que le service risque de s'être bloqué ou que l'un de ses composants s'est arrêté d'une manière non prise en charge.
Détails:	Le service s'est arrêté avec un code différent de 0 ou de 1077
Résolution:	Redémarrer le service
Liens apparentés:	Diagnostics de performances

Symptômes:	Le périphérique est désactivé.
Cause:	Un périphérique est désactivé, ce qui l'empêche de fonctionner correctement.
Détails:	Le périphérique, VMware Virtual Ethernet Adapter for VMnet8, est désactivé. Si ce périphérique n'est plus utilisé, il peut avoir été désactivé intentionnellement. L'ID Plug and Play pour ce périphérique est 13.
Résolution:	1. Déterminez si vous avez besoin du périphérique.
	2. Si vous avez besoin du périphérique, activez-le dans le Gestionnaire de périphériques.
	3. Si vous n'utilisez pas le périphérique, vous pouvez le laisser désactivé.
Liens apparentés:	Explication des codes d'erreur générés par le Gestionnaire de périphériques
	Gérer des périphériques dans Windows

Symptômes:	Le périphérique est désactivé.
Cause:	Un périphérique est désactivé, ce qui l'empêche de fonctionner correctement.
Détails:	Le périphérique, VMware Virtual Ethernet Adapter for VMnet8, est désactivé. Si ce périphérique

Figure 2.28 : *Le rapport de fiabilité et de performances indique les erreurs système*

Identifier un processus posant problème

Pour simplifier, un processus est un programme tel que nous le connaissons. Un processus est identifié par son PID (*process Identifier*). Le PID est un numéro unique attribué par le système.

Pour consulter les différents processus en cours d'exécution, l'utilitaire Gestionnaire de tâches est disponible de manière standard au sein de Windows.

Le Gestionnaire des tâches

Le Gestionnaire des tâches est un outil permettant de superviser le système. Il sera alors possible de consulter les programmes ouverts et de forcer leur fermeture.

1 Pour ouvrir le Gestionnaire des tâches, cliquez du bouton droit sur une zone vide de la Barre des tâches.

2 Dans le menu contextuel, cliquez sur **Gestionnaire des tâches**. Celui-ci est également accessible par le raccourci clavier [Ctrl]+[Maj]+[Échap] ou dans la zone de saisie *Rechercher* du menu **Démarrer** en tapant taskmgr.

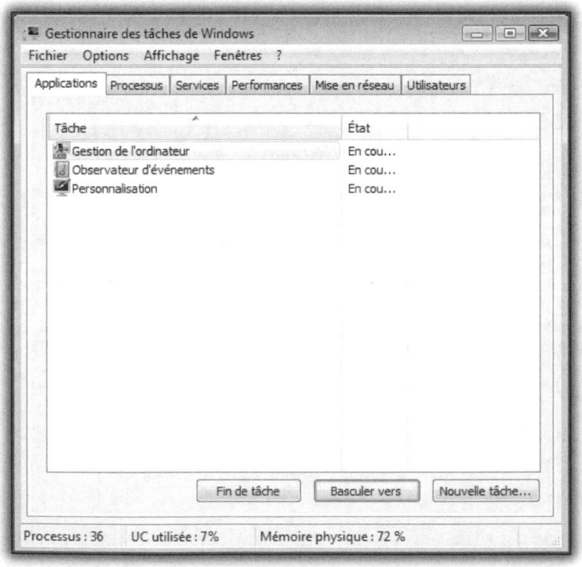

Figure 2.29 : *Le Gestionnaire des tâches affiche en premier lieu l'onglet Application*

Le Gestionnaire des tâches propose six onglets :

Tableau 2.13 : Les onglets du Gestionnaire des tâches	
Onglet	**Description**
Application	Liste les applications fenêtrées en cours d'utilisation.
Processus	Liste les différents programmes en cours d'exécutions.
Services	État de chaque service référencé
Performances	Affiche le taux d'utilisation du ou des processeurs ainsi que la mémoire utilisée.
Mise en réseau	Affiche l'utilisation du réseau courant pour chaque périphérique réseau.
Utilisateurs	Affiche la liste des utilisateurs actuellement connectés de manière interactive à l'ordinateur.

Forcer la fermeture d'une application

1 Ouvrez le Gestionnaire des tâches. Assurez-vous d'être sur l'onglet **Application**.

2 Sélectionnez l'application à terminer puis cliquez sur le bouton **Fin de tâches**.

Identifier un processus par rapport à une application.

1 Dans l'onglet **Applications**, cliquez du bouton droit sur une application.

2 Cliquez sur **Aller dans le processus**. Le Gestionnaire des tâches affichera le processus demandé dans l'onglet **Processus**.

Identifier un processus consommant le plus de ressources (mémoire ou processeur)

1 Dans l'onglet **Processus**, du Gestionnaire des tâches, une case à cocher est présente : *Afficher les processus de tous les utilisateurs*. Cochez cette case si celle-ci ne l'est pas.

2 Pour trier la liste des processus en fonction de leur consommation processeur, sélectionnez l'en-tête de colonne *Processeur*. Si la consommation du processus est anormale, il sera alors possible de le sélectionner et de cliquer sur le bouton **Arrêter le processus**.

Tout processus consommant plus de 50 % de ressources alors qu'une application ne semble pas être utilisée ou semble hors service, nécessitera d'être arrêté.

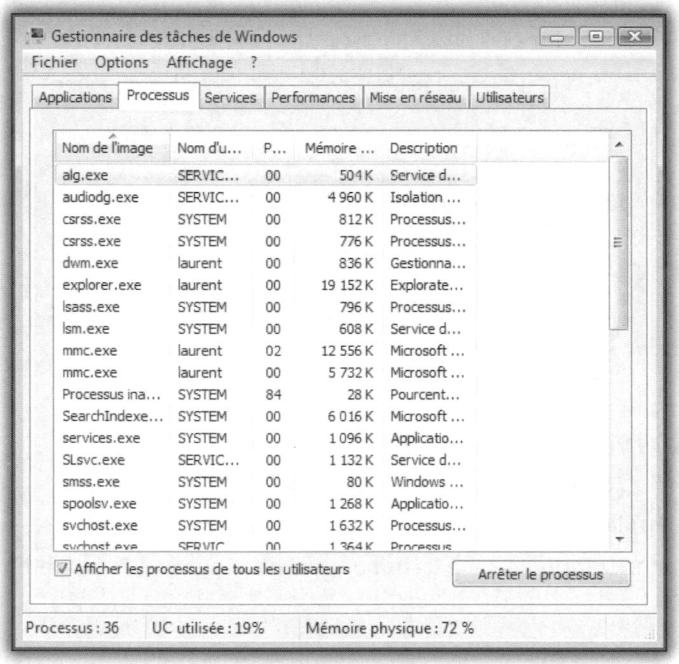

Gestionnaire des tâches de Windows

Fichier Options Affichage ?

Applications | Processus | Services | Performances | Mise en réseau | Utilisateurs

Nom de l'image	Nom d'u...	P...	Mémoire ...	Description
alg.exe	SERVIC...	00	504 K	Service d...
audiodg.exe	SERVIC...	00	4 960 K	Isolation ...
csrss.exe	SYSTEM	00	812 K	Processus...
csrss.exe	SYSTEM	00	776 K	Processus...
dwm.exe	laurent	00	836 K	Gestionna...
explorer.exe	laurent	00	19 152 K	Explorate...
lsass.exe	SYSTEM	00	796 K	Processus...
lsm.exe	SYSTEM	00	608 K	Service d...
mmc.exe	laurent	02	12 556 K	Microsoft ...
mmc.exe	laurent	00	5 732 K	Microsoft ...
Processus ina...	SYSTEM	84	28 K	Pourcent...
SearchIndexe...	SYSTEM	00	6 016 K	Microsoft ...
services.exe	SYSTEM	00	1 096 K	Applicatio...
SLsvc.exe	SERVIC...	00	1 132 K	Service d...
smss.exe	SYSTEM	00	80 K	Windows ...
spoolsv.exe	SYSTEM	00	1 268 K	Applicatio...
svchost.exe	SYSTEM	00	1 632 K	Processus...
svchost.exe	SERVIC...	00	1 364 K	Processus...

☑ Afficher les processus de tous les utilisateurs   [Arrêter le processus]

Processus : 36 | UC utilisée : 19% | Mémoire physique : 72 %

Figure 2.30 : *La liste des processus*

Instabilité système

Pensez à sauvegarder vos données avant de stopper un processus.

2.3. Résolution des problèmes liés aux comptes d'utilisateurs

Windows Vista propose à chaque utilisateur un environnement personnalisable et paramétrable à souhaits. Il en va de même pour les dossiers personnels de chaque utilisateur (reprenant le modèle standard). Cependant, dans le but d'accroître la sécurité de l'ordinateur et des données qu'il contient, Windows Vista propose une nouvelle fonctionnalité : l'UAC (*User Account Control*) ou Contrôle de compte d'utilisateur.

Contrairement aux précédentes versions de Windows, où il était quasi indispensable d'utiliser un compte ayant les droits d'administration pour travailler, installer un logiciel ou configurer un élément spécifique, Vista, à l'aide du Contrôle de compte d'utilisateur, permet de redonner un sens à l'utilisation d'un compte standard.

Cependant, bien qu'avantageux en terme de protection de l'ordinateur, le Contrôle de compte d'utilisateur peut très vite devenir gênant, à tel point que sa désactivation est fréquente.

Toutefois, avant de désactiver l'UAC, il est nécessaire de comprendre comment il fonctionne, de quelle façon il protège votre ordinateur et vos données, et surtout à quels risques vous vous exposez.

Description du Contrôle de compte d'utilisateur

Afin de préserver l'environnement de Windows Vista d'erreurs de manipulation, d'attaques virales ou de logiciels espions, tous les utilisateurs sont pourvus des mêmes droits (à savoir des droits d'utilisateur standard), même lorsque la connexion s'effectue avec un compte défini comme administrateur.

L'UAC et les programmes

Tous les programmes et servicesdevant être démarrés sous l'autorité d'un compte, il est ainsi défini qu'aucun d'entre eux ne possédera de droits supérieurs à ceux qui lui sont nécessaires. Il faut également différencier programmes et services. Les programmes peuvent être lancés par le système ou par un utilisateur, alors que les services sont toujours lancés par le système. Ainsi, en fonction des besoins du programme, une autorisation sera donnée pour l'obtention de droits proches des droits d'administration (notamment lors de l'installation d'un programme) pour les programmes référencés par Windows Vista (qu'ils soient de Microsoft ou d'un éditeur tiers), et le choix sera laissé à l'utilisateur (s'il possède les droits d'administration) par le biais d'une boîte de dialogue quant à l'attribution des droits ou non pour les programmes dont l'éditeur est inconnu.

UAC et les comptes d'utilisateurs

Les comptes administrateur se voient quant à eux pourvus dès leur connexion de deux jetons (l'un possédant les droits d'utilisateurs standard, l'autre les droits d'administration mais il est par défaut désactivé). Cela permet entre autres de limiter les droits que peuvent avoir certains programmes (Internet Explorer ou tout autre logiciel), puisque ces derniers sont lancés par l'utilisateur courant et ainsi héritent des droits de l'utilisateur, et non systématiquement des droits d'administration sur l'ordinateur. Lorsque l'utilisateur effectue une opération pour laquelle des droits d'administration sont nécessaires, il en est averti par une boîte de dialogue.

Figure 2.31 : L'opération nécessite une promotion de droits (d'utilisateur standard vers administrateur)

Lors de l'emploi d'un compte utilisateur standard, Windows Vista est moins restrictif que ses prédécesseurs. Là ou par le passé, il était nécessaire de transformer un compte standard en administrateur pour réaliser certaines tâches, il est possible de réaliser certaines opérations avec des droits supérieurs, sans pour autant modifier la nature du compte. Cependant, la présence d'un administrateur est nécessaire, afin que ce dernier puisse saisir son mot de passe.

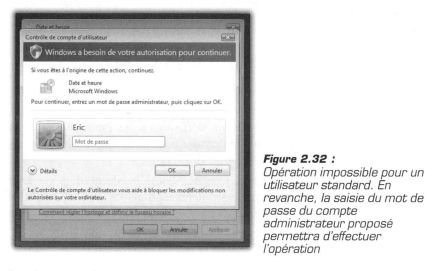

Figure 2.32 :
Opération impossible pour un
utilisateur standard. En
revanche, la saisie du mot de
passe du compte
administrateur proposé
permettra d'effectuer
l'opération

De la même façon, il est possible d'exécuter certains programmes en mode Administrateur depuis leur menu contextuel. Il sera également nécessaire de saisir le mot de passe du compte administrateur, mais cette fonctionnalité épargne l'opération de changement de type de compte.

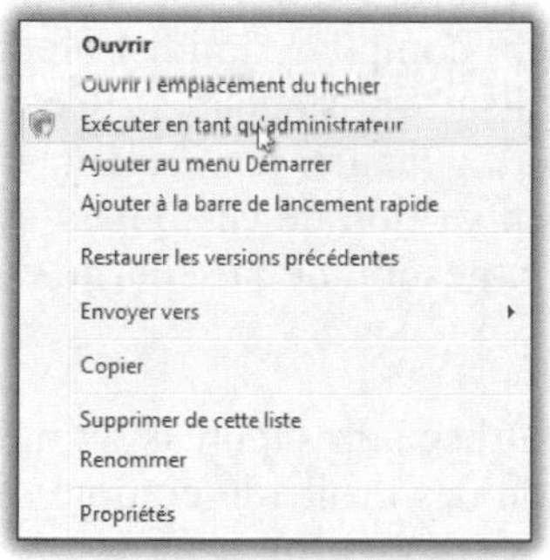

Figure 2.33 :
Lancement d'un programme en mode
administrateur depuis son menu
contextuel

Travailler avec un compte utilisateur standard

Nous venons de le voir, le Contrôle de compte d'utilisateur permet de s'octroyer des droits de niveau supérieur lorsque cela est nécessaire, sans avoir à modifier son type de compte. Ainsi, pour préserver le maximum de sécurité à votre environnement Windows Vista, il vous est conseillé de travailler avec un compte standard. Attention toutefois à ne pas modifier votre compte initial, car il est impératif de conserver un compte ayant les droits d'administrateur sur l'ordinateur. Cependant, la création d'un second compte de travail, de type utilisateur standard, présente de multiples avantages :

- Il possède les droits suffisants pour travailler avec tous les programmes installés sur l'ordinateur et surfer sur Internet.
- Il possède également les droits suffisants pour personnaliser son environnement de travail (apparence du Bureau, sons, thèmes, gestions des modes d'économie d'énergie...).
- Il ne permet pas les suppressions accidentelles de fichiers système et/ou les modifications malencontreuses dans la Base de registre.
- L'obtention des droits supérieurs (augmentation du niveau de privilèges) est proposée par l'UAC en cas de besoin.

Travailler avec un compte administrateur mais limiter les interventions de l'UAC

Même en travaillant avec un compte administrateur de l'ordinateur, l'UAC vous demande une validation pour chaque opération nécessitant des droits d'administration (pour rappel, un compte administrateur travaille par défaut avec des droits d'utilisateur standard). Cette fonctionnalité de sécurité peut devenir très vite gênante. Cependant, la désactivation de l'UAC, si elle supprimera l'apparition de ces boîtes de dialogue, ouvrira également une brèche dans la gestion de la sécurité de votre ordinateur (voir Figure 2.34).

Selon la version de Windows Vista que vous utilisez, la suppression des fenêtres d'informations relatives à la promotion des droits du compte se fait de deux façons :

- Avec la **Console de sécurité locale** (Secpol.msc) pour les versions Ultimate, Entreprise et Professionnel de Vista.
- Depuis l'Éditeur de Base de registre pour les versions Basique et Familiale Premium de Vista.

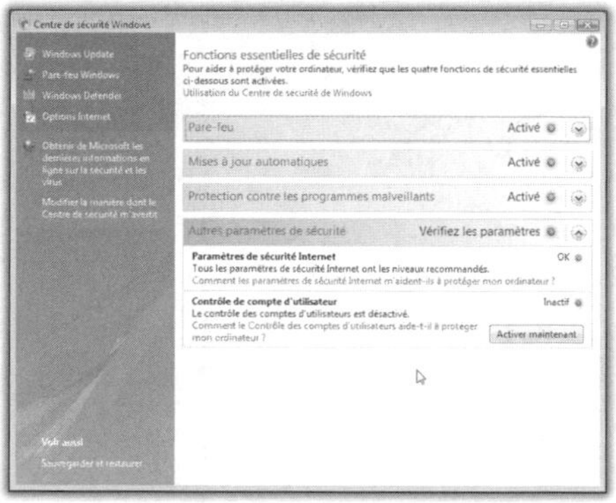

Figure 2.34 :
La désactivation du Contrôle de compte d'utilisateur (UAC) provoque un trou de sécurité

Modifier le comportement du Contrôle de compte d'utilisateur depuis la Base de registre

1 Depuis le menu **Démarrer**, saisissez Regedit dans la zone *Rechercher* et validez en appuyant sur la touche ⏎.

2 Dans la boîte de dialogue **Contrôle de compte d'utilisateur**, cliquez sur le bouton **Continuer**.

Figure 2.35 :
l'Éditeur de registre nécessitant des droits élevé, validez l'opération en cliquant sur le bouton Continuer.

3 Dans le volet de gauche de la fenêtre **Editeur du Registre**, déployez la clé HKEY_LOCAL_MACHINE\SOFTWARE\ Microsoft\ Windows\CurrentVersion\Policies\System. Dans la partie principale de la fenêtre, double-cliquez sur la valeur *ConsentPromptBehaviorAdmin*.

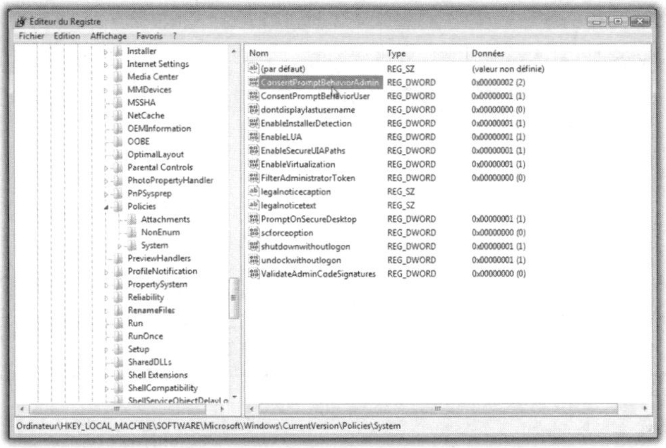

Figure 2.36 : *La valeur ConsentPromptBehaviorAdmin responsable du comportement de l'UAC lors de la nécessité d'une augmentation de privilèges pour un compte administrateur*

4 Dans la fenêtre **Modifier la valeur DWORD 32 bits**, saisissez 0 dans la zone de saisie *Donnée de la valeur*. Validez en cliquant sur le bouton OK.

5 La prise en compte de la modification de la valeur est immédiate. Une info bulle vous informe du changement de niveau de sécurité depuis la zone de notification.

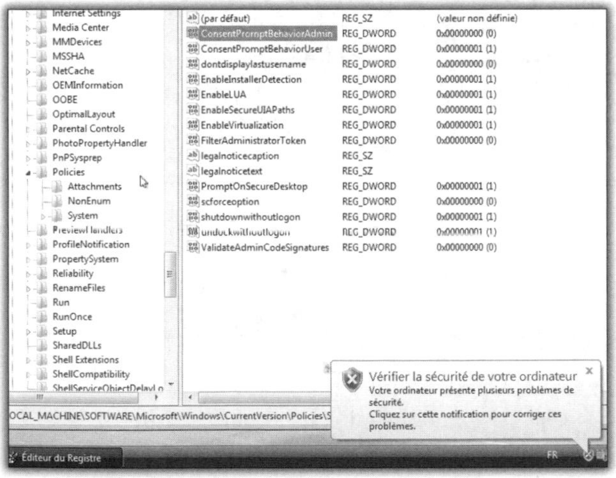

Figure 2.37 : *Modification du niveau de sécurité, dû à la suppression de validation par l'utilisateur lors de l'élévation des privilèges*

Supprimer le Contrôle de compte d'utilisateur

Bien que protégeant votre ordinateur, il est possible que vous soyez gêné par le Contrôle de compte d'utilisateur. Si tel est votre cas, vous pouvez le désactiver de plusieurs façons :

▪ Depuis la fenêtre **Comptes d'utilisateurs** du Panneau de configuration, cliquez sur **Activer ou désactiver le contrôle de compte d'utilisateur**.

REMARQUE **Accès à la gestion du compte courant**

Il n'est pas nécessaire de passer par le Panneau de configuration pour paramétrer le compte courant. Il suffit pour cela de cliquer sur l'icône représentant le compte située en haut à droite du menu Démarrer.

▪ Depuis l'onglet **Outils** de l'outil **Configuration du système**, que l'on trouve parmi les outils proposés par les **Outils d'administration** du Panneau de configuration, cliquez sur *Désactiver le contrôle de compte d'utilisateur* puis sur le bouton **Exécuter**.

▪ Depuis l'Éditeur de Base de registre, modifiez la valeur d'une clé.

ATTENTION **Désactivation du Contrôle de compte d'utilisateur**

La désactivation de l'UAC diminue fortement la sécurité de Windows Vista ; il est déconseillé aux utilisateurs novices de désactiver cette fonctionnalité.

De plus, pour désactiver le Contrôle de compte d'utilisateur, il est impératif de posséder un compte administrateur de l'ordinateur.

Désactivation du Contrôle de compte d'utilisateur depuis le Panneau de configuration

1 Depuis le menu **Démarrer**, cliquez sur **Panneau de configuration**.

2 Dans la fenêtre **Panneau de configuration**, double-cliquez sur **Comptes d'utilisateurs** en mode Affichage classique.

3 Dans la fenêtre **Modifier votre compte d'utilisateur**, cliquez sur **Activer ou désactiver le contrôle des comptes d'utilisateurs**.

4 Dans la fenêtre **Activer ou désactiver le contrôle des comptes d'utilisateurs**, décochez l'option *Utiliser le contrôle des comptes d'utilisateurs pour vous aider à protéger votre ordinateur* et cliquez sur le bouton OK.

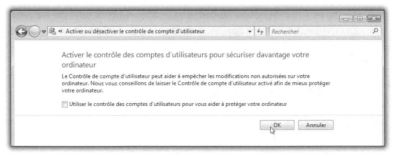

Figure 2.38 : *Désactivation du Contrôle de compte d'utilisateur*

5 Pour que la modification soit prise en compte immédiatement, cliquez sur le bouton **Redémarrer maintenant** de la boîte de dialogue **Microsoft Windows**. Vous pouvez également cliquer sur le bouton **Redémarrer ultérieurement**, mais le Contrôle de compte d'utilisateur restera actif jusqu'au prochain redémarrage de Windows Vista.

Lors du redémarrage de Windows Vista, vous serez invité par une info bulle à contrôler le niveau de sécurité de votre ordinateur, ce dernier ayant détecté un changement de niveau important (ce qui est un comportement normal, ce message ne sera que la confirmation de la désactivation du Contrôle de compte d'utilisateur).

Désactivation du Contrôle de compte d'utilisateur depuis les Outils d'administration du Panneau de configuration

Il est également possible de désactiver le Contrôle de compte d'utilisateur depuis les Outils d'administration disponibles depuis le Panneau de configuration. Pour cela :

1 Cliquez sur **Démarrer/Panneau de configuration**.

2 Double-cliquez sur **Outils d'administration** (en mode Affichage classique).

3 Dans la fenêtre **Outils d'administration**, double-cliquez sur **Configuration du système**.

> **Configuration du système**
>
> L'outil de configuration du système est également accessible depuis le menu **Démarrer** en saisissant `Msconfig.exe` dans la zone de saisie *Rechercher* et en appuyant sur la touche ⏎.

4 Dans la fenêtre principale de l'outil **Configuration du système**, cliquez sur l'onglet **Outils**.

5 Dans les outils proposés, sélectionnez *Désactiver le Contrôle de compte d'utilisateur* et cliquez sur le bouton **Exécuter**.

2.4. Résolution des problèmes de fichiers

Le système de fichiers de Windows Vista n'est pas aussi simple qu'il y paraît. S'il est basé sur une arborescence classique, il est agrémenté de la virtualisation et d'emplacements physiques différents de ce que l'on peut voir sous une fenêtre Explorateur classique.

Si pour chaque utilisateur, ses dossiers personnels sont accessibles depuis le menu **Démarrer**, au travers du dossier *Utilisateur*, bien que la barre d'adresse de la fenêtre **Explorateur** indique *Utilisateur > Documents*, le dossier document se trouve en réalité dans le dossier *C:\Utilisateurs\%User%\Documents*. La partie faisant référence à l'emplacement réelle sur l'arborescence du disque est remplacée par une variable d'environnement faisant référence aux données propres de l'utilisateur.

Déplacer les données personnelles d'un utilisateur vers un autre disque dur ou une autre partition

Par défaut, les données personnelles de l'utilisateur connecté sont toutes stockées dans le dossier *Utilisateur* de ce dernier. Dans ce dossier se trouvent par défaut les sous-dossiers suivants :

- *Bureau* ;
- *Contacts* ;
- *Documents* ;
- *Favoris* ;
- *Images* ;
- *Liens* ;
- *Musique* ;
- *Parties enregistrées* ;
- *Recherches* ;
- *Téléchargements* ;
- *Vidéos*.

Tous ces dossiers sont définis lors de l'installation de Windows Vista, ou lors de la création d'un compte (lors de la première connexion du compte). Ils sont par défaut créés sur le disque système de Windows Vista, à savoir le disque *C*. Cependant, si votre disque dur est décomposé en deux partitions distinctes (C:\ et D:\) ou si votre ordinateur est équipé de deux disques durs, il est préférable de stocker les données de chaque utilisateur sur cette deuxième partition ou disque. En effet, en cas de plantage complet de l'ordinateur et qui nécessiterait la réinstallation de Windows Vista (ce qui est rare), il serait utile que les données ne soient pas affectées par la réinstallation du disque (surtout si ce dernier nécessite un formatage).

Toutefois, il ne sera pas possible de déplacer le dossier *Utilisateur*, mais seulement les sous-dossiers de ce dernier. La méthode est simple, efficace. Lors de l'utilisation de ces sous-dossiers, l'utilisateur n'a pas connaissance ou conscience de travailler sur le deuxième disque dur ou la deuxième partition de l'ordinateur.

Procédez ainsi :

1 Depuis le menu **Démarrer**, ouvrez le dossier *Utilisateur* (ce dernier porte le nom du compte courant).

2 Cliquez du bouton droit sur le sous-dossier à déplacer. Dans le menu contextuel, cliquez sur **Propriétés**.

3 Dans la fenêtre **Propriétés de**, cliquez sur l'onglet **Emplacement**.

Onglet Emplacement

Inutile de chercher cet onglet sur des dossiers créés par vos soins. Cette spécificité ne s'applique qu'aux dossiers d'utilisateurs créés automatiquement par Windows Vista lors de la définition d'un profil utilisateur.

4 L'emplacement actuel est affiché. Pour en définir un nouveau, cliquez sur le bouton **Déplacer**.

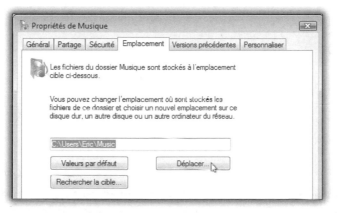

Figure 2.39 : Sélection d'un nouvel emplacement pour un dossier utilisateur

5 Dans la fenêtre **Sélectionner une destination**, double-cliquez sur **Ordinateur** pour afficher les différents disques connectés. Double-cliquez sur celui destiné à héberger vos dossiers. Une fois le contenu du disque de destination affiché (un sous-dossier ou à la racine de ce dernier), cliquez du bouton droit sur un emplacement vide de la partie principale de la fenêtre. Dans le menu contextuel, cliquez sur **Nouveau/Dossier** et donnez un nom à ce nouveau dossier.

Choix de la destination

Le déplacement du dossier document nécessite la création d'un dossier de destination sur le disque destiné à le recevoir. Même si sous l'Explorateur, ce dernier apparaîtra toujours sous le même nom, il s'agit en fait d'un alias et il est impératif de créer un dossier de destination dédié à recevoir son contenu.

6 Sélectionnez le dossier de destination et cliquez sur le bouton **Sélectionner un dossier**.

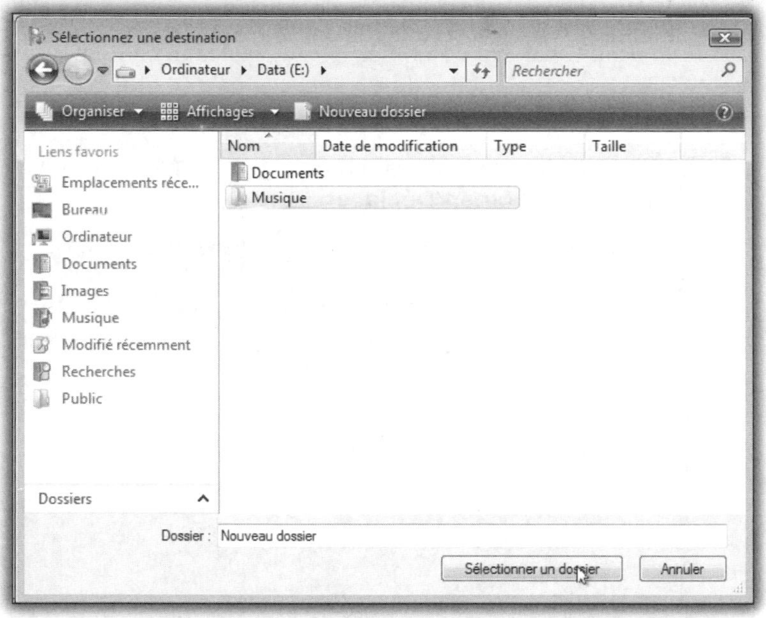

Figure 2.40 : *Création puis sélection du dossier de destination*

7 Cliquez sur le bouton **Appliquer**.

8 Cliquez sur le bouton **Oui** de la boîte de dialogue **Déplacer le dossier**, vous demandant si vous souhaitez déplacer l'ensemble des fichiers contenus dans l'emplacement. En répondant par la négative, vous aurez la mauvaise surprise, dans votre dossier utilisateur, de voir apparaître un second dossier du même nom pointant sur le second disque.

Vous pouvez à présent appliquer la même méthode à tous les dossiers personnels créés lors de l'installation de Windows Vista ou de la création du compte.

Régler les problèmes d'association de fichiers

Suite à l'installation d'un programme, il est possible que vos habitudes soient modifiées malgré vous. En effet, tous les fichiers de données sont affublés d'une extension (*.doc* pour un document Word). Cependant les extensions ne sont pas affichées par défaut pour les fichiers dont le type est connu de Windows.

Généralement, ce type de problème est une conséquence de l'essai d'un programme shareware ou freeware (partagiciel ou graticiel).

Pour récupérer la bonne association fichier/programme (celle que vous aviez l'habitude d'utiliser) et faire en sorte que lorsque vous double-cliquez sur un fichier, le bon programme s'ouvre :

1 Cliquez du bouton droit sur le fichier concerné et cliquez sur **Propriétés** dans le menu contextuel.

2 Dans l'onglet **Général** de la fenêtre **Propriétés de**, cliquez sur le bouton **Modifier**.

Figure 2.41 :
Modification de l'association type de fichier/programme

3 Dans la fenêtre **Ouvrir avec**, sélectionnez le programme usuel depuis la rubrique *Programmes recommandés*. Si ce dernier n'y apparaît pas, cliquez sur la flèche dirigée vers le bas de la rubrique *Autres programmes* et sélectionnez le programme à associer à ce type de fichier. (Si le programme souhaité n'apparaît toujours pas, vous pouvez cliquer sur le bouton **Parcourir** et pointez directement sur le fichier exécutable du programme.)

4 Vérifiez que l'option *Toujours utiliser le programme sélectionné pour ouvrir ce type de fichier* est validée et cliquez sur le bouton OK.

Vous pouvez reproduire cette opération pour tous les types de fichiers pour lesquels le programme associé a été changé à votre insu.

2.5. Check-list

- identifier et résoudre un problème lié au système ;
- résoudre les problèmes constatés lors du démarrage de Windows Vista ;
- diagnostiquer un problème Windows Vista ;
- utiliser l'Observateur d'événements ;
- utiliser la Résolution des problèmes de Microsoft ;
- utiliser le Moniteur de fiabilité ;
- résoudre les problèmes liés aux comptes d'utilisateurs ;
- comprendre l'intérêt du Contrôle de compte d'utilisateur ;
- limiter les perturbations liées au Contrôle de compte d'utilisateur ;
- arrêter le Contrôle de compte d'utilisateur ;
- déplacer les données (dossiers et fichiers personnels) d'un utilisateur sur un autre disque ou une autre partition ;
- résoudre les associations corrompues entre fichiers de données et applications.

Le réseau

Le réseau au sens large, permet la connectivité de l'ordinateur tant au sein du foyer (réseau local) qu'à travers le monde par le biais d'Internet. Pour profiter de cette connectivité, différents composants sont indispensables, et peuvent par un mauvais paramétrage, empêcher toute communication.

3.1. Le réseau Internet

Dans un monde de plus en plus connecté, il devient presque impensable que de nos jours, un ordinateur nouvellement acheté ne soit jamais relié à Internet. De même, de plus en plus de particuliers optent pour un réseau local comprenant plusieurs ordinateurs afin de partager les données, les imprimantes ainsi que les fichiers multimédias.

Partager sa connexion Internet avec d'autres machines

Lorsque vous êtes connecté à Internet via un modem ADSL, seul un ordinateur du foyer est en mesure d'accéder à Internet. Microsoft a donc réalisé un outil permettant le partage de connexion à Internet.

Pour partager la connexion Internet, il vous sera nécessaire d'ajouter une carte Ethernet sur la machine hébergeant la connexion. Vous devrez vous assurer que la machine cliente en possède une. Vous pourrez également utiliser une connexion Wi-Fi.

Connexion de plusieurs PC entre eux

La connexion de deux PC entre eux peut se faire par l'intermédiaire d'un câble croisé. La connexion de trois PC ou plus implique l'implémentation d'un hub permettant de centraliser les connexions. Un tel composant coûte une dizaine d'euros.

Windows Vista permet de partager la connexion Internet. Cette fonction se nomme *Internet Connexion Sharing* ou ICS. Grâce à elle, les utilisateurs n'ayant pas de box Internet peuvent employer la seule connexion existante pour tous les ordinateurs reliés au réseau.

Paramétrage

1 Pour paramétrer le partage de connexion ICS, cliquez sur le bouton **Démarrer/connexion**.

2 Dans la boîte de dialogue **Connexion à un réseau**, cliquez sur le lien *Ouvrir le centre de réseaux et de partages*.

3 Cliquez sur le lien *Gérer les connexions réseau*.

4 Cliquez du bouton droit sur le périphérique déjà connecté à Internet. Dans le menu contextuel, cliquez sur **Propriétés**.

5 Dans La boîte de dialogue **Propriétés de connexion**, cliquez sur l'onglet **Partage**.

Figure 3.1 :
Boîte de dialogue
Partage de connexion

6 Cochez l'option *Autoriser d'autres utilisateurs du réseau à se connecter via la connexion Internet de cet ordinateur*.

7 Validez en cliquant sur le bouton OK.

Problèmes d'accès à Internet

Malgré le partage de la connexion depuis l'ordinateur physiquement connecté, vous pouvez tester les opérations suivantes.

Problèmes liés à l'adressage IP

Le partage de connexion à Internet ICS utilise un adressage IP qui lui est propre. L'adressage possible avec l'utilisation d'ICS est la plage d'adresses `192.168.0.1` à `192.168.0.255`. La première adresse `192.168.0.1` est réservée pour l'ordinateur offrant le partage. La dernière est inutilisable. Veillez donc à ce que l'adresse de l'ordinateur essayant d'accéder à Internet soit comprise dans cette plage.

Pour connaître l'adresse IP de votre ordinateur :

1 Cliquez sur le bouton **Démarrer/connexion**.

2 Dans la boîte de dialogue **Connexion à un réseau**, cliquez sur le lien *Ouvrir le centre de réseaux et de partages*.

3 Cliquez sur **Gérer les connexions réseau**.

4 Dans la liste des périphériques réseau, double-cliquez sur le périphérique relié à Internet, généralement nommé **Connexion au réseau local**.

5 Cliquez sur le bouton **Détail**.

6 Recherchez la ligne *Ipv4 adresse IP*.

Figure 3.2 :
Boîte de dialogue de
partage de connexion

Si l'adresse de votre machine est `169.254.x.y`, cela signifie que la machine chargée d'assurer le partage de connexion n'a pas réussi à affecter une adresse à la machine cliente. Pour résoudre le problème, redémarrez le service *Partage de connexion Internet* sur la machine proposant ce service :

1 Cliquez sur le bouton **Démarrer**.

2 Cliquez du bouton droit sur **Ordinateur**.

3 Dans le menu contextuel, cliquez sur **Gérer**.

4 Dans la fenêtre **Gestion de l'ordinateur**, volet de gauche, cliquez sur **Services et applications**.

5 Double-cliquez sur **Services**.

6 Sélectionnez dans la liste des services **Partage de connexion Internet**.

7 Si le service est démarré, cliquez sur **Redémarrer le service**.

8 Si le service n'est pas démarré, cliquez sur le lien *Démarrer le service*.

Vérifiez à nouveau l'adresse IP de l'ordinateur client. Si celle-ci est toujours dans la plage 169.254.x.y, ouvrez une Invite de commandes avec des privilèges administrateur :

1 Cliquez sur **Démarrer/Tous les programmes/Accessoires**.

2 Cliquez du bouton droit sur **Invite de commandes**.

3 Dans le menu contextuel, cliquez sur **Exécuter en tant qu'administrateur**.

4 Au prompt de l'invite de commandes, saisissez IPCONFIG /release. Validez avec la touche [↵].

Cette commande à pour effet d'annuler l'adresse IP en cours.

5 Saisissez la commande IPCONFIG /renew et validez en appuyant sur la touche [↵].

Cette commande force la demande d'une nouvelle adresse IP auprès de la machine assurant le partage.

6 Vérifiez à nouveau l'adresse IP de votre ordinateur. Si celle-ci n'est toujours pas du type 192.168.x.y, vérifiez la configuration de votre carte réseau en vous assurant qu'elle est paramétrée sur *DHCP*.

Problèmes de connectivité

Si votre ordinateur offre une adresse valide, assurez-vous que la connexion partagée est activée.

Assurez-vous que l'ordinateur assurant la connexion partagée arrive à se connecter à Internet. S'il n'arrive pas à se connecter, vérifiez vos paramètres de connexion.

Si celui-ci arrive à ce connecter mais pas l'ordinateur client, assurez-vous que le partage de connexion est actif sur le périphérique réseau permettant l'accès à Internet.

Si le paramétrage est correcte, redémarrez le service *Partage de connexion Internet ICS* :

1 Cliquez sur le bouton **Démarrer**.

2 Cliquez du bouton droit sur **Ordinateur** puis sur **Gérer** dans le menu contextuel.

3 Dans la fenêtre **Gestion de l'ordinateur**, volet de gauche, cliquez sur **Services et applications**.

4 Double-cliquez sur **Services**.

5 Dans la liste des services, double-cliquez sur **Partage de connexion Internet (ICS)**.

6 Dans les propriétés du service, cliquez sur le bouton **Arrêter**.

7 Cliquez sur le bouton **Démarrer** dans la boîte de dialogue **Propriété de partage de connexion (ICS)**.

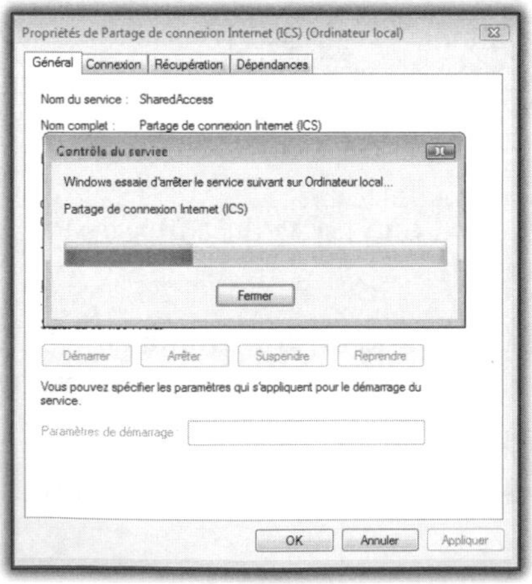

Figure 3.3 :
Le service Partage de connexion Internet dans la liste des services en cours d'arrêt

Les routeurs et autres box Internet

Dans la majorité des cas, les box Internet sont fournies avec le logiciel d'installation. Certaines d'entre elles possèdent un serveur web (consultable par Internet explorer) qui permet de les administrer et diagnostiquer les problèmes. Ce serveur peut être contacté en utilisant le **Centre de réseaux et de partages** :

1 Cliquez sur **Démarrer/connexion**.

2 Dans la boîte de dialogue **Connexion à un réseau**, cliquez sur le lien *Ouvrir le centre de réseaux et de partages*.

Figure 3.4 :
Le Centre de réseaux et de partages affiche un schéma du réseau

3 Dans la fenêtre **Centre de réseaux et de partages**, cliquez sur le lien *Afficher l'intégralité du mappage*. Le mappage affichera le chemin utilisé par votre ordinateur pour se rendre sur Internet.

Figure 3.5 :
Le mappage réseau affiche la connectivité ainsi que les différents services disponibles

4 Cliquez du bouton droit sur l'icône *Passerelle*. Dans le menu contextuel, cliquez sur **Afficher la page Web du périphérique**. Une page web vous demande un nom d'utilisateur et un mot de passe s'affichera.

Vous pourrez obtenir facilement les informations d'identification en effectuant une recherche sur le nom de votre box sur Google ou tout autre moteur de recherche.

REMARQUE

Les passerelles
Les passerelles ne permettent pas toutes d'afficher leur page web par cet intermédiaire.

Si votre box Internet refuse de se connecter, vérifiez que la synchronisation ADSL est correcte (sur la page web de votre box) ou en façade à partir de la diode nommée *ADSL*. Si celle-ci clignote, adressez-vous au service client de votre fournisseur d'accès.

3.2. Le réseau local

Les composants d'un réseau local

Les composants cités sont à la norme Ethernet. Il s'agit de la norme la plus répandue sur les réseaux locaux actuels.

- Un élément passif se contente de transmettre le courant d'un point à un autre, par exemple un câble réseau.
- La constitution d'un réseau local est composée d'éléments dits actifs et passifs.

Les éléments passifs sont peu nombreux :

- Les câbles réseau à la norme RJ45, catégorie 5 ou 6 garantissent des débits respectifs de 100 Mbit/s 1 Gbit/s.
- Les concentrateurs ou hub permettent de connecter plusieurs câbles réseau. Ils se contentent de renvoyer les informations reçues sur toutes les prises réseau.

Les éléments actifs permettent de rediriger le courant électrique sur le bon chemin (à destination de la bonne connexion). Ces éléments peuvent être :

■ Les interfaces réseau qui s'identifient les unes aux autres par l'intermédiaire d'adresses MAC uniques et définies par les constructeurs.

■ Les commutateurs ou switchs sont des concentrateurs qui stockent les adresses MAC dans une table ARP et permettent ainsi de rediriger l'information vers la bonne carte réseau, donc de limiter le trafic réseau.

■ Les adaptateurs CPL (courant porteur de ligne), permettent d'utiliser le réseau filaire d'alimentation électrique de votre maison ou appartement pour transporter l'information sans ajout de câbles supplémentaires.

REMARQUE

Les adresses MAC

Les adresses MAC sont des adresses uniques, identifiant les composants réseau actifs. Théoriquement, deux composants réseau existants ne peuvent avoir la même adresse MAC à travers le monde. Toutefois, il est arrivé qu'un fabriquant ait vendu des composant employant des adresses déjà utilisées. Cette duplication d'adresses a causé des troubles importants. Ces composants ont été rappelés par le constructeur.

Les différents états d'une carte réseau

Un périphérique réseau, qu'il soit filaire ou Wi-Fi, peut posséder quatre états distincts. Ces quatre états seront la clé d'un diagnostic rapide de votre connectivité. L'état des périphériques réseau apparaît dans la zone de notification.

Tableau 3.1 : *Les icônes de la zone de notification*

État	Description	Type de problèmes et chapitres associés
Icône réseau avec une croix rouge	Le périphérique réseau n'est pas connecté.	S'il s'agit d'un périphérique réseau filaire, le câble est certainement débranché. Si ce n'est pas le cas, reportez-vous au chapitre *Dépannage réseau filaire*. S'il s'agit d'un réseau sans fil, le périphérique ne s'associe pas avec le point d'accès. Reportez-vous à la section *Wi-Fi*.
Icône réseau avec un panneau Attention	Le périphérique réseau est connecté mais la connectivité est limitée.	Reportez-vous à la section *DHCP*.
Icône réseau simple	Le périphérique réseau est connecté au réseau local mais il lui est impossible de se connecter à Internet.	Si l'ordinateur est censé être relié à l'Internet, consultez le chapitre précédent.
Icône réseau avec une mappemonde.	Le périphérique réseau est connecté au réseau local et à Internet.	Aucune action n'est requise, le périphérique fonctionne normalement ainsi que la connectivité à Internet.

REMARQUE

Affichage de l'icône Connexion réseau dans la zone de notification

Si l'icône de l'état réseau n'apparaît pas dans la zone de notification, il est possible de forcer en modifiant la clé de registre associée. Depuis l'Éditeur du registre, ouvrez la clé `HKEY_LOCAL_MACHINE\SYSTEM\CurrentControlSet\Services\NlaSvc\Parameters\Internet` et modifiez la valeur `EnableActiveProbing` de 0 à 1.

Dépannage d'un réseau filaire

Les réseaux filaires utilisent le protocole Ethernet. Ce dernier permet de garantir une communication fiable et son coût limité a permis sa démocratisation.

Dans le cas d'un réseau local LAN, les composants réseau peuvent être la source de nombreuses pannes. Lorsqu'un ordinateur ou l'ensemble des ordinateurs ne communiquent plus, un certain nombre d'éléments peuvent être responsables.

Il est impératif de vérifier que les câbles utilisés pour les connexions ne sont pas responsables d'éventuels dysfonctionnements. Certains câbles réseau de mauvaise facture possèdent de mauvais contacteurs.

- Si vous possédez un concentrateur (hub), vérifiez l'état des LED. Des LED clignotantes sont signes de bon fonctionnement. Toutefois, si l'une d'elles reste éteinte, alors qu'une connexion existe sur son port, cela laisse supposer que le câble associé est mal connecté, ou que la carte réseau est inopérante. Si aucune LED n'est allumée, il est probable que votre concentrateur soit hors service ou non alimenté.

- Si vous êtes en possession d'un commutateur, effectuez les mêmes vérifications que pour un concentrateur. Toutefois, il arrive que certains commutateurs se retrouvent corrompus et aient perdu toutes leurs correspondances d'adresses MAC. Dans ce cas, référez-vous au manuel ou redémarrez-le en débranchant son alimentation électrique s'il ne possède pas d'interrupteur.

- Votre ordinateur peut également perdre la table d'adresses MAC des cartes réseau. Dans ce cas, utilisez la commande ARP dans une fenêtre **Invite de commandes** en tapant ARP -d * qui permet de réinitialiser l'intégralité de la table d'adresses MAC.

- Si le câble réseau est déconnecté de l'ordinateur ou si le commutateur est débranché électriquement, l'icône identifiant la carte

  Figure 3.6 :
  La carte réseau est débranchée

  réseau apparaîtra dans la zone de notification, marquée d'une croix rouge.

- Le pilote de la carte réseau peut également être défectueux. Vous pouvez tenter de le réinstaller depuis la fenêtre **Propriétés de la Carte réseau**, depuis l'onglet **Pilote**.

- Si l'ordinateur semble communiquer de manière aléatoire, testez votre communication depuis un ordinateur du réseau local à l'aide de la commande Ping (en spécifiant l'adresse de l'ordinateur suspect). Si le résultat de la commande retourne des délais trop longs de manière aléatoire, ou des réponses de délais dépassé et des réponses correctes, il est probable qu'un de vos éléments réseau ne supporte pas les liaisons *FULL Duplex*. Le *Full Duplex* permet d'émettre de manière synchrone à vitesse identique autant en émission qu'en réception. Cela est probablement dû à un câble de mauvaise facture. Dans un premier temps, changez le câbles RJ45 et placez votre interface réseau en *Half duplex* si le changement de câble n'a pas apporté la résolution au problème.

REMARQUE

Modification des paramètres d'une carte réseau
Pour modifier le fonctionnement d'une carte réseau, consultez le manuel du fabricant.

Réseau Wi-Fi

La technologie Wi-Fi permet aux différents ordinateurs du réseau local de communiquer entre eux et vers Internet, sans utiliser de connexion filaire. De plus en plus de routeurs ou Internet box proposent la fonctionnalité Wi-Fi pour se connecter à Internet. Les cartes Wi-Fi existent sous deux formes :

- Les cartes PCI ou PCMCIAA (pour les ordinateurs portables) à insérer dans votre ordinateur. Elles possèdent généralement une antenne externe à brancher, pour garantir une meilleure propagation des ondes.

- Les clés USB Wi-Fi à insérer directement dans un emplacement USB. Elles possèdent généralement des antennes intégrées ou des câbles d'extension semi rigides pour les orienter au mieux et ainsi améliorer leur portée.

Problèmes liés à l'installation d'un réseau Wi-Fi

Normalement, l'installation des périphériques Wi-Fi se fait automatiquement avec Windows Vista. Dans le cas contraire, Vista vous demande d'insérer le disque contenant les pilotes du périphérique. Dès l'éventuel redémarrage, le composant Wi-Fi devrait être opérationnel. Si tel n'est pas votre cas, recommencez l'installation de ce dernier, en respectant les consignes d'installations fournies par le constructeur.

Si depuis l'outil **Connexion à un réseau**, vous ne détectez aucun réseau à portée, il est possible qu'un outil dédié à votre périphérique gère la connexion et soit prioritaire. Recherchez dans la documentation les informations sur cet outil.

Une fois le réseau détecté et sélectionné, il vous est demandé d'utiliser une clé WEP ou WPA. Cette clé se situe en général sur votre box Internet ou devra être définie par vos soins lors de son installation. La procédure à utiliser pour connaître la clé de chiffrement employée étant propriétaire à votre matériel, consultez la documentation de ce dernier.

Dans tous les cas, préférez une clé WPA (version 2 si possible) pour garantir une sécurité plus élevée de vos communications.

Si votre communication ne s'établit pas ou si malgré plusieurs tentatives de saisies de la clé, vous n'arrivez toujours pas à communiquer, il est possible que votre périphérique Wi-Fi utilise le filtrage d'adresse MAC. À ce stade, vous devez consulter la documentation fournie par votre FAI pour configurer une connexion Wi-Fi.

Problèmes de communication Wi-Fi

Les normes *802.11b* et *802.11g* sont capables d'émettre et de recevoir jusqu'à 10 mètres ou plus. Toutefois leur portée peut être fortement diminuée par des murs épais. Une des solutions les plus simples est de modifier l'emplacement du point d'accès afin d'obtenir la meilleure portée possible en fonction de vos besoins.

Malgré un positionnement adéquat, il se peut que vos communications soient toujours laborieuses. Dans la majorité des cas, les points d'accès et les cartes Wi-Fi diminuent automatiquement la vitesse de communication afin de l'adapter à la portée. Certains points d'accès Wi-Fi ou cartes Wi-Fi ne supportent pas cette méthode de fonctionnement. Il est alors préférable d'utiliser la norme *802.11b* afin d'améliorer vos communications (mais cela peut impliquer un changement de périphériques).

Se connecter à un réseau Wi-Fi

Pour créer une connexion Wi-Fi :

1 Cliquez sur le **Démarrer/Connexion**.

2 Dans la fenêtre **Connexion à un réseau**, sélectionnez le réseau sans fil à rejoindre et cliquez sur le bouton **Connexion**.

3 Si le réseau est sécurisé, saisissez dans la boîte de dialogue dédiée, la *clé WEP* ou *WPA* à utiliser pour se connecter à ce réseau.

4 La connexion réseau ayant aboutie, cochez les options *Enregistrer ce réseau* et *Lancer automatiquement cette connexion*.

La consultation à Internet est désormais accessible via le point d'accès Wi-Fi.

3.3. Le Centre de réseaux et de partages

Le Centre de réseaux et de partages est une boîte à outils fournie avec Windows Vista vous permettant de réaliser des diagnostics rapides et efficaces de votre connectivité réseau.

De plus, cette boîte à outils vous permettra d'effectuer aisément des partages réseau (disques, dossiers, imprimantes) et de définir l'emplacement, c'est-à-dire le type de réseau à utiliser (*Privé* ou *Public*). Avec Windows Vista, il existe trois types de partages :

- les partages de fichiers ;
- les partages d'imprimantes ;
- les partages de fichiers multimédias.

Les emplacements réseau permettent de limiter la connectivité de votre réseau, par exemple le partage de fichiers multimédias où vos dossiers ne doivent pas être accessibles lorsque vous vous trouvez dans une zone Wi-Fi en libre accès.

3.4. Les emplacements réseau

Dans le Centre de réseaux et de partages, la notion d'emplacement réseau est extrêmement importante. En effet, celle-ci permet de définir si vous êtes dans un réseau *Privé* (entreprise ou maison) ou *Public* (salle de sport Wi-Fi, hall de gare ou d'aéroport...).

Un réseau *Public* sous Windows Vista est considéré comme une zone à risque. Étant considéré dans une zone à risque, Windows Vista bloquera certains accès à votre ordinateur tel que :

- la recherche de réseaux (votre ordinateur reste invisible pour les autres machines présentes sur ce réseau) ;
- le partage de fichiers et d'imprimantes ;
- le partage des fichiers multimédias.

Si sur votre réseau local, vous ne voyez aucun ordinateur connecté, utilisez un emplacement de type réseau privé et vérifiez que la recherche de réseaux est activée.

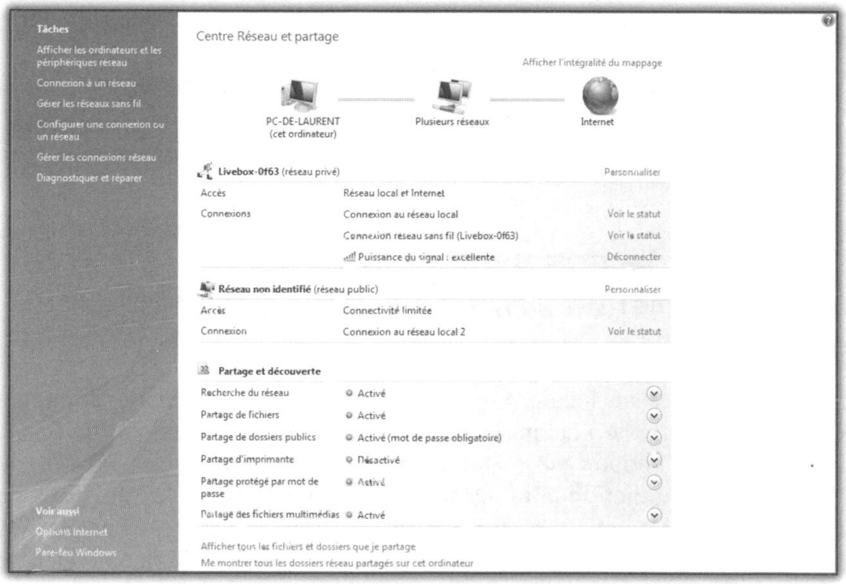

Figure 3.7 : *Le Centre de réseaux et de partages*

Dans la fenêtre **Centre réseau et partages** apparaît le nom de votre carte réseau, ou du réseau Wi-Fi auquel vous êtes connecté, et entre parenthèses, si vous êtes dans un *Réseau public* ou un *Réseau privé*. Cliquez sur **Personnaliser** pour modifier cet emplacement.

REMARQUE

Les réseaux Wi-Fi en libre accès
Si vous êtes dans un réseau Wi-Fi mis à disposition du public, utilisez le profil réseau public. Optez également pour ce type de profil si votre ordinateur est connecté directement à Internet sans passer par une passerelle ou Internet box.

La découverte de réseaux

La découverte de réseaux, est un outil extrêmement puissant, permettant la recherche des différents services réseau disponible sur votre réseau local. Il est fortement conseillé de ne pas activer cette option sur les réseaux publics. Si vous devez l'utiliser sur un réseau public, pensez à la désactiver dès que son emploi ne sera plus requis.

Aucun ordinateur ne s'affiche dans la liste des ordinateurs du réseau

Vérifiez dans la fenêtre **Centre de réseaux et de partages** que la *Découverte de réseau* est activée.

Vérifiez que l'*Emplacement réseau* utilisé est *Réseau privé*.

Dans la liste des ordinateurs du réseau, les ordinateurs Windows XP ne s'affichent pas

Si dans votre réseau local, Windows Vista n'affiche pas les ordinateurs utilisant une version plus ancienne de Windows, telle que Windows XP, lorsque vous cliquez sur **Démarrer/Réseaux**, c'est en raison de l'absence de la fonctionnalité *Découverte de réseaux* sur les versions de Windows XP. Microsoft a mis à disposition un correctif pour les ordinateurs à base de Windows XP permettant d'utiliser la découverte de réseaux. Ce correctif est disponible en téléchargement depuis l'adresse suivante :

http://support.microsoft.com/kb/922120/fr.

La recherche des ordinateurs du réseau est longue

La recherche peut s'avérer quelquefois très longue avant d'afficher les services réseaux. Cela peut être dû au fait que vos ordinateurs ne font pas parti du même *Groupe de travail*.

Pour changer le groupe de travail d'un ordinateur utilisant Windows Vista, procédez de la façon suivante :

1 Cliquez sur le bouton **Démarrer** et avec le bouton droit de la souris, cliquez sur **Ordinateur**. Dans le menu contextuel, cliquez sur **Propriétés**.

2 Dans la fenêtre **Information système générales**, cliquez sur **Modifier les paramètres**.

3 Dans la fenêtre **Propriétés système**, cliquez sur le bouton **Modifier**.

4 Dans la boite de dialogue **Modification du nom de l'ordinateur** modifiez le nom du groupe de travail.

Figure 3.8 : Modification du groupe de travail

Les périphériques réseau de partage multimédia ne s'affichent pas

Si les partages multimédias ne s'affichent pas, que votre *Emplacement réseau* est bien configuré sur *Privé* et que la découverte est activée, vous devez redémarrer le service *Découverte SSDP*.

1 Cliquez sur le **Démarrer**. Dans la zone *Rechercher*, saisissez `services`. Cliquez sur **Services** dans la section *Programmes*.

2 Dans la Console de gestion des services, recherchez le service *Découverte SSDP* puis cliquez sur **Redémarrer**.

Le partage de fichiers et d'imprimantes

Si votre réseau local comprend plusieurs ordinateurs, vous allez sans doute être amené à leur permettre d'échanger des données entre eux. Pour des raisons de sécurité, les partages de fichiers ainsi que les fichiers eux-mêmes nécessitent l'affectation de permissions spécifiques telles que la *Lecture* et *l'Ecriture*.

Si une personne n'ayant pas de compte utilisateur essaie de se connecter à un partage spécifique, celle-ci ne pourra avoir accès aux ressources partagées de l'ordinateur.

Les permissions utilisateur

La gestion des comptes d'utilisateurs pour les partages réseau peut apparaître complexe, surtout au niveau de la gestion des accès.

Notion sur les permissions de partages

Un dossier partagé offre trois niveaux de permissions pour un utilisateur ou tous les utilisateurs de l'ordinateur.

Tableau 3.2 : *Les permissions de partage*	
Permission	**Description**
Lecteur	L'utilisateur pourra consulter les documents de ce dossier.
Collaborateur	L'utilisateur pourra ajouter et supprimer des fichiers, et consulter les documents qui ne lui appartiennent pas.
Copropriétaire	L'utilisateur aura la possibilité de consulter, modifier, supprimer tous les fichiers du dossier partagé.

Notion de permissions sur les fichiers et dossiers

Les dossiers partagés possèdent également leur propre sécurité locale en plus de la sécurité associée aux partages. Le système de fichiers NTFS permet de définir une liste d'autorisations plus pointues que celle des autorisations de partages. Les autorisations se cumulent entre les permissions de partages et les permissions NTFS. Toutefois l'autorisation la plus restrictive prendra le pas sur les autres.

Le système de fichiers NTFS gère trois notions : l'*Autorisation*, *Sans permission* et le *Refus*. Le *Refus* est prioritaire sur l'*Autorisation*.

Par exemple, si vous refusez au groupe *utilisateurs* le contrôle total d'un fichier, l'administrateur qui est membre du groupe *utilisateurs* ne pourra accéder à ce fichier.

Description des autorisations :

Tableau 3.3 : *Ces permissions peuvent s'appliquer aux fichiers et aux dossiers*	
Permission	**Description**
Contrôle total	L'utilisateur pourra supprimer, modifier, lire le fichier.
Modification	L'utilisateur pourra modifier le contenu du fichier.
Lecture et exécution	L'utilisateur pourra consulter et exécuter (si le type de fichier le permet) le fichier.
Lecture	L'utilisateur pourra consulter le fichier.
Ecriture	L'utilisateur aura la possibilité de créer un fichier et de modifier l'existant.

ATTENTION

Le droit Refusé

Utilisez le moins possible le droit **Refusé** pour des raisons de simplification. Préférez ne rien autoriser à un utilisateur ou un groupe pour éviter les conflits d'autorisation. Pour résumer, il est plus facile de ne pas autoriser que d'interdire.

Les autorisations cumulées de Partage et du système de fichier NTFS

Dès qu'un accès à un partage réseau est établi, les autorisations de partage et du système de fichiers se cumulent ; la plus restrictive est toujours appliquée :

Tableau 3.4 : *Les permissions cumulées de partage et de système de fichiers NTFS*		
Permission de partage	**Permission NTFS**	**Description**
Lecteur	*Sans autorisations*	Les fichiers ne pourront pas être consultés.
Lecteur	*Toutes autres permissions*	Seule la lecture sera autorisée.

Tableau 3.4 : *Les permissions cumulées de partage et de système de fichiers NTFS*

Permission de partage	Permission NTFS	Description
Collaborateur	*Contrôle total*	L'utilisateur pourra modifier des fichiers.
Collaborateur	*Modification*	L'utilisateur pourra modifier des fichiers.
Collaborateur	*Lecture et Exécution*	L'utilisateur pourra consulter et exécuter des fichiers.
Collaborateur	*Lecture*	Seule la consultation des fichiers sera possible.
Copropriétaire	*Contrôle total*	L'utilisateur pourra créer des fichiers et des dossiers, les consulter et les exécuter.
Copropriétaire	*Modification*	L'utilisateur pourra modifier des fichiers.
Copropriétaire	*Lecture et Exécution*	L'utilisateur pourra consulter et exécuter des fichiers.
Copropriétaire	*Lecture*	Seule la consultation des fichiers sera possible.

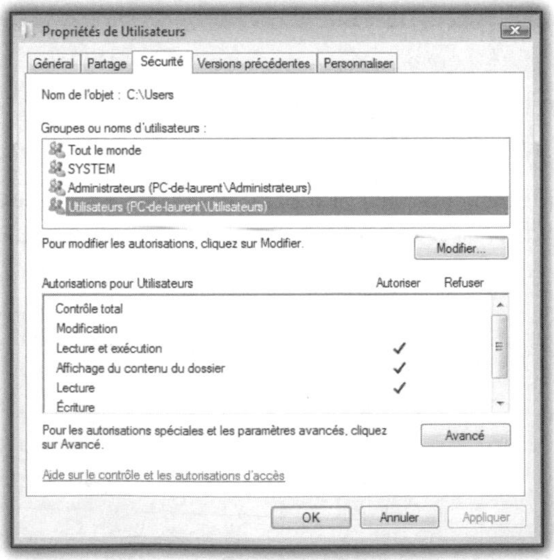

Figure 3.9 :
Permissions NTFS pour le groupe Utilisateurs

REMARQUE

Les groupes d'utilisateurs

Par défaut, le groupe *Utilisateurs de l'ordinateur* possède le droit *Contrôle total* sur les fichiers et dossiers qui ne sont pas liés au système. Les fichiers et dossiers faisant partie des profils utilisateur sont limités à leurs propriétaires et à l'administrateur.

Partage de dossiers publics

Le partage de dossiers publics permet à tout utilisateur créé sur la machine partageant ces dossiers d'y accéder en tant que *Lecteur* ou *Collaborateur*.

Les dossiers publics sont disponibles depuis le dossier `C:\utilisateurs\public`. Le raccourci est disponible directement depuis l'Explorateur de fichiers dans le volet de gauche en dessous de votre utilisateur courant.

Le Centre de réseaux et de partages permet d'activer le partage de ces dossiers publics.

1 Cliquez sur **Démarrer/Connexion**.

2 Dans la fenêtre **Connexion à un réseau**, cliquez sur **Ouvrir le centre de réseaux et de partages**.

3 Dans la rubrique *Partage et découverte*, cliquez sur la flèche permettant de dérouler la rubrique *Partage de dossiers publics*.

Vous avez le choix entre trois options :

Tableau 3.5 : Le paramétrage du partage des dossiers publics dans le Centre de réseaux et de partage	
Option	Description
Activer le partage afin que toute personne avec un accès réseau puisse ouvrir des fichiers	Une personne possédant un compte utilisateur sur la machine pourra ouvrir les fichiers publics mais ne pourra pas les modifier.
Activer le partage afin que toute personne avec un accès réseau puisse ouvrir, modifier et créer des fichiers	Toute personne possédant un compte utilisateur aura la possibilité de créer de nouveaux fichiers, modifier tous les fichiers existants et les effacer.

Tableau 3.5 : *Le paramétrage du partage des dossiers publics dans le Centre de réseaux et de partage*

Option	Description
Désactiver le partage	Aucun utilisateur ne pourra accéder aux dossiers publics de l'ordinateur.

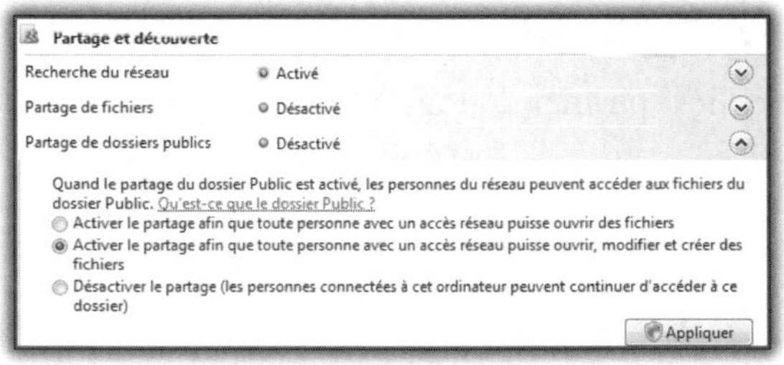

Figure 3.10 :
Modification des propriétés du partage de dossiers publics

Le partage de fichiers

Le partage de fichiers permet de rendre accessibles les fichiers et les dossiers avec des droits utilisateur spécifiques.

Pour activer le partage de fichiers :

1 Ouvrez le Centre de réseaux et de partages :

2 Cliquez sur **Démarrer/Panneau de configuration**.

3 Cliquez sur le lien **Réseaux et Internet**.

4 Cliquez sur le lien *Configurer le partage de fichiers*.

5 Cliquez sur la flèche permettant de dérouler la sous-rubrique *Partage de fichiers*.

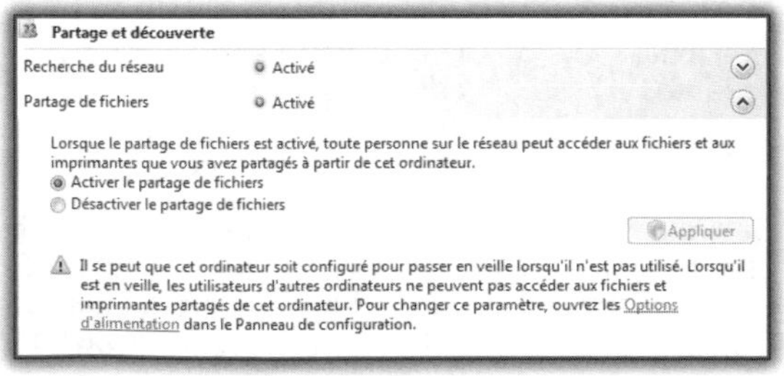

Figure 3.11 :
Modification des propriétés du partage de fichiers

6 Cliquez sur **Activer le partage de fichiers** puis sur le bouton **Appliquer**.

Créer un partage

1 Cliquez sur **Démarrer/Ordinateur**.

2 Cliquez du bouton droit sur le disque **C:**.

3 Dans le menu contextuel, cliquez sur **Nouveau** puis sur **Dossier**. Un nouveau dossier est créé avec le nom *Nouveau dossier*.

4 Modifiez son nom en `mon dossier partagé`. Validez avec la touche ⏎.

5 Cliquez du bouton droit sur le dossier *Mon dossier partagé* dans le volet gauche de la fenêtre. Dans le menu contextuel, cliquez sur **Partager...**.

6 Dans la boîte de dialogue **Partage de fichier**, choisissez un utilisateur dans la liste déroulante puis cliquez sur le bouton **Ajouter**.

7 Choisissez la permission à attribuer puis cliquez sur le bouton **Partager**.

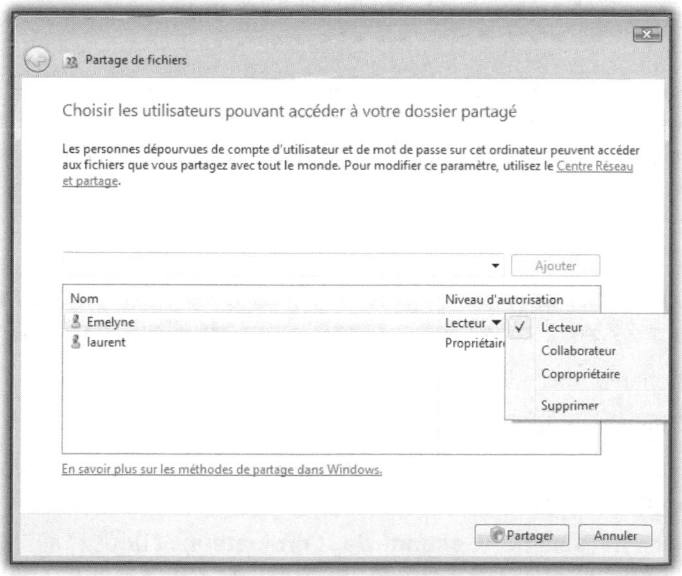

Figure 3.12 : Permettre à un utilisateur d'accéder au dossier partagé

Consulter la liste des dossiers partagés

Il peut paraître fastidieux de consulter tous les dossiers afin de savoir lequel est partagé. Cette opération est rendue possible depuis la Gestion de l'ordinateur :

1 Cliquez sur le **Démarrer**.

2 Cliquez du bouton droit sur **Ordinateur** puis cliquez sur **Gérer** dans le menu contextuel.

3 Dans la fenêtre **Gestion de l'ordinateur**, cliquez sur la liste déroulante *Dossiers partagés* dans le volet de gauche. Cliquez sur **Partages**.

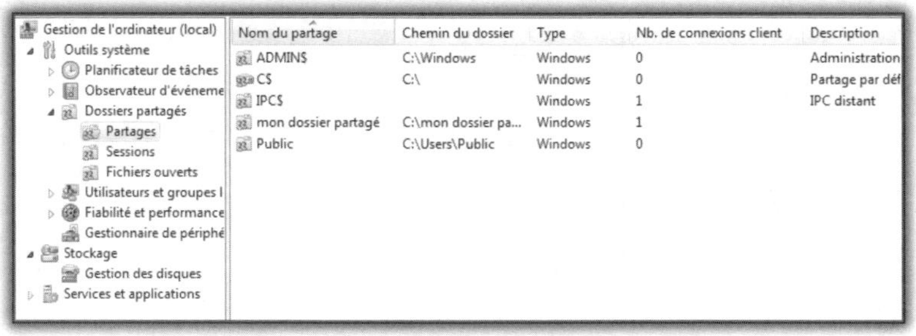

Nom du partage	Chemin du dossier	Type	Nb. de connexions client	Description
ADMIN$	C:\Windows	Windows	0	Administration
C$	C:\	Windows	0	Partage par déf
IPC$		Windows	1	IPC distant
mon dossier partagé	C:\mon dossier pa...	Windows	1	
Public	C:\Users\Public	Windows	0	

Gestion de l'ordinateur (local)
- Outils système
  - Planificateur de tâches
  - Observateur d'événeme
  - Dossiers partagés
    - Partages
    - Sessions
    - Fichiers ouverts
  - Utilisateurs et groupes l
  - Fiabilité et performance
  - Gestionnaire de périphé
- Stockage
  - Gestion des disques
- Services et applications

Figure 3.13 : *Liste des partages de l'ordinateur*

REMARQUE

Dossiers cachés

Les dossiers partagés C$ et Ipc$ sont des partages administratifs définis par le système.

Consulter en temps réels la liste des utilisateurs connectés aux dossiers partagés de l'ordinateur

Pour afficher la liste des utilisateurs connectés à l'ordinateur :

1 Cliquez sur le **Démarrer**.

2 Cliquez du bouton droit sur **Ordinateur**. Dans le menu contextuel, cliquez sur **Gérer**.

3 Dans la fenêtre **Gestion de l'ordinateur**, cliquez sur la liste déroulante *Dossiers partagé* du volet de gauche puis cliquez sur **Sessions**.

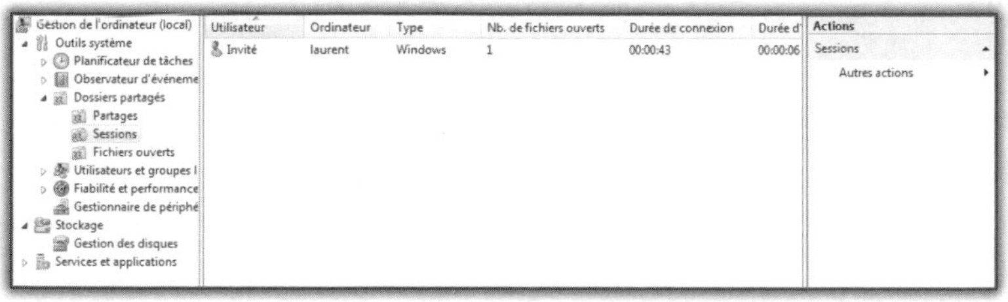

Figure 3.14 : *Utilisateurs connectés aux partages*

Un utilisateur n'arrive pas à accéder à des fichiers qui lui sont partagés

Si l'utilisateur rencontre un message d'erreur *Accès interdit*, vérifiez les droits créés pour cet utilisateur au niveau du partage de fichiers. Vérifiez également que l'autorisation *Refuser* n'a pas été utilisée.

Un utilisateur employant une version antérieure de Windows Vista ne peut se connecter aux partages de fichiers ou d'imprimantes

Les ordinateurs utilisant des versions antérieures de Windows (XP, 2000...), Linux ou tout autre UNIX, emploient le protocole SMB non signé, ainsi que le protocole d'Identification le plus récent pour le couple *Nom d'utilisateur* et *Mot de passe*. Il est possible d'y remédier en modifiant une clé de registre depuis l'Éditeur du registre. Recherchez la clé HKEY_LOCAL_MACHINE\SYSTEM\CurrentControlSet\Control\ LSA et modifiez la donnée de la valeur LmCompatibilityLevel de 3 à 1.

Se connecter à un partage

Pour rechercher un partage spécifique et s'y connecter :

1 Cliquez sur **Démarrer/Réseau**.

2 La liste des ordinateurs ayant un partage d'informations activé s'affiche. Double-cliquez un l'ordinateur hébergeant les fichiers que vous souhaitez consulter.

3 Une boîte de dialogue d'authentification apparaît. Saisissez un nom d'utilisateur et un mot de passe (à condition que ce compte ait été défini sur cet ordinateur).

Figure 3.15 :
*Liste des périphériques réseau
offrant un service de partage*

Créer un lecteur réseau

Un lecteur réseau permet d'affecter une lettre de lecteur à une ressource réseau partagée depuis un autre ordinateur.

1 Cliquez sur le bouton **Démarrer/Ordinateur**. Dans la barre d'outils de la fenêtre **Ordinateur**, cliquez sur le bouton **Connecter un lecteur réseau**.

2 Sélectionnez dans la liste déroulante la lettre de lecteur à affecter puis cliquez sur le bouton **Parcourir**.

3 Dans la boîte de dialogue de sélection de dossier, cliquez sur le nom d'ordinateur partageant des dossiers. Sélectionnez le dossier partagé sur lequel vous souhaitez vous connecter.

Il est toutefois possible de réaliser l'opération directement en invite de commandes en tapant la commande net use z: \\monordi\videos.

La lettre de lecteur partagé sera z: et pointera sur l'ordinateur nommé monordi sur le dossier partagé *C:\Vidéos*.

Impossible de se connecter à un partage

S'il est impossible de vous connecter à un partage, vérifiez d'abord que le nom d'utilisateur courant de votre ordinateur est identique à celui de l'ordinateur cible. Planifiez un mot de passe identique sur l'ordinateur cible. Vérifiez également, au sein du partage établi, que le groupe utilisateur ou que votre utilisateur sont définis.

Activer le partage d'imprimantes

Le partage d'imprimantes permet à tout utilisateur ayant un compte défini d'utiliser ou d'administrer une imprimante connectée directement au réseau ou sur un autre ordinateur du réseau local.

Pour activer le partage d'imprimantes :

1 Ouvrez le Centre de réseaux et de partages.

2 Cliquez sur **Démarrer/Connexion**

3 Dans la boîte de dialogue **Connexion à un réseau**, cliquez sur le lien *Ouvrir le centre de réseaux et de partages*.

4 Cliquez sur la liste déroulante *Partage d'imprimantes*. Validez l'option *Activer le partage d'imprimantes*.

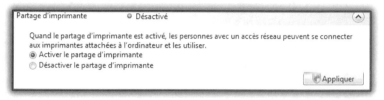

Figure 3.16 : Activer le partage d'imprimantes

Partager une imprimante

Pour partager une imprimante :

1 Ouvrez le Panneau de configuration.

2 Cliquez sur **Démarrer/Panneau de configuration**.

3 Cliquez sur le lien *Matériel et audio*.

4 Cliquez sur le lien *Imprimantes*.

5 Double-cliquez sur l'imprimante à partager et cliquez sur le menu **Fichier/Partager**.

6 Dans la fenêtre **Propriétés de** l'imprimante, cliquez sur l'onglet **Partage**.

7 Cochez l'option *Partager cette imprimante*. Définissez un nom permettant de la retrouver facilement depuis le réseau.

8 Cliquez sur l'onglet **Sécurité**. Par défaut, seuls les administrateurs peuvent utiliser les imprimantes partagées.

9 Cliquez sur le bouton **Ajouter...**.

10 Dans la fenêtre **Sélection des utilisateurs et des groupes**, saisissez Utilisateurs et cliquez sur le bouton **Vérifier les noms**. Une fois les noms vérifiés, cliquez sur le bouton OK.

11 Activez seulement si ce n'est pas déjà fait la case à cocher *Imprimer*, en vous étant assuré que le groupe *Utilisateurs* est sélectionné.

Figure 3.17 : Partager une imprimante

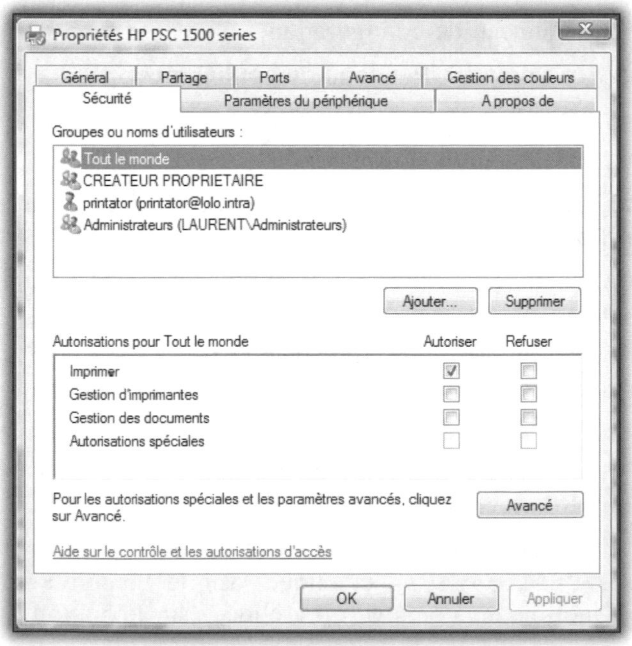

Figure 3.18 : Autoriser des utilisateurs à imprimer par le partage

Se connecter à une imprimante partagée

Pour vous connecter à une imprimante :

1 Cliquez sur le bouton **Démarrer/Réseau**.

2 Dans la liste des ordinateurs de votre réseau, double-cliquez sur l'ordinateur partageant l'imprimante.

3 Les imprimantes et dossiers partagés de cet ordinateur s'affichent. Double-cliquez sur l'imprimante à utiliser.

4 Si le pilote n'est pas disponible sur votre ordinateur, Windows vous proposera de télécharger le pilote depuis la machine hébergeant l'imprimante.

5 Cliquez sur **Installer le pilote**.

Le pilote est localement installé et l'imprimante est maintenant intégrée à votre pool d'imprimantes.

L'ordinateur partageant l'imprimante ne s'affiche pas dans la liste des ordinateurs du réseau

Vérifiez dans le **Centre de réseaux et de partages** des deux ordinateurs que la *Découverte de réseaux* est activée. Vérifiez également que l'emplacement réseau est positionné sur *Privé*.

Aucune imprimante partagée n'est disponible sur l'ordinateur distant

Vérifiez dans le Centre de réseaux et de partages de l'ordinateur cible, que le *Partage d'imprimantes* est activé. Vérifiez également que l'imprimante est partagée dans la *Gestion de l'imprimante*.

L'impression ne se fait pas

Si l'impression ne se fait pas, il est probable que le service *Spooler d'impression* pose problème. Le redémarrage de ce service est nécessaire :

1 Cliquez sur **Démarrer**. Dans la zone de saisie *Rechercher*, saisissez `services`.

2 Cliquez sur **Services** dans la rubrique *Programmes* du menu **Démarrer**.

3 Recherchez *Spooler d'impression* et cliquez sur le lien *Redémarrer*.

Le partage de fichiers multimédias

Le partage de fichiers multimédias est directement lié à Windows media Player et au partage de sa bibliothèque.

Autoriser le partage de fichiers multimédias

Pour autoriser l'utilisation des partages multimédias, ce service doit être activé dans le Centre de réseaux et de partages.

1 Cliquez sur le bouton **Démarrer/Connexion**.

2 Dans la boîte de dialogue **Connexion à un réseau**, cliquez sur le lien *Ouvrir le centre de réseaux et de partages*.

3 Sélectionnez *Partage de fichiers multimédias* et cliquez sur le bouton **Modifier**.

4 Dans la boîte de dialogue **Partage de fichiers multimédias**, cochez l'option *Partager mes fichiers multimédias*. Validez avec le bouton OK.

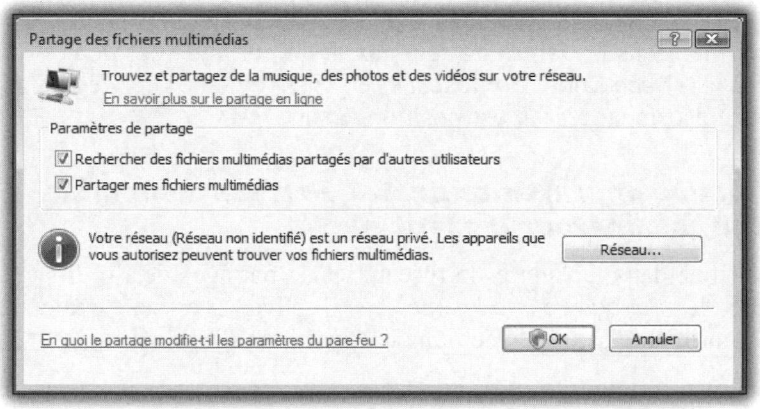

Figure 3.19 : Autoriser le partage de fichiers multimédias

REMARQUE **Autoriser le partage de fichiers multimédias**

Si vous utilisez le partage de connexion pour permettre aux ordinateurs de votre réseau d'accéder à Internet, le réseau Internet sera considéré comme un réseau *Public*. Désactivez le périphérique réseau permettant la connexion à Internet afin de pouvoir activer le partage de fichiers multimédias.

Autoriser un périphérique ou un autre ordinateur à accéder aux fichiers multimédias partagés

Une fois le partage autorisé, il est nécessaire de définir les ressources autorisées (comptes, ordinateurs) à accéder à la bibliothèque multimédia.

1 Démarrez le Lecteur Windows media en cliquant sur **Démarrer/Tous les programmes/ Lecteur Windows media**.

2 Dans la fenêtre **Lecteur Windows Media**, cliquez sur le menu **Bibliothèque/Partage des fichiers multimédias…**.

La liste des périphériques identifiés (au moins une fois) comme pouvant accéder à la bibliothèque est affichée.

3 Sélectionnez le périphérique ou l'ordinateur pouvant accéder au partage puis cliquez sur **Autoriser**. Validez avec le bouton OK.

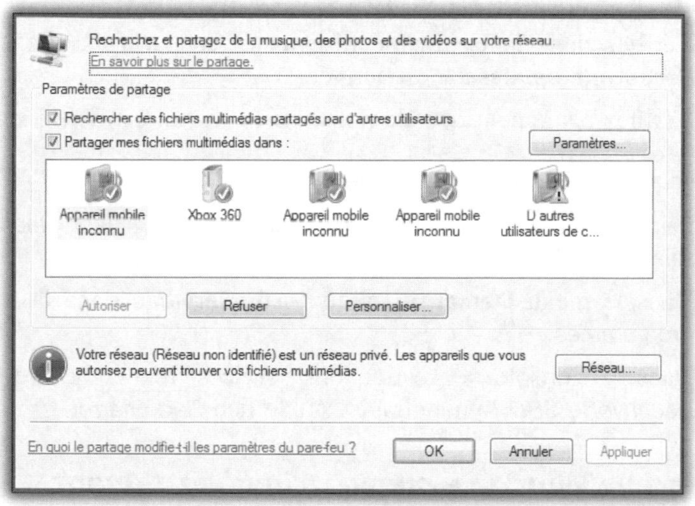

Figure 3.20 : *Autoriser un périphérique à accéder aux fichiers multimédias*

Rechercher un ordinateur partageant des fichiers multimédias

1 Cliquez sur le bouton **Démarrer/Réseau**. La liste de tous les périphériques offrant des partages s'affichera. L'icône de périphérique offrant des partages multimédias est différente de celle d'un ordinateur présent sur le réseau.

Figure 3.21 :
Icône d'un périphérique multimédia partageant ses données

2 Double-cliquez sur ce périphérique. Le lecteur **Windows Media** s'ouvre. Dans le volet de droite, deux parties s'affichent :

— la Bibliothèque, qui est la bibliothèque locale ;

— votre périphérique partagé.

3 Cliquez sur la liste déroulante de ce périphérique ; vous pourrez consulter les fichiers multimédias sur votre réseau local.

La liste des périphériques multimédias ne s'affiche pas dans la liste des ordinateurs du réseau

1 Vérifiez dans le Centre de réseaux et de partages que l'option *Découverte de réseaux* est activée.

2 Vérifiez également que l'emplacement réseau est défini sur *Privé*.

Pour redémarrer le service **Découvert SSDP** :

1 Cliquez sur le **Démarrer**. Dans la zone de saisie *Rechercher*, saisissez `Services`.

2 Dans le menu **Démarrer**, cliquez sur **Services** dans la rubrique *Programmes*.

3 Dans la Console de gestion des services, recherchez le service *Découverte SSDP* puis cliquez sur le lien *Redémarrer*.

Le Lecteur Windows media m'indique : Avant de pouvoir lire les éléments de cette bibliothèque, vous devez être autorisé à y accéder

1 Ouvrez le Lecteur Windows media sur l'ordinateur offrant le partage.

2 Cliquez sur **Démarrer/Tous les programmes/Lecteur Windows Media**.

3 Dans la fenêtre **Lecteur Windows media**, cliquez sur le menu **Bibliothèque/Partage des fichiers multimédias…**.

4 La liste des périphériques ayant eu au moins un accès à la bibliothèque est affichée.

5 Sélectionnez le périphérique pouvant accéder à la bibliothèque puis cliquez sur le bouton **Autoriser**. Validez en cliquant sur le bouton OK.

3.5. Le pare-feu ou firewall

La paranoïa ambiante des virus et autres hackers envahit de plus en plus nos esprits. Nos ordinateurs sont de plus en plus confrontés à de multiples attaques sournoises et invisibles. Les pare-feu, également appelés *firewalls*, sont à présent indispensables pour protéger efficacement un ordinateur de toutes ces attaques.

Le pare-feu simplifié de Windows

Notion sur les pare-feu

Un pare-feu a pour utilité de bloquer partiellement ou totalement un accès à un ou des services réseau. Ces services réseau sont identifiés par des ports, l'un des plus connus étant le port 80 pour l'accès web.

Les ports de communication sont dédiés à l'écoute d'un service. Pour consulter les ports de communication ouverts sur une machine, ouvrez une fenêtre **Invite de commandes**, saisissez la commande netstat -n et appuyez sur la touche ⏎. La liste des ports en écoute est affichée.

Il est très important, dès lors qu'un ordinateur est connecté directement à Internet (sans routeur ou box Internet) et partageant des fichiers, qu'il ne puisse pas être consulté par un ordinateur situé en dehors du réseau local. Le pare-feu à en charge de bloquer ces accès.

Tout ordinateur derrière un routeur Internet offrant le service firewall est considéré comme en sécurité et peut utiliser un emplacement réseau *Privé*. A contrario, un ordinateur connecté directement à Internet par l'intermédiaire d'un modem (ADSL ou non) est considéré comme vulnérable. Le périphérique réseau permettant la connexion à Internet doit obligatoirement se situer dans un emplacement réseau *Public* depuis le Centre de réseaux et de partages.

Autoriser un programme à accéder à Internet ou au réseau

Par défaut, Windows interdit aux programmes inconnus de communiquer via le réseau. Toutefois avant de permettre à un programme quel qu'il soit de communiquer au travers du pare-feu, vérifiez qu'il nécessite ce type d'accès.

Lorsqu'un programme non connu tente d'accéder à Internet ou d'établir une communication sur le réseau local, le pare-feu détecte sa présence et ouvre une boîte de dialogue.

La boîte de dialogue propose de *Bloquer* l'accès pour ce programme ou de l'*Autoriser*.

Autoriser un programme déjà identifié

1 Cliquez sur **Démarrer/Panneau de configuration**.

2 Cliquez sur **Sécurité**.

3 Cliquez sur **Pare-feu Windows**.

4 Dans la fenêtre **Pare-feu Windows**, cliquez sur le lien *Modifier les paramètres*.

5 Dans la fenêtre **Paramètres du pare-feu Windows**, cliquez sur l'onglet **Exceptions**.

6 Dans la rubrique *Programmes ou ports*, recherchez le programme refusé précédemment. Pointez la case à cocher en face de ce programme puis validez avec le bouton OK.

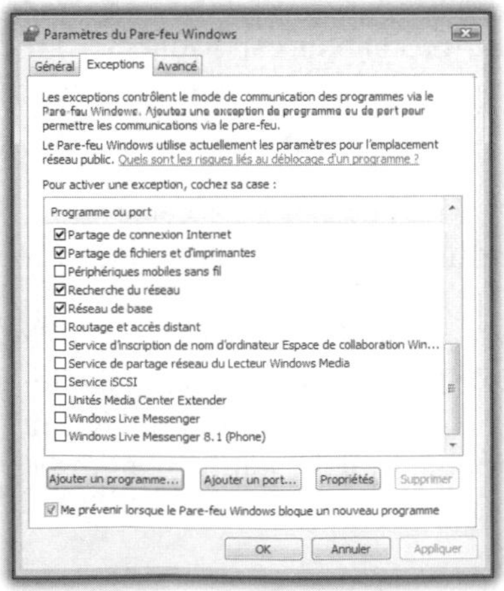

Figure 3.22 :
Autoriser un programme déjà listé mais non validé

Autoriser un programme non listé à accéder au réseau

Pour autoriser un programme à communiquer sur le réseau à travers le pare-feu :

1 Cliquez sur **Démarrer/Panneau de configuration**.

2 Cliquez sur le lien *Sécurité*.

3 Cliquez sur le lien *Pare-feu Windows*.

4 Dans la fenêtre **Pare-feu Windows**, cliquez sur le lien *Modifier les paramètres*.

5 Dans la boîte de dialogue **Paramètres du pare-feu Windows**, cliquez sur l'onglet **Exceptions**.

6 Cliquez sur le bouton **Ajouter un programme...**.

7 Dans la boîte de dialogues **Ajouter un programme**, cliquez sur le bouton **Parcourir**. Recherchez le fichier exécutable du programme et cliquez sur OK.

Figure 3.23 :
Autoriser un programme non listé

Modification de la portée réseau d'un programme

Un programme peut être dédié à l'utilisation sur le réseau local. Dans ce cas, vous souhaitez vous assurer que lors de son fonctionnement, celui-ci n'accédera pas à Internet.

Pour modifier l'étendue d'un programme réseau :

1 Cliquez sur **Démarrer/Panneau de configuration**.

2 Cliquez sur le lien *Sécurité*.

3 Cliquez sur le lien *Pare-feu Windows*.

4 Dans la fenêtre **Pare-feu Windows**, cliquez sur le lien *Modifier les paramètres*.

5 Dans la boîte de dialogue **Paramètres du pare-feu Windows**, cliquez sur l'onglet **Exceptions**.

6 Cliquez sur le bouton **Ajouter un programme...**.

7 Dans la boîte de dialogue **Ajouter un programme**, cliquez sur le bouton **Sélectionner le programme devant être modifié**. Cliquez sur le bouton **Modifier l'étendue**.

8 Sélectionnez l'option *Uniquement mon réseau (ou sous-réseau)* et validez avec le bouton OK.

Il existe trois options d'étendue :

Tableau 3.6 : Type d'étendues de réseau	
Étendue Réseau	**Description**
N'importe quel ordinateur y compris ceux sur Internet	Tous les ordinateurs connectés au réseau, même connectés sur Internet pourront accéder aux informations de ce programme (idéal pour Internet Explorer, un serveur web ou un client FTP).
Uniquement mon réseau (ou sous-réseau)	Uniquement les ordinateurs du réseau local ; seuls les ordinateurs faisant partie du réseau privé auront accès. (Idéal pour le partage de fichiers et d'imprimantes, le partage de bibliothèque du lecteur Windows Media.)
Liste personnalisée	Vous pourrez définir l'accès pour certains ordinateurs. Entrez par exemple les adresses IP de chaque ordinateur séparées par des virgules. Ou si vous préférez un sous-réseau particulier, tapez l'adresse du réseau et séparez par un / le masque de sous-réseau, par exemple 192.168.1.1/255.255.255.0.

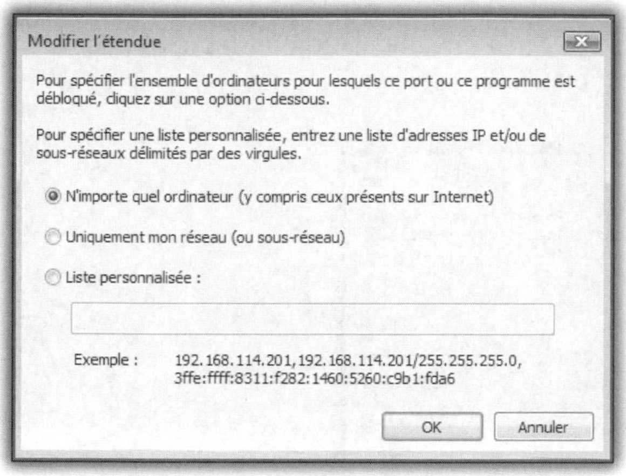

Figure 3.24 :
Modification de
l'étendue réseau d'un
programme

Autoriser les ports de communication

La majorité des programmes offrant des services réseau paramètrent un port de communication pour l'écoute d'informations sur le réseau. Les ports standard sont définis de *1* à *1024*. Par exemple, si vous paramétrez un *Serveur IIS* (*serveur web*) sur votre ordinateur, il vous faudra ouvrir le *Port 80*. Le *Port 80* a été défini pour être le port standard des communications web. Le *Port 443* permettra la communication web sécurisée (`https://`).

Pour ouvrir un port de communication sur le pare-feu de Windows Vista, procédez ainsi :

1 Cliquez sur **Démarrer/Panneau de configuration**.

2 Cliquez sur le lien *Sécurité*.

3 Cliquez sur le lien *Pare-feu Windows*.

4 Dans la fenêtre **Pare-feu Windows**, cliquez sur le lien *Modifier les paramètres*.

5 Dans la boîte de dialogue **Paramètres du pare-feu Windows**, cliquez sur l'onglet **Exceptions**.

6 Cliquez sur le bouton **Ajouter un port**.

7 Dans la boîte de dialogue **Ajouter un port**, définissez un nom simple à retenir indiquant le type de service réseau souhaité, et le numéro de port à attribuer.

Le port de communication est soit défini par le propriétaire du logiciel, soit par IANA. Référez-vous à la documentation du logiciel pour entrer le numéro de port (UDP ou TCP).

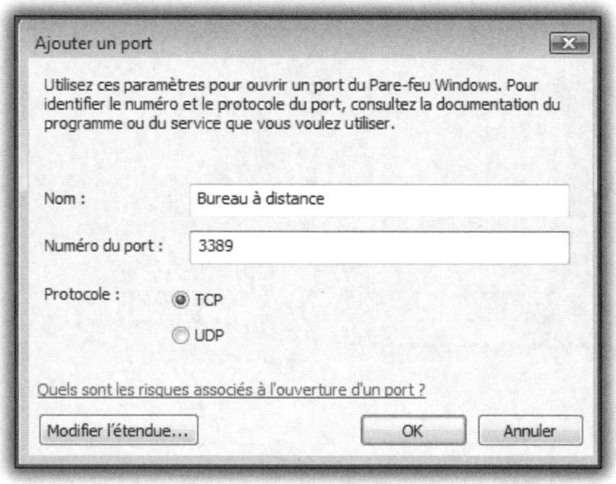

Figure 3.25 :
Ajout d'un port de
communication

Le pare-feu avancé de Windows

Le pare-feu avancé de Windows Vista permet d'établir des règles plus appropriées en fonction de l'emplacement réseau. Il permet également de consulter en temps réel l'activité du réseau et de stocker les tentatives d'accès dans un fichier journal.

Afficher le pare-feu avancé

Pour afficher le pare-feu avancé :

1 Cliquez sur **Démarrer/Panneau de configuration**.

2 Cliquez sur le lien *Système et maintenance*.

3 Cliquez sur le lien *Outils d'administration*.

4 Double-cliquez sur **Pare-feu Windows avec fonctions avancées de sécurité**.

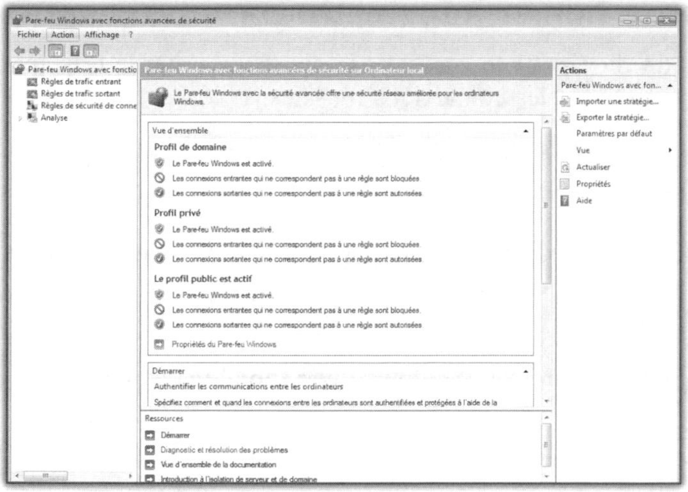

Figure 3.26 : *Le pare-feu avancé*

Afficher le profil réseau actuel

Dans le pare-feu avancé, cliquez sur la liste déroulante *Analyse* dans le
volet de gauche. Dans le volet de droite s'affichera le profil réseau
courant (*Privé* ou *Public*).

Figure 3.27 : *Le profil réseau actuel est public*

Gérer le fichier journal du pare-feu avancé

La gestion du *Fichier journal* repose sur deux critères principaux : les paquets ignorés et les connexions réussies.

La gestion de ces fichiers journaux peut se faire en fonction du profil réseau (*Public* ou *Privé*).

Le fichier journal du pare-feu a une taille limitée qu'il est possible de modifier. Une fois cette taille dépassée, les premières entrées du journal seront effacées.

Dans la fenêtre **Pare-feu Windows avec fonctions avancées** :

1 Cliquez du bouton droit sur **Pare-feu Windows avec fonctions avancées**. Cliquez sur **Propriétés** dans le menu contextuel.

2 Sélectionnez l'onglet correspondant au profil que vous souhaitez auditer.

3 Dans la section *Enregistrements* cliquez sur le bouton **Personnaliser**.

4 Dans la liste déroulante *Enregistrer les paquets ignorés*, sélectionnez **Oui**.

Seuls les paquets n'étant pas acceptés par le pare-feu seront enregistrés. Pour enregistrer les connexions ayant abouti, sélectionnez dans la liste déroulante *Enregistrer les connexions réussies dans le journal* en cliquant sur **Oui**.

Figure 3.28 :
Gestion du fichier journal du pare-feu avancé, en fonction du profil réseau

> **Le journal du pare-feu**
> Les paquets acceptés sont extrêmement nombreux ; prenez garde à la taille votre fichier journal.

Tout le trafic est bloqué par le pare-feu

1 Consultez le profil de votre réseau. En fonction du profil, dans le pare-feu Windows avancé, sélectionnez dans le volet de gauche *Règle de trafic entrant*.

2 Une fois toutes les règles de trafic entrant affichées, cliquez sur le lien *Filtrer par profil*, et sélectionnez votre profil.

3 Une fois les règles par profil filtrées, cliquez sur le lien *Filtrer par état* et sélectionnez *Filtrer par activé*.

Seules les règles du profil utilisé étant activées sont affichées.

4 Recherchez toutes les règles bloquant le trafic puis désactivez les plus restrictives en sélectionnant cette règle. Cliquez sur le lien *Désactiver la règle*.

L'ordinateur ne répond pas aux requêtes Ping

Par défaut, le pare-feu Windows n'accepte pas les requêtes Ping entrantes.

Dans le pare-feu avancé :

1 Sélectionnez dans le volet de gauche *Règle de trafic entrant* et *Action*.

2 Cliquez sur **Nouvelle règle**.

3 Dans l'Assistant de nouvelle règle, sélectionnez l'option *Personnalisée*.

4 Cliquez sur le bouton **Suivant**. Sélectionnez l'option *Tous les programmes* puis cliquez sur le bouton **Suivant**.

5 Dans la liste déroulante *Type de protocole*, sélectionnez *ICMPv4*.

6 Cliquez sur le bouton **Personnaliser...**.

7 Cochez l'option *Certains types ICMP*.

8 Cochez l'option *Requête d'écho* puis validez avec le bouton OK.

9 Cliquez sur le bouton **Suivant** puis de nouveau sur le bouton **Suivant**.

10 Assurez-vous que l'option *Autoriser la connexion* soit sélectionnée puis cliquez sur le bouton **Suivant**.

11 Cochez les options pour lesquelles les profils réseau doivent être actifs. Cliquez sur le bouton **Suivant**.

12 Dans la zone de saisie *Nom*, tapez *Ping Entrant* puis validez en cliquant sur le bouton **Terminer**.

Impossible de consulter un site web

Vérifiez d'abord le profil réseau sélectionné et rendez-vous dans les Règles de trafic sortant.

Filtrez sur les règles actives ainsi que sur le profil réseau. Recherchez les règles bloquantes pour déterminer la règle bloquant Internet Explorer, Firefox ou le nom de l'utilitaire employé en tant que navigateur Internet.

Toutefois, il est possible qu'une règle bloque également le port réseau (le port réseau utilisé pour la navigation Internet est le port 80).

Vérifiez également que le port 443 n'est pas bloqué (le port 443 est le port utilisé pour les communications web sécurisées).

Le pare-feu semble bien configuré mais le trafic est toujours bloqué

Si le pare-feu semble bloquer tout le trafic, vérifiez les règles du pare-feu de votre routeur Internet ou de votre box Internet.

Liste des ports les plus utilisés

Tableau 3.7 : *Liste des ports réseau communément utilisés*	
Numéro de port/protocole	Description
20/TCP	Permet la communication avec un serveur FTP et le transfert des données.
21/TCP	Permet la communication avec le serveur FTP, échange de commandes.

Tableau 3.7 : *Liste des ports réseau communément utilisés*

Numéro de port/protocole	Description
22/TCP	SSH : principalement utilisé sous UNIX, permet d'établir des sessions en lignes de commandes cryptées avec un serveur SSH. Le client SSH le plus connu sous Windows est Putty.
23/TCP	Telnet : comme SSH, permet d'établir des sessions en lignes de commandes mais cette fois, non cryptées.
25/TCP	SMTP : *Simple Mail Transfert Protocol*, permet la communication avec ou entre les serveurs de messageries pour l'envoi de courriers électroniques.
80/TCP	Permet la communication avec les serveurs web.
110/TCP	POP3 : permet la connexion à un serveur de messagerie, pour la réception des courriers électroniques.
139/TCP et *UDP*	Netbios : utilisé pour le partage de fichiers et la localisation des ordinateurs des anciennes versions de Windows.
443/TCP	Web sécurisé, utilisé pour le cryptage des informations web sensibles.
1900/UDP	UPNP : permet la communication avec le routeur, une application UPNP peut demander au routeur l'ouverture dynamique de ports sur le réseau pour offrir des services. L'une des applications utilisant UPNP est MSN live Messenger.
3389 / TCP	Bureau à distance, un client souhaitant se connecter au Bureau a distance d'un autre ordinateur utilisera ce port.
5000/TCP et *UDP*	UPNP et SSDP, utilisés dans les communications spécifiques pour l'offre de services à travers le réseau. Le protocole SSDP est employé dans la découverte des réseaux.

3.6. Prise de contrôle à distance

Le Bureau à distance

Le Bureau à distance permet à un utilisateur possédant un compte sur un ordinateur Windows Vista d'utiliser une session comme s'il se trouvait sur sa machine locale.

Le Bureau à distance repose sur le protocole RDP (*Remote Desktop Protocol*).

Existant depuis Windows NT 4.0 sur les éditions *Terminal server*, de multiples clients pouvaient se connecter à un Bureau distant afin de centraliser les applications. Le protocole RDP ne demande pas excessivement de ressources réseau pour son utilisation, un modem 56 kbit/s permet déjà d'offrir des performances modestes et un nombre de couleurs et une résolution correctes. Toutefois, il est préférable d'utiliser un réseau local ou Wi-Fi pour accéder aux Bureaux distants.

Si vous possédez une liaison ADSL et que vous souhaitiez utiliser votre connexion à distance depuis un réseau LAN, ouvrez le port 3 389 en TCP de votre routeur Internet vers la machine devant offrir le service Bureau à distance. Toutefois, l'accès à un Bureau à distance ne peut être proposé que sur une version *Intégrale* de Windows Vista.

Autoriser les connexions Bureau à distance

Le Bureau à distance n'est pas activé par défaut ; il sera nécessaire de l'activer et d'attribuer des permissions aux utilisateurs pour qu'ils puissent y accéder.

1 Cliquez sur le bouton **Démarrer**.

2 Cliquez du bouton droit sur **Ordinateurs**. Dans le menu contextuel, cliquez sur **Propriétés**.

3 Dans la fenêtre **Informations générales**, cliquez dans le volet de gauche. Cliquez sur le lien *Paramètre d'utilisation à distance*.

4 Dans la boîte de dialogue **Propriétés système**, vérifiez que l'option *Utilisation à distance* est activée.

5 Sélectionnez l'option *Autoriser uniquement les connexions provenant d'ordinateurs exécutant le Bureau à distance avec authentification réseau*.

Les clients Bureau à distance

Si l'ordinateur client utilise une version de Windows antérieure à Vista, sélectionnez l'option *Autoriser les connexions des ordinateurs exécutant n'importe quelle version de Bureau à distance*.

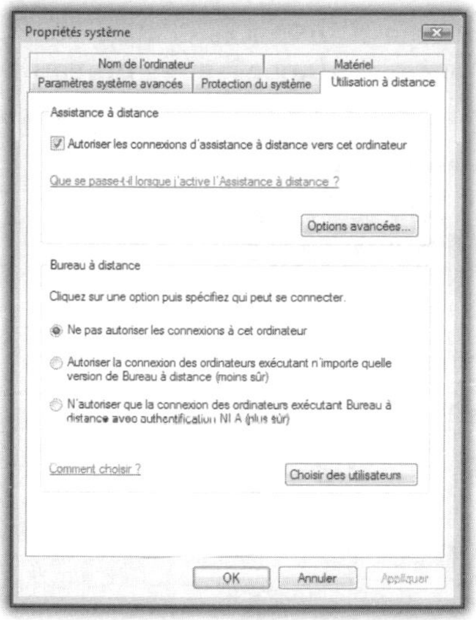

Figure 3.29 :
Autoriser les connexions Bureau à distance

6 Cliquez sur le bouton **Choisir les utilisateurs**.

7 dans la boîte de dialogue **Sélection des utilisateurs**, la liste des utilisateurs est vide. Cependant, l'utilisateur courant a accès au Bureau à distance sur cet ordinateur.

8 Pour ajouter un nouvel utilisateur, cliquez sur le bouton **Ajouter**.

9 Dans la boîte de dialogue **Ajout d'utilisateurs**, recherchez les utilisateurs à autoriser.

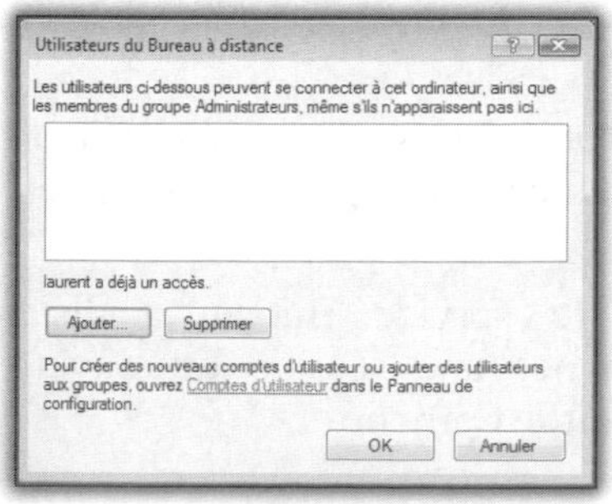

Figure 3.30 :
Sélection des utilisateurs du Bureau à distance

Utiliser le client Bureau à distance

Le client Bureau à distance permet d'accéder aux bureaux à distance mais il propose également une multitude d'options.

Se connecter à un Bureau à distance

1 Pour ouvrir le client d'accès Bureau à distance, cliquez sur le bouton **Démarrer/Tous les programmes/Accessoires/Bureau à distance**.

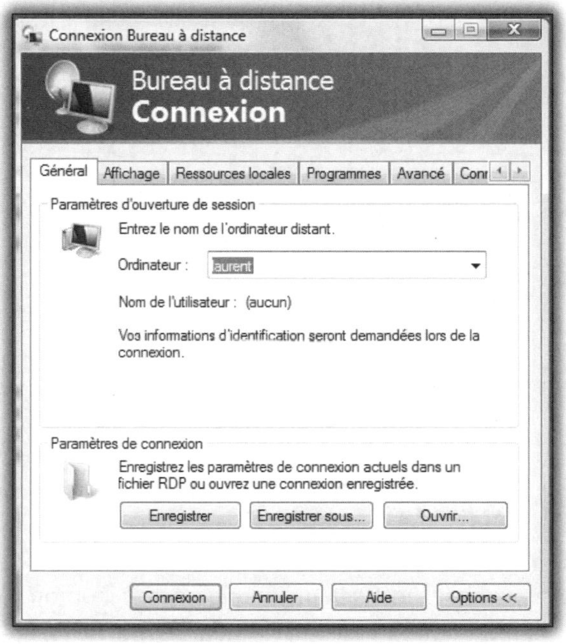

Figure 3.31 : Programme permettant l'accès au Bureau à distance

2 Dans la fenêtre de connexion **Bureau à distance**, il est nécessaire de saisir l'adresse de l'hôte offrant ce service. Cliquez sur le bouton **Connexion**.

3 L'ordinateur demande un *Nom d'utilisateur* et un **Mot de passe** pour l'authentification à distance. Saisissez ces valeurs et validez avec le bouton OK.

4 Si l'authentification avec le service Bureau à distance de l'ordinateur distant fonctionne, une session est ouverte et le Bureau de l'ordinateur distant est affiché.

Paramètres du client Bureau à distance

Avant toute connexion, il est possible de paramétrer le client de connexion Bureau à distance, pour diverses utilisations.

1 Après avoir démarré le client Bureau à distance, cliquez sur le bouton **Options**.

2 Cliquez sur l'onglet **Affichage**. Vous pouvez modifier la résolution d'affichage du bureau et paramétrer l'affichage du Bureau à distance en mode Plein écran.

3 La section *Couleurs* permet de définir le nombre de couleurs affichées. N'oubliez pas de cocher l'option *Afficher la barre de connexion en mode plein écran* qui vous permet lors d'une session, en dirigeant la souris tout en haut de l'écran, d'iconiser ou de fermer le programme **Bureau à distance**.

Figure 3.32 :
Onglet Affichage du client Bureau à distance

4 Cliquez sur l'onglet **Ressources Locales**. Cet onglet est divisé en différentes sections :

— *Sons de l'ordinateur distant*. Le son pourra être redirigé par le Bureau à distance sur votre client, ou le son restera géré par le système offrant le service.

— *Clavier*. Il sera possible de rediriger les combinaisons de touches, en mode Plein écran, ou de forcer ces combinaisons à rester sur l'ordinateur local ou sur l'ordinateur offrant le service à distance. Les combinaisons de touches sont par exemple Ctrl+C, raccourci clavier de la fonction copier.

— *Ressources et périphériques locaux*. Il sera possible de rediriger l'imprimante sur le Bureau distant. Tout programme souhaitant imprimer sur l'ordinateur du Bureau à distance utilisera votre imprimante par défaut, les autres imprimantes seront également disponibles. Le Presse-papiers sera disponible si vous cochez la case. Le bouton **Autre** vous permettra de choisir si vous souhaitez utiliser les lecteurs de disques et tout autre périphérique plug and play supporté.

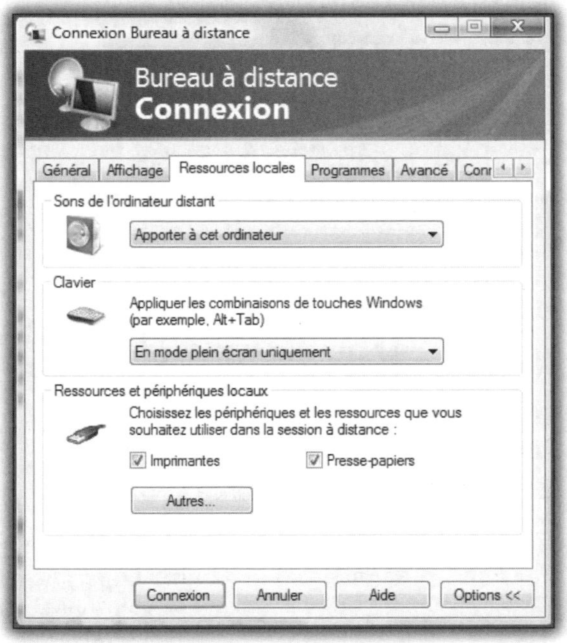

Figure 3.33 :
Onglet Ressources locales du client Bureau à distance

L'onglet **Avancé** permet de définir à quelle vitesse votre ordinateur se connecte au Bureau distant. Si vous utilisez le réseau local (même Wi-Fi), sélectionnez LAN 10 Mbit/s ou plus.

Toutes les fonctionnalités seront activées. Si vous constatez des lenteurs, désactivez certaines fonctionnalités.

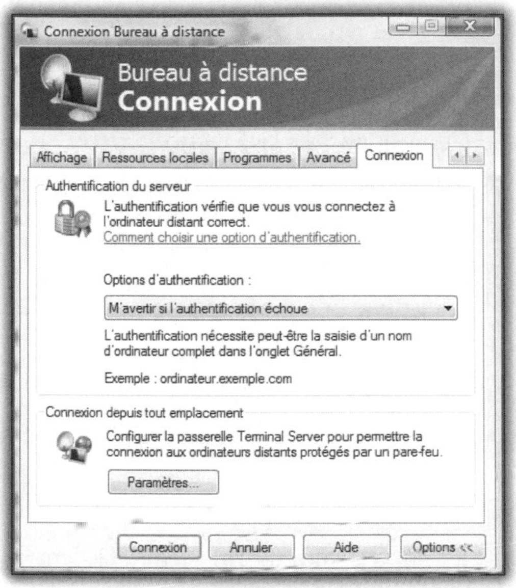

Figure 3.34 :
Onglet Avancé du client
Bureau à distance

Problèmes d'accès au Bureau à distance

L'ordinateur est injoignable

Vérifiez que le Bureau à distance est activé. Si oui :

1 Ouvrez la Console de gestion de services.

2 Cliquez sur **Démarrer/Panneau de configuration**.

3 Cliquez sur le lien *Système et Maintenance*.

4 Cliquez sur le lien *Outils d'administration*.

5 Dans la fenêtre **Outils d'administration**, double-cliquez sur l'icône *Services*.

6 Recherchez dans la liste des services *Configuration des services Terminal Server* et redémarrez le Bureau.

REMARQUE

Port de Bureau à distance
Si vous essayez d'accéder au Bureau à distance depuis Internet, pensez à ouvrir le port TCP 3 389 depuis votre routeur.

L'assistance à distance

Activer l'assistance à distance

Lorsque vous êtes confronté à des problèmes informatiques, il se peut que vous ayez besoin d'aide extérieur.

Dans ce cas, vous pouvez créer une connexion chiffrée entre vous et votre interlocuteur grâce à l'Assistance à distance. Évidemment, pour que vous soyez à même de demander de l'aide à cet interlocuteur, il faut activer cette assistance.

Le Bureau à distance n'est pas activé par défaut, et il est nécessaire de l'activer sans oublier d'attribuer des permissions aux utilisateurs pour qu'ils puissent accéder à votre ordinateur.

1 Cliquez sur le bouton **Démarrer**.

2 Cliquez du bouton droit sur **Ordinateurs**. Dans le menu contextuel, cliquez sur **Propriétés**.

3 Dans la fenêtre **Informations générales**, volet de gauche, cliquez sur le lien *Paramètres d'utilisation à distance*.

4 Dans la boîte de dialogue **Propriétés système**, vérifiez que l'option *Utilisation à distance* est validée (voir Figure 3.35).

5 Cliquez sur l'option *Autoriser les connexions d'assistance à distance vers cet ordinateur*.

6 Cliquez sur l'onglet **Options Avancées** pour définir les paramètres complémentaires.

7 Dans la boîte de dialogue **Paramètres de l'Assistance à distance**, validez l'option *Autoriser le contrôle à distance de cet ordinateur* de la rubrique *Contrôle à distance* pour offrir à vos contacts la possibilité d'utiliser votre machine à votre place et ainsi prendre la main à distance.

8 Définissez, par défaut, la durée maximale d'une invitation dans la rubrique *Invitations*. Sélectionnez une unité de temps dans la liste déroulante de droite, puis attribuez une valeur dans le champ de gauche.

REMARQUE

Invitations

D'un point de vue sécurité, l'activation de l'invitation revient à ouvrir un accès direct à votre ordinateur. Aussi, pour éviter que des intrus

REMARQUE s'introduisent dans votre système, il est recommandé de limiter la durée d'ouverture de l'invitation.

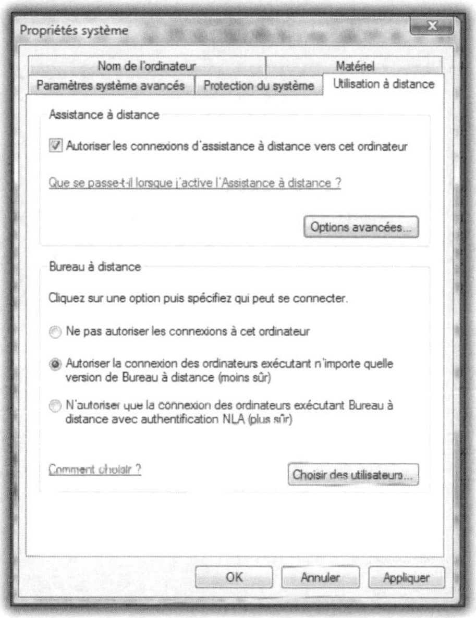

Figure 3.35 :
Activer l'assistance à distance

9 L'option *Autoriser uniquement la connexion des ordinateurs exécutant Windows Vista ou ultérieur* ne doit être cochée que si les personnes vous offrant de l'aide possèdent des versions de Windows ultérieures à Windows XP.

10 Cliquez sur le bouton OK pour confirmer et fermer la boîte de dialogue **Paramètres de l'Assistance à distance**. Cliquez une nouvelle fois sur le bouton OK pour quitter la boîte de dialogue **Propriétés système**.

Demander de l'assistance par email

Une fois l'assistance à distance activée, il vous est possible de contacter un interlocuteur par email afin de lui demander de l'aide. Demander de l'assistance par email s'effectue en utilisant l'outil **Aide et support** de Windows.

1 Cliquez sur **Démarrer/Aide et support**.

2 Dans la fenêtre **Aide et support**, cliquez sur **Utiliser l'assistance à distance Windows afin d'obtenir de l'aide d'un ami ou proposer de l'aide**.

3 Cliquez sur **Inviter une personne de confiance à vous aider**.

4 Cliquez sur **Envoyer une invitation par courrier électronique**.

5 Entrez le mot de passe que vous avez défini avec votre interlocuteur puis cliquez sur **Suivant**.

6 Windows Mail ou votre logiciel de messagerie s'ouvre, avec en pièce jointe le fichier exécutable permettant à votre correspondant de se connecter sur votre ordinateur. Il ne vous reste plus qu'à saisir son adresse mail et cliquer sur le bouton **Envoyer**.

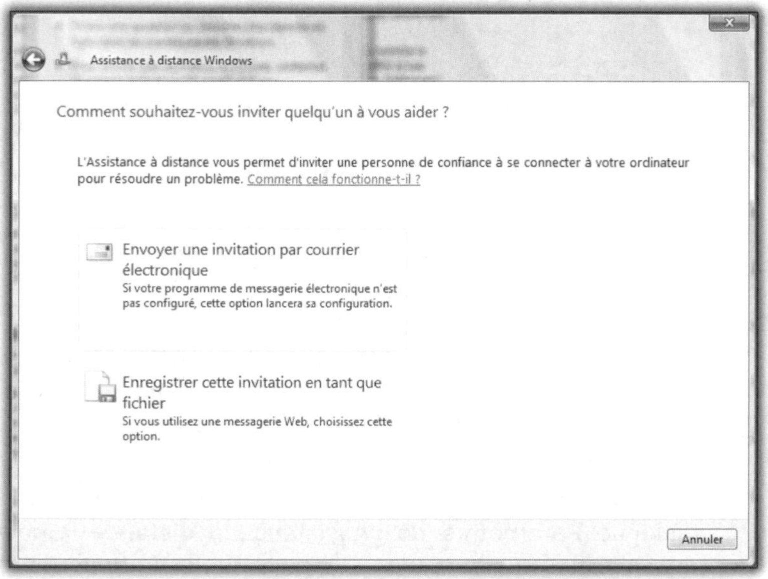

Figure 3.36 : *Demander de l'aide avec l'outil d'assistance à distance*

3.7. Check-list

- diagnostiquer les problèmes de routeur Internet ;
- diagnostiquer un problème d'interface réseau local ;
- diagnostiquer un problème de connexion Wi-Fi ;
- diagnostiquer les problèmes d'emplacements réseau ;

- diagnostiquer les problèmes de partages de fichiers et d'imprimantes ;
- gérer les partages de fichiers multimédias ;
- diagnostiquer un problème lié au pare-feu ;
- ajouter ou autoriser un programme à se connecter ;
- créer un journal de pare-feu ;
- bloquer ou débloquer le trafic réseau ;
- prendre le contrôle de son ordinateur à distance ;
- demander de l'aide à une personne de confiance en cas de problème.

Chapitre 4

La sécurité

La sécurité de l'ordinateur en général et de Windows Vista en particulier est un vaste sujet. Plusieurs sous-parties de ce sujet sont abordées dans les différents chapitres de cet ouvrage. En revanche, ce chapitre met l'accent sur les grands préceptes de sécurité sur lesquels il ne faut en aucun cas transiger.

4.1. Récupérer et installer les Services Pack de Windows Vista

Un Service Pack est un package cumulatif, regroupant tous les correctifs publiés entre la sortie du produit, et la diffusion du Service Pack. Ces correctifs peuvent être très volumineux, en fonction du nombre de correctifs qu'ils contiennent. Ainsi, le Service Pack 1, sorti en avril 2008 pesait plus de 434,5 Mo.

Cependant, les Services Pack ne sont pas qu'une compilation de mises à jours puisqu'ils apportent leur lot d'améliorations pour Windows Vista. Certaines fonctionnalités sont optimisées par l'installation d'un Service Pack (par exemple l'utilisation des périphériques sans fil avec le Service Pack 2).

Connaître le Service pack installé sur sa version de Windows Vista

Les Services Pack ne sont pas installés par Windows Update lors de leur sortie. Cependant, au bout de quelques temps, ces derniers sont proposés par les mises à jour automatiques, mais peuvent être refusés par l'utilisateur.

Avant de procéder à ce type d'installation, il est nécessaire de savoir si le Service Pack visé à déjà été installé ou non.

- Cliquez sur **Démarrer**, puis avec le bouton droit de la souris, cliquez sur **Ordinateur**.
- Dans la Fenêtre **Système**, sous la rubrique *Edition Windows*, est indiqué le Service pack installé.

Figure 4.1 :
Sur cette version de Windows Vista est installé le Service Pack 1

Figure 4.2 :
Sur cette version de Windows Vista est installé le Service Pack 2 (en version Candidate Release)

Récupérer et installer le Service Pack 1

Le Service Pack 1 peut être téléchargé depuis le site Internet de Microsoft. Le SP1 est référencé sous le nom KB936330 à l'adresse suivante : http://www.microsoft.com/downloads/details.aspx?FamilyID=F559842A -9C9B-4579-B64A-09146A0BA746&displaylang=fr

En cliquant sur le bouton **Windows Vista SP1**, vous avez accès aux informations le concernant et à son téléchargement.

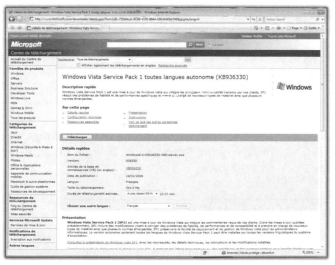

Figure 4.3 : *Page d'accueil du site Windows de Microsoft permettant d'obtenir des informations sur le SP1 ou son téléchargement.*

Téléchargement du SP1 pour Windows Vista

Le Service Pack 1 de Windows Vista est relativement volumineux : 434,5 Mo. Il est fortement déconseillé aux utilisateurs ne disposant pas d'une connexion haut débit de le télécharger. Ce dernier se trouve aussi dans un grand nombre de CD ou DVD d'accompagnement des revues spécialisées en informatique que l'on peut trouver chez un marchand de journaux.

Une fois le fichier contenant le SP1 (`Windows6.0-KB936330-X86-wave0.exe`) téléchargé sur votre ordinateur, vous pouvez procéder à son installation en double cliquant dessus.

Contrôles avant l'installation

Vérifiez que vous avez au préalable installé les derniers pilotes publiés pour votre matériel, et mis à jour vos programmes avec des versions compatibles SP1, spécialement les programmes de type pare-feu, afin que votre ordinateur ne soit pas bloqué pour accéder à Internet.

L'installation du Service Pack 1 de Windows Vista peut durer plus d'une heure en fonction de la puissance de votre ordinateur.

Redémarrages automatiques

Certains composants de Windows Vista ne peuvent être modifiés alors que Windows est chargé. Ainsi, des composants du Service Pack1 sont installés lors des redémarrages de Windows Vista, avant que ce dernier ne soit chargé. Le dernier redémarrage permet d'assurer la prise en compte de toutes les modifications réalisées par le SP1.

Une fois l'installation terminée (après le dernier redémarrage de Windows Vista), cliquez sur le bouton **Terminer** de la boîte de dialogue **Installer un Service Pack de Windows**.

Installer le Service Pack 2

Le Service Pack 2 de Windows Vista, reprend pour sa part, toutes les améliorations éditées (plus de 650) depuis le Service Pack 1. Ce dernier à un volume de 338 Mo, et doit être installé sur une version de Vista sur laquelle a déjà été installé le Service Pack 1.

A l'heure où ces lignes sont écrites, la version disponible du Service Pack 2 est la RC (*candidate release* en version anglaise).

Le fichier téléchargeable contenant cette RC se nomme `Windows6.0-KB948465-X86.exe` (pour la version 32 bits de Windows Vista. Son installation ne diffère pas de celle du Service Pack 1, et nécessite également le redémarrage de Windows.

4.2. Empêcher la perte des mots de passe

Sur un ordinateur où plusieurs utilisateurs sont amenés à travailler, il est important de définir pour chacun d'entre eux un compte personnel protégé par un mot de passe. C'est à partir de là que chaque utilisateur pourra avoir son environnement personnalisable, et ses données personnelles, protégées des autres utilisateurs.

Si la perte du mot de passe d'un compte utilisateur est un problème facile à résoudre – il suffit en effet qu'un administrateur se connecte et réaffecte un nouveau mot de passe à l'utilisateur –, il n'en est pas de même lorsque le mot de passe perdu concerne l'unique administrateur de l'ordinateur.

Windows Vista propose de sauvegarder le mot de passe en utilisant un support amovible (disquette, clé USB), ce qui permettra de réinitialiser ce dernier en cas de perte.

Créer une sauvegarde du mot de passe d'un compte administrateur

Munissez-vous d'une clé USB (norme USB1.0 ou USB2.0) que vous allez par la suite réserver à cet usage (une ancienne clé de faible capacité fera l'affaire).

1 Connectez la clé USB sur un port libre.

2 Cliquez sur le menu **Démarrer**. Cliquez sur votre image, située en haut à droite de ce dernier. Vous pouvez également cliquer sur **Démarrer/Panneau de configuration** et double-cliquer sur **Comptes d'utilisateurs** en mode Affichage classique.

Figure 4.4 : *Accès à la configuration de son propre compte, sans ouvrir le Panneau de configuration*

3 Dans la fenêtre **Comptes d'utilisateurs**, cliquez sur **Créer un disque de réinitialisation de mot de passe** dans le volet **Tâches**.

4 Dans la fenêtre **Assistant Mot de passe oublié**, cliquez sur le bouton **Suivant**.

5 Sélectionnez le lecteur (la clé USB) destiné à héberger la sauvegarde du mot de passe dans la liste déroulante, et cliquez sur le bouton **Suivant**.

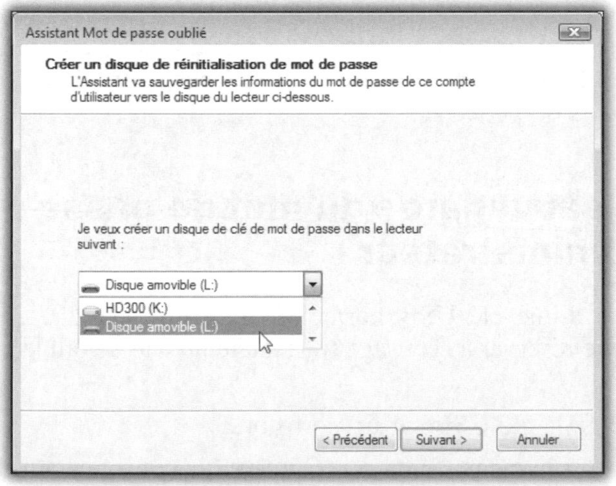

Figure 4.5 : *Sélection du lecteur destiné à recevoir le disque de réinitialisation de mot de passe*

6 Saisissez le mot de passe du compte dans la zone de saisie *Mot de passe utilisateur actuel*. Cliquez sur le bouton **Suivant**.

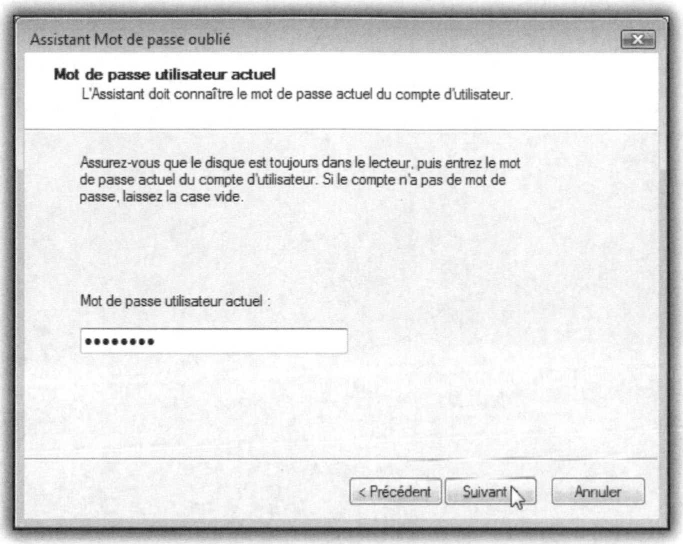

Figure 4.6 : *Saisie du mot de passe du compte courant pour valider la création du disque de réinitialisation*

7 Une fois les opérations de création du disque de réinitialisation réalisées, cliquez sur le bouton **Suivant**.

8 Le disque est créé, cliquez sur le bouton **Terminer** pour fermer l'Assistant.

Utiliser un disque de réinitialisation de mot de passe pour se connecter après avoir perdu le mot de passe de son compte administrateur

Lorsque Windows Vista démarre, vous devez cliquer sur un utilisateur pour vous connecter (voir Figure 4.7).

Si l'ouverture de session du compte sélectionné se fait par l'intermédiaire d'un mot de passe, une zone de saisie apparaît sous l'image du compte sélectionné.

Figure 4.7 : *Écran de sélection d'utilisateur de Windows Vista*

En cas d'erreur de saisie du mot de passe, il n'est pas possible d'ouvrir la session. Vista respectant la casse, vérifiez que la touche [Verr Maj] n'est pas enfoncée et que vous respectez bien la saisie en majuscule/minuscule de votre mot de passe.

Figure 4.8 :
Attention, dans ce cas la touche Verr Maj est enfoncée, et peut être responsable de la non-reconnaissance du mot de passe

1 Munissez-vous de la clé USB contenant la sauvegarde *Mot de passe perdu* du compte administrateur concerné et insérez-la dans le lecteur (ou connectez-la s'il s'agit d'une clé USB).

2 Sur l'écran de connexion de Windows Vista, cliquez sur la flèche à droite de la zone de saisie du mot de passe. Au message *Le nom d'utilisateur ou le mot de passe est incorrect*, cliquez sur le bouton OK.

3 Cliquez sur **Réinitialiser le mot de passe**.

4 Cliquez sur **Suivant** dans la fenêtre d'accueil de l'Assistant Réinitialisation de mot de passe.

Figure 4.9 : Ouverture de l'Assistant Réinitialisation du mot de passe

5 Sélectionnez le lecteur contenant *le disque clé de Mot de passe* dans la liste déroulante. Cliquez sur le bouton **Suivant**.

6 Saisissez un nouveau mot de passe dans la zone de saisie *Entrez un nouveau mot de passe*.

7 Saisissez une seconde fois votre nouveau mot de passe dans la zone de saisie *Entrez à nouveau le mot de passe pour confirmer*.

8 Saisissez une nouvelle indication vous permettant de vous rappeler de votre nouveau mot de passe, en cas d'oubli de ce dernier, dans la zone de texte prévue à cet effet. Cliquez sur le bouton **Suivant**.

9 Votre mot de passe est réinitialisé. Cliquez sur le bouton **Terminer** dans l'Assistant Réinitialisation du mot de passe et saisissez à nouveau votre mot de passe dans la fenêtre d'authentification de Windows pour pouvoir démarrer votre session.

10 Une fois connecté sous Windows, rendez-vous dans **Panneau de configuration/Comptes utilisateurs** afin de recréer une sauvegarde *Mot de passe oublié*.

4.3. Éviter les intrusions sur sa machine

Il existe différentes méthodes d'intrusion sur un ordinateur :

- L'ordinateur reste sans surveillance sur une session ouverte et non verrouillée.
- L'écran de veille n'est pas protégé par un mot de passe.
- Les comptes d'utilisateurs ne sont pas protégés par un mot de passe.
- Tous les comptes sont définis en tant qu'administrateur de l'ordinateur.
- Le Contrôle de compte d'utilisateur est désactivé.
- Aucun pare-feu n'est installé pour protéger l'ordinateur d'attaques en provenance du réseau ou d'Internet.
- Aucun logiciel anti-espion n'est configuré sur l'ordinateur.
- Aucun logiciel antivirus n'est configuré sur l'ordinateur.
- L'utilisation à distance de l'ordinateur est activée.
- Le niveau de protection de Internet Explorer est réduit au minimum.
- Aucun contrôle ou restriction ne sont effectués sur les cookies.
- Les mises à jour (Windows Update) ne sont jamais effectuées.
- Le compte Invité est activé.
- Les pilotes de périphériques utilisés ne sont pas signés numériquement.
- Toutes sortes de programmes téléchargés (graticiels) depuis Internet sont installés sur l'ordinateur, sans que vous puissiez avoir la certitude du sérieux des éditeurs.

La liste décrite précédemment n'est pas exhaustive, mais il est déjà facile de deviner que les points d'intrusions sur une machine sont très nombreux et qu'il est quasiment impossible de protéger complètement un ordinateur. Cependant, si la protection complète et infaillible n'existe pas, il est possible de maintenir un niveau de protection élevé, ne serait-ce qu'avec les outils livrés en standard par Windows Vista.

Le Centre de sécurité de Windows Vista

Le Centre de sécurité Windows permet de visualiser en un clin d'œil l'état de protection de l'ordinateur, par une division en rubriques :

- *État du pare-feu* indique si un pare-feu est configuré sur votre ordinateur et le niveau de protection de ce dernier.

- *État des mises à jour automatiques* vous informe du paramétrage de Windows Update.

- *État de la protection contre les programmes malveillants* (protection antivirus et protection contre les logiciels espions).

- *États des autres paramètres de sécurité* : Sécurité Internet et Contrôle de compte d'utilisateur.

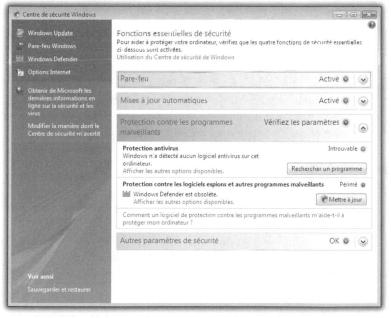

Figure 4.10 : *Le Centre de sécurité Windows. En rouge apparaissent les rubriques pour lesquelles le niveau de sécurité est insuffisant*

Les rubriques sur fond vert sont considérées comme correctement configurées. En revanche, un ou plusieurs items sur fond rouge impliquent une action de votre part.

De plus, la présence d'un bouclier rouge dans la zone de notification implique qu'au moins un des éléments cités précédemment ne répond pas aux exigences de sécurité minimales.

Figure 4.11 :
La présence de cette icône dans la zone de notification indique que le niveau de sécurité de l'ordinateur n'est pas optimal

Pour accéder au Centre de sécurité Windows, vous pouvez au choix :

- cliquer sur **Démarrer/Panneau de configuration** et double-cliquer sur l'icône *Centre de sécurité Windows* ;
- double-cliquer sur l'icône symbolisant un bouclier rouge dans la zone de notification.

Bloquer les intrusions à l'aide du pare-feu Windows

Si la rubrique *Pare-feu* apparaît sur fond vert dans le Centre de sécurité Windows, cela signifie qu'au moins un pare-feu est configuré sur l'ordinateur. Le type de pare-feu utilisé est indiqué lorsque la rubrique est ouverte (*Pare-feu Windows* ou tout autre pare-feu).

REMARQUE

Utiliser plusieurs pare-feu

Si l'utilisation d'un pare-feu est indispensable lorsque l'ordinateur est connecté en permanence à Internet ou sur un réseau, il est fortement déconseillé de cumuler plusieurs pare-feu.

Lors de l'installation d'un nouveau pare-feu, veillez à désactiver le pare-feu Windows si cela n'a pas été fait automatiquement. Par exemple, lors de l'utilisation de Windows Live OneCare, le pare-feu Windows est automatiquement désactivé au profit de celui de Windows Live OneCare (voir Figure 4.12).

1 Pour configurer plus finement le niveau de protection du pare-feu, cliquez sur **Pare-feu Windows** depuis le volet de gauche de la fenêtre **Centre de sécurité Windows**.

Figure 4.12 : *Un pare-feu est actif sur cet ordinateur. Il s'agit du pare-feu*
Windows

2 Dans la fenêtre **Pare-feu Windows**, cliquez sur **Modifier les
paramètres**. Dans la fenêtre **Paramètres du Pare-feu Windows**,
onglet **Général**, vous pouvez activer ou désactiver le pare-feu et
éventuellement bloquer toutes les connexions entrantes.

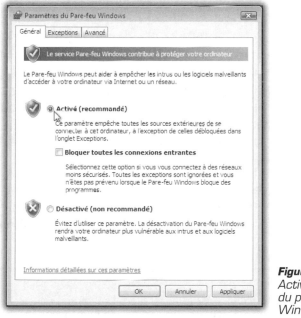

Figure 4.13 :
*Activation ou non
du pare-feu
Windows*

Bloquer toutes les connexions entrantes depuis le pare-feu
L'activation de l'option *Bloquer toutes les connexions entrantes* bloque
tous les partages de fichiers de votre ordinateur et rend ce dernier

REMARQUE invisible sur le réseau. Cette option est à utiliser dans le cas où vous connectez un ordinateur sur un réseau dont vous ne connaissez pas la fiabilité (spot Wi-Fi d'un lieu public).

Par défaut, le pare-feu Windows protège votre ordinateur de toute intrusion. Cependant, il est possible de configurer des exceptions en fonction de vos besoins depuis l'onglet **Exceptions** de la fenêtre **Paramètres du Pare-feu Windows**. En mode Automatique, le pare-feu gère le minimum d'exceptions nécessaires au bon fonctionnement de votre ordinateur :

- *Assistance à distance*. Cette exception vous permet de faire une demande d'assistance à un ami et que ce dernier puisse prendre la main sur votre ordinateur à distance.
- *Partage de fichiers et d'imprimante*. Cette exception est automatiquement validée si vous avez activé le partage de fichiers depuis le Centre réseau et partage.
- *Recherche du réseau* permet à d'autres ordinateurs du réseau de découvrir votre ordinateur et ainsi d'accéder à vos fichiers et dossiers partagés.
- *Réseau de base* permet le bon fonctionnement des fonctions de base de la mise en réseau d'un ordinateur (récupération d'une adresse IP, etc.).
- *Windows Live Messenger* permet à vos contacts de vous appeler pour entrer en mode Conversation avec vous.

Pour ajouter une exception, il suffit de cocher la case correspondant à la fonction désirée. Cependant, il est également possible d'ajouter une exception pour un programme en cliquant sur le bouton **Ajouter un programme** (voir Figure 4.14).

REMARQUE **Ajouter un port**
Certaines fonctionnalités réseau nécessitent l'ouverture de ports particuliers. Si une de vos applications réseau ne fonctionne pas, consultez les besoins de cette dernière et activez le port concerné en cliquant sur le bouton **Ajouter un Port** de l'onglet **Exceptions** de la fenêtre **Paramètres du Pare-feu Windows**.

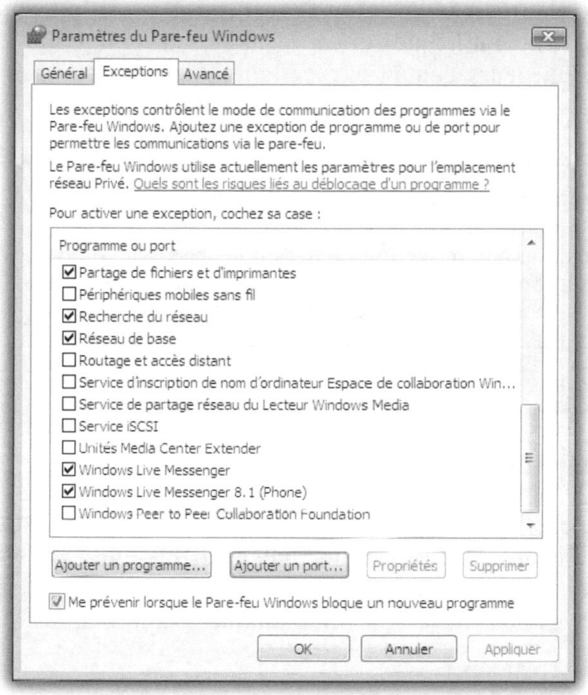

Figure 4.14 :
Gestion des
exceptions du
pare-feu Windows

Depuis l'onglet **Avancé**, vous avez la possibilité de définir les connexions réseau à protéger avec le pare-feu Windows. En cliquant sur le bouton **Par défaut**, vous avez la possibilité de réinitialiser le pare-feu.

En revanche, pour filtrer les flux entrant et sortant de votre ordinateur (à savoir restreindre tant l'accès à votre machine, que les programmes pouvant communiquer avec l'extérieur), il est préférable d'utiliser un produit plus complet et intuitif tel que le pare-feu livré avec Live One Care (en version d'essai gratuit de 90 jours) téléchargeable depuis l'adresse **http://onecare.live.com/standard/fr-be/default.htm** (également à l'adresse **http://onecare.live.com**) ou le pare-feu gratuit Zone Alarm téléchargeable depuis l'adresse **http://www.zonealarm.com**.

4.4. Protéger sa machine des virus et logiciels espions

La protection de l'ordinateur passe par l'analyse permanente des fichiers entrants et sortants. Windows Vista propose en standard un outil de suppression des logiciels malveillants, mais cet outil n'est pas un antivirus. Il est donc impératif que vous installiez un programme antivirus. Il en existe plusieurs centaines ; certains sont très efficaces tout en étant gratuits.

ATTENTION

La protection dépend de la régularité des mises à jour

Au même titre qu'un programme antivirus, un programme de surveillance et de protection contre les logiciels espions nécessite d'être régulièrement mis à jour. Son efficacité dépend de sa base de définition. Un outil non mis à jour sera donc inefficace face aux nouvelles attaques.

Windows Defender (protection contre les logiciels espions)

Windows Defender permet de protéger en temps réel Windows Vista, mais également de faire des analyses immédiates ou planifiées. Il est possible de paramétrer le programme pour qu'il réagisse en cas de détection de logiciel espion (mise en quarantaine, suppression du suspect, ne rien faire...).

REMARQUE

Logiciel espion

Un logiciel espion est un programme qui s'est installé sur votre ordinateur sans que vous en ayez conscience. Les logiciels espions (ou *Spyware*) récoltent généralement à votre insu des informations vous concernant (sites web visités, coordonnées bancaires) mais peuvent également provoquer des dysfonctionnements (ouverture intempestive de pages web, modification de vos préférences...).

Pour lancer Windows Defender, vous pouvez au choix :

- cliquer sur **Démarrer/Panneau de Configuration/Centre de sécurité** et cliquer sur **Windows Defender** dans le volet de la fenêtre ;
- cliquer sur **Démarrer/Tous les programmes/Windows Defender** (voir Figure 4.15).

Figure 4.15 :
La fenêtre du programme de protection Windows Defender

La mise à jour des définitions de programmes malveillants est réalisée automatiquement lors de la recherche de mises à jour de Windows Update. Cependant, si Windows Update n'est pas paramétré pour travailler en mode Automatique, veillez à effectuer ces mises à jour manuelles régulièrement. Pour ce faire, dans la Barre d'outils, cliquez sur la flèche dirigée vers le bas (*Options d'aide*). Dans le menu, sélectionnez **Rechercher les mises à jour**.

Figure 4.16 :
Effectuer une recherche de mises à jour

La recherche est réalisée en tâche de fond, une info bulle vous notifie la recherche. Si une mise à jour est disponible, cette dernière sera automatiquement installée.

Figure 4.17 :
Notification de récupération de mises à jour pour Windows Defender

Configurer Windows Defender

Bien que la configuration par défaut de Windows Defender soit suffisante pour protéger efficacement votre ordinateur, il vous est possible de personnaliser son fonctionnement en cliquant sur le bouton **Outils**.

Pour paramétrer les options :

1 cliquez sur **Options** dans la rubrique *Paramètres*.

2 Dans la rubrique *Analyse automatique*, cochez l'option *Analyser automatiquement mon ordinateur* pour que les analyses soient réalisées automatiquement en tâche de fond. Spécifiez également la fréquence, l'heure de début et le type d'analyse à réaliser.

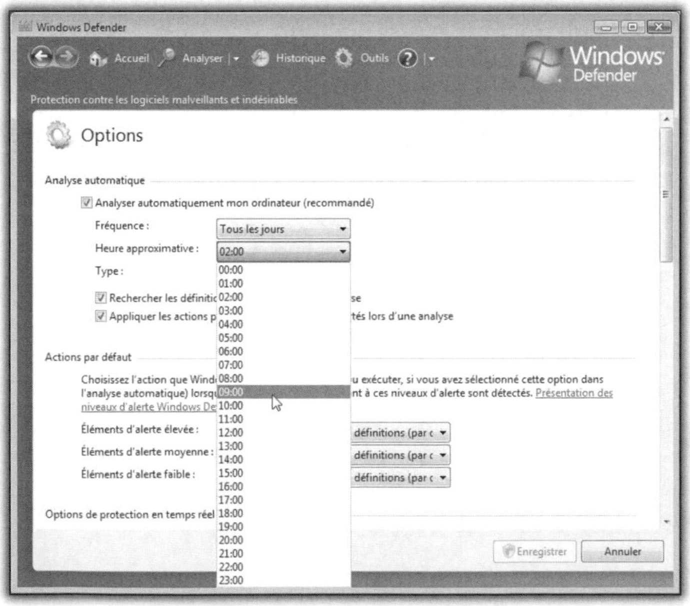

Figure 4.18 : *Définition de l'heure d'exécution de Windows Defender*

3 Vous pouvez spécifier que le programme recherche si une mise à jour des définitions doit être réalisée avant chaque analyse. Cochez l'option *Rechercher les définitions mises à jour avant l'analyse*.

4 Cochez l'option *Appliquer les actions par défaut aux éléments détectés lors d'une analyse* pour vous éviter d'avoir à agir en cas de détection positive.

5 Dans la rubrique *Actions par défaut*, vous pouvez spécifier le type d'action qui doit être menée en cas de détection de logiciel espion et en fonction de son niveau de dangerosité. Pour chaque niveau d'alerte (élevé, moyen et faible), vous pouvez sélectionner les actions suivantes :

— *Basé sur les définitions par défaut* : mettre l'élément en quarantaine ;

— *Ignorer* : ne rien faire ;

— *Supprimer* : suppression du fichier détecté comme potentiellement dangereux.

6 Dans la rubrique *Options de protection en temps réel*, vous pouvez désactiver la protection en temps réel ou définir les éléments que celle-ci analyse. C'est également dans cette rubrique que vous pouvez paramétrer la notification en cas de détection de logiciel espion.

7 Dans la rubrique *Options avancées*, vous pouvez paramétrer plus finement les exceptions (fichiers à exclure des analyses) et la méthode d'analyse.

8 Dans la rubrique *Options de l'administrateur*, vous pouvez spécifier si tous les utilisateurs de l'ordinateur doivent être avertis de la découverte d'un logiciel espion (ou seulement un administrateur), mais également si les utilisateurs n'étant pas administrateurs de l'ordinateur peuvent exécuter manuellement Windows Defender.

9 Pour sauvegarder vos modifications de paramètres, cliquez sur le bouton **Enregistrer**.

Les outils de Windows Defender

Dans la rubrique *Outils*, vous pouvez consulter les éléments mis en quarantaine en cliquant sur **Eléments en quarantaine**. À partir de l'affichage des éléments mis en quarantaine, plusieurs actions sont possibles :

- *Supprimer tout* supprime tous les éléments présents dans la liste.
- *Supprimer* supprime l'élément sélectionné dans la liste.
- *Restaurer* restaure le ou les éléments sélectionnés dans la liste.

Zone de quarantaine

Les éléments mis en quarantaine ne sont pas supprimés ou "nettoyés" de leurs fonctions nocives, mais seulement neutralisés en attendant leur suppression ou restauration.

En cliquant sur **Eléments autorisés**, vous obtiendrez la liste des éléments détectés comme potentiellement dangereux, mais pour lesquels vous avez validé une non nocivité. En effet, certains programmes peuvent être détectés comme dangereux, bien que ceux-ci soient inoffensifs (barres d'outils, etc.). Cette liste vous permet de définir les éléments suspectés à tort.

L'explorateur de logiciel permet d'afficher les programmes en cours d'exécution sur votre ordinateur et la classification de ces derniers.

Analyser et rechercher des logiciels espions sur son PC

Windows Defender propose différents types d'analyses de logiciels espions :

- *Analyse rapide*. Vérification d'emplacements spécifiques du disque dur sur lesquels se posent la majeure partie des logiciels espions. Cette analyse est réalisée en quelques minutes.
- *Analyse complète*. Vérification de tous les fichiers du disque dur, et de tous les programmes en cours d'exécution. Ce type d'analyse peut durer plusieurs dizaines de minutes ou plusieurs heures en fonction de la taille du disque dur, et de la quantité de fichiers stockés.

■ *Analyse personnalisée.* Vous permet de spécifier les dossiers à analyser.

Pour lancer une analyse rapide, cliquez sur le bouton **Analyser** présent dans la barre d'outils de la fenêtre de **Windows Defender**.

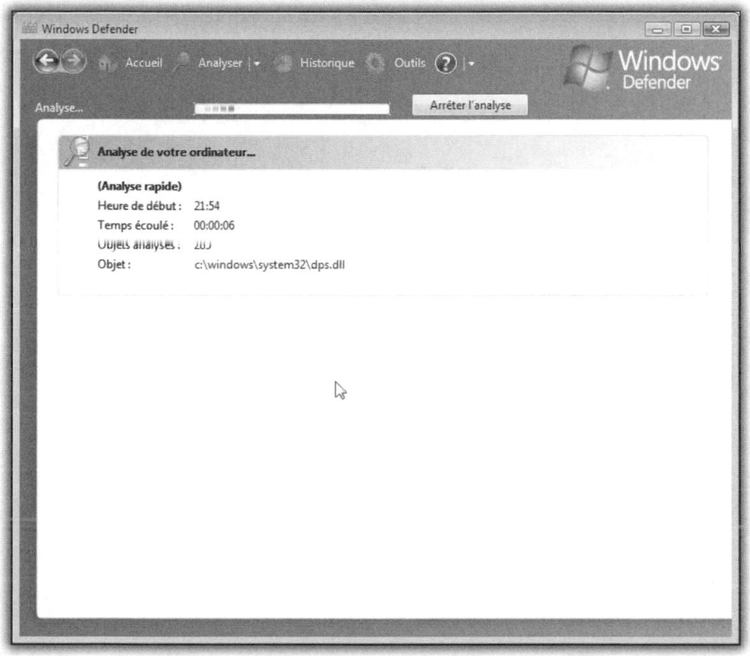

Figure 4.19 : *Analyse rapide en cours*

Si vous souhaitez effectuer une analyse complète ou personnalisée, cliquez sur la flèche dirigée vers le bas à droite du bouton **Analyser** (**Options d'analyse**) et sélectionnez la commande désirée dans le menu.

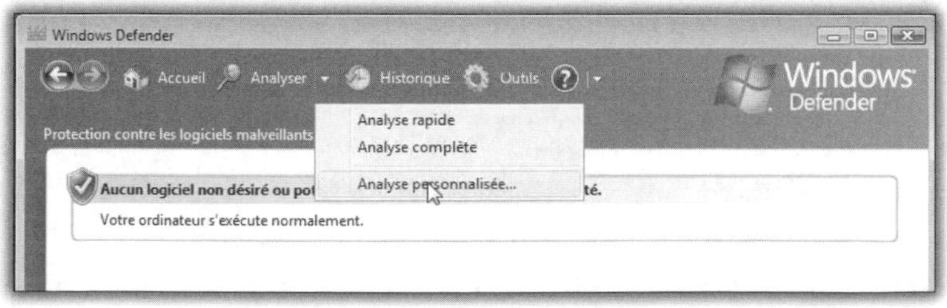

Figure 4.20 : *Sélection de l'analyse à réaliser*

Lorsque vous optez pour une analyse personnalisée (afin d'analyser un emplacement précis), cliquez sur le bouton **Sélectionner** pour spécifier l'emplacement à analyser. Dans la fenêtre qui s'ouvre, sélectionnez les lecteurs et/ou dossiers et cliquez sur le bouton OK.

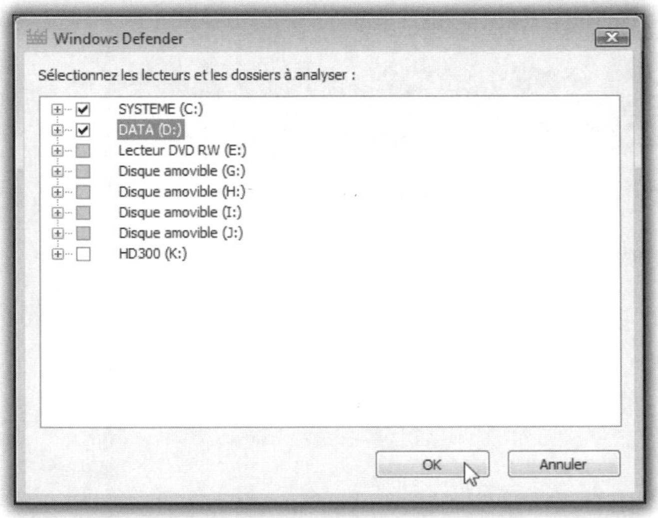

Figure 4.21 : *Sélection du lecteur et/ou des dossiers pour une analyse personnalisée*

Le résultat de l'analyse est affiché dès que cette dernière est terminée.

Désactivation de Windows Defender

Sauf dans le cas de l'installation d'une suite logicielle de protection de l'ordinateur (Norton antivirus, Windows Live OneCare) possédant son propre programme d'analyse et de protection contre les logiciels espions, le programme Windows Defender doit être activé sur votre ordinateur. Vous pouvez vous assurer de son état depuis le Centre de sécurité Windows.

Protection contre les logiciels espions et autres programmes malveillants   Activé ●
Windows Defender protège activement votre ordinateur.

Comment un logiciel de protection contre les programmes malveillants m'aide-t-il à protéger mon ordinateur ?

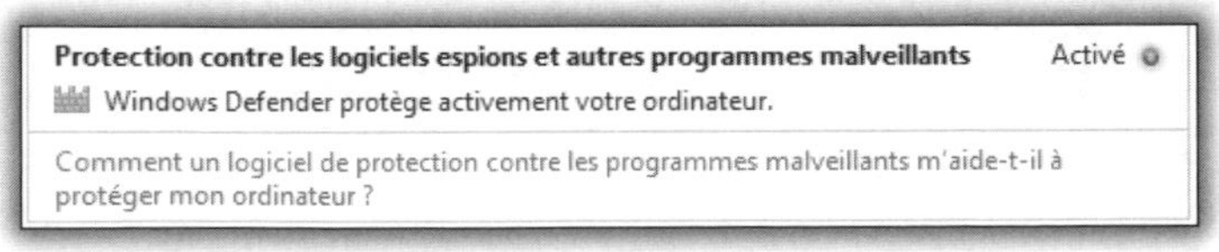

Figure 4.22 : *État de Windows Defender dans le Centre de sécurité Windows*

Configurer le logiciel antivirus avec le Centre de sécurité Windows

Windows Defender vous protège des logiciels espions mais pas des virus informatiques. Windows Vista ne propose pas, par défaut, ce type de programme. Vous devez donc choisir et installer un programme antivirus pour être, en complément du pare-feu et de la protection contre les programmes malveillants, efficacement protégé.

L'installation du programme antivirus ne devrait pas vous poser de problème. En revanche, afin de vous éviter d'être notifié à tort, vous devez configurer le Centre de sécurité Windows dans le cas où ce dernier ne le reconnaisse pas automatiquement.

Si le Centre de sécurité de Windows reconnaît votre programme antivirus mais qu'il détecte que ce dernier n'est pas lancé, cliquez sur le bouton **Activer maintenant**. Cela aura pour effet de démarrer les programmes résidents (travaillant en arrière-plan) de votre antivirus.

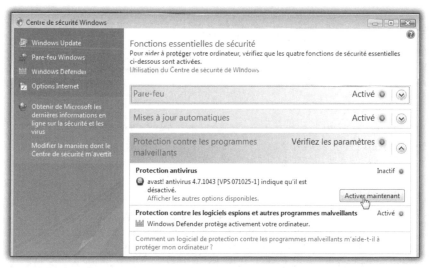

Figure 4.23 : *Démarrage de l'antivirus depuis le Centre de sécurité Windows*

Validez la boîte de dialogue **Centre de sécurité Windows**, vous demandant de confirmer que le programme résident en cours d'activation est celui que vous souhaitez utiliser.

La rubrique devrait ainsi passer "au vert" à condition que la protection contre les logiciels espions soit à jour et activée.

Cependant, si votre programme antivirus n'est pas reconnu par le Centre de sécurité Windows et que vous soyez certain que ce dernier est actif, vous pouvez également désactiver la notification des alertes à son sujet. Cliquez sur **Afficher les autres options disponibles**.

Dans la fenêtre **Choisissez une option d'antivirus**, cliquez sur **Je dispose d'un programme antivirus que je contrôlerai moi-même**.

Figure 4.24 : *Vous prenez le contrôle et le suivi de votre programme antivirus en lieu et place du Centre de sécurité Windows*

ATTENTION

Désactivation des alertes du Centre de sécurité Windows

L'avantage du Centre de sécurité Windows est de centraliser les informations concernant le démarrage, les mises à jour et l'état des programmes ayant trait à la sécurité de Windows Vista. Utiliser une des exceptions décrites précédemment vous oblige à être rigoureux en ce qui concerne les mises à jour tant de définitions virales, que des programmes utilisés. Veillez à ce que les programmes soient paramétrés pour être mis à jour en mode Automatique, et n'hésitez pas à contrôler régulièrement que ces dernières ne soient pas trop anciennes.

Réagir en cas d'attaque virale

Si votre antivirus fonctionne correctement, tous les fichiers suspectés d'être infectés seront mis en quarantaine ou supprimés automatiquement. Si l'infection concerne un fichier exécutable (ou programme), ce dernier ne sera plus utilisable.

Concernant les fichiers mis en quarantaine, il est de votre responsabilité de décider s'ils doivent être supprimés (fichiers inutiles) ou conservés en quarantaine, afin d'en extraire les données. Sachez toutefois que tenter de récupérer un fichier suspecté d'infection pour entraîner un blocage irréversible de votre ordinateur.

Vous pouvez également trouver et télécharger des outils de nettoyage de virus (*Removal tools*) depuis les sites Internet des éditeurs de programmes antivirus. Ces outils ont l'avantage de ne traiter qu'un virus précis et permettent, dans bien des cas, de récupérer des fichiers de données sains et opérationnels.

En fonction du nom du virus identifié par votre programme antivirus, téléchargez l'outil de suppression (Removal tools) adéquat depuis l'un des sites suivants :

■ **Symantec** :
http://www.symantec.com/norton/security_response/removaltools.jsp;

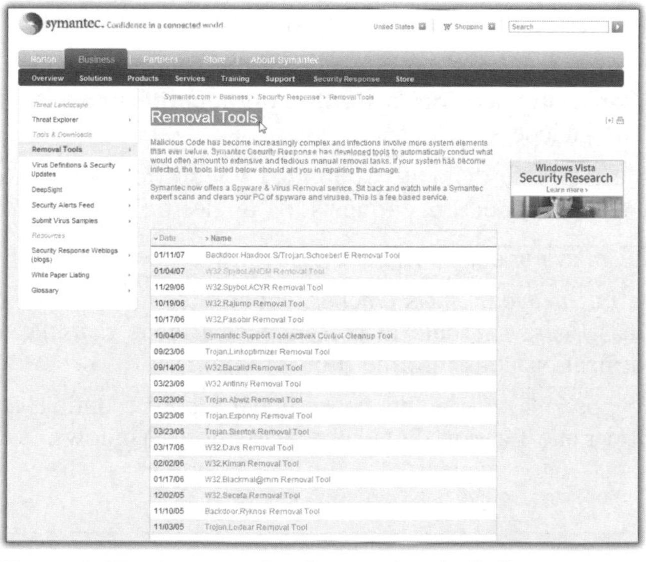

Figure 4.25 : La page des Removal tools de Symantec

- **Bitdefender** :
  http://www.bitdefender.com/site/Download/browseFreeRemovalTool/ ;

- **McAfee** : http://us.mcafee.com/virusInfo/default.asp?id=vrt ;

- **KasperSky** : http://www.kaspesky.com/removaltools ;

- **F-Secure** : http://www.f-secure.com/download-purchase/tools.shtml, etc.

Une fois l'outil de suppression téléchargé, vous pouvez l'exécuter et le laisser agir. Il peut être nécessaire de décompresser le fichier téléchargé avant de l'utiliser.

Supprimer les notifications du Centre de sécurité Windows

Rien que le fait de réduire le niveau de protection du Contrôle de compte d'utilisateur génère la présence d'une icône d'avertissement du Centre de sécurité Windows dans la zone de notification, et d'une info bulle à chaque ouverture de session.

Si les notifications (présence de l'icône *Bouclier* dans la zone de notification, ou apparition d'infos bulles) sont nécessaires pour vous informer d'un problème de sécurité, la méthode peut être allégée en diminuant leurs apparitions. Vous pouvez en effet vous contenter de l'icône dans la zone de notification, ou d'être informé par info bulle.

1 Depuis la fenêtre **Centre de sécurité Windows**, cliquez sur **Modifier la manière de le Centre de sécurité m'avertit** dans le volet de gauche.

2 Dans la boîte de dialogue **Souhaitez vous être averti en cas de problèmes de sécurité**, cliquez sur l'un des trois choix proposés :

— *Oui, m'avertir et afficher l'icône* : toutes les alertes sont affichées.

— *Ne pas m'avertir, mais afficher l'icône* : les infos bulles ne sont plus générées ; seule la présence de l'icône dans la zone de notification vous informe d'un problème.

— *Ne pas m'avertir et ne pas afficher l'icône* : option qui rend inopérante l'action du Centre de sécurité Windows.

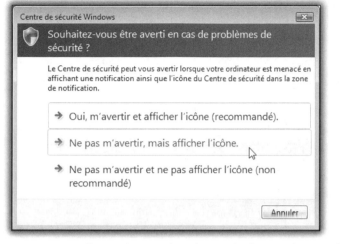

Figure 4.26 : *Paramétrage des alertes du Centre de sécurité Windows*

Problème suite à une mise à jour automatique de Windows Vista

Les mises à jour automatiques de Windows Vista réalisées avec Windows Update sont nécessaires pour maintenir votre ordinateur à un niveau de sécurité optimale. En règle générale, il y a peu de chances qu'une mise à jour provoque un plantage, puisque seules sont installées les mises à jour relatives à Windows Vista lui-même. Toutes les mises à jour relatives aux pilotes de périphériques, ou tout autre composant logiciel, sont classées en tant que mises à jour facultatives et doivent être installées manuellement.

Cependant, en cas de plantage, il est utile de savoir que chaque installation initiée par Windows Update, que ce soit en mode Automatique ou Manuel, génère un point de restauration.

Si suite à une mise à jour, vous constatez un problème (ralentissement significatif, fonctionnalités perdues, plantages aléatoires...), vous pouvez restaurer votre système à partir du point de restauration créé par Windows update.

1 Cliquez sur **Démarrer/Tous les programmes/Accessoires/Outils système/Restauration du système**.

2 Si le point de restauration recommandé porte la mention *Installer :
Windows Update*, il s'agit du point créé par la mise à jour
automatique. Cochez l'option *Restauration recommandée*. Cliquez
sur le bouton **Suivant** puis sur **Terminer** dans l'écran récapitulatif.

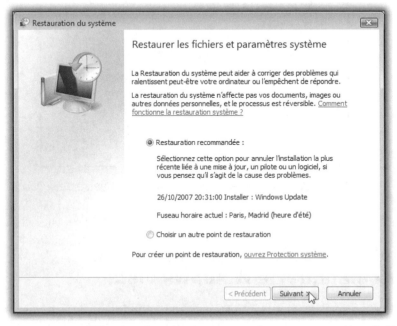

Figure 4.27 : *Sélection du point de restauration recommandé, relatif
à une mise à jour Windows Update*

3 Dans le cas contraire, cochez l'option *Choisir un autre point de
restauration*. Cliquez sur le bouton **Suivant**. Dans la fenêtre **Choisir
un point de restauration**, sélectionnez le point de restauration le
plus récent relatif à une installation réalisée par Windows Update
(*Installer : Windows Update*).

ATTENTION

Sélection du point de restauration

Il est fortement recommandé de sélectionner le point de restauration le
plus récent. Un point de restauration plus ancien peut certes corriger le
problème actuel, mais provoquer des dysfonctionnements sur tous les
éléments modifiés entre sa date de création et l'instant présent.

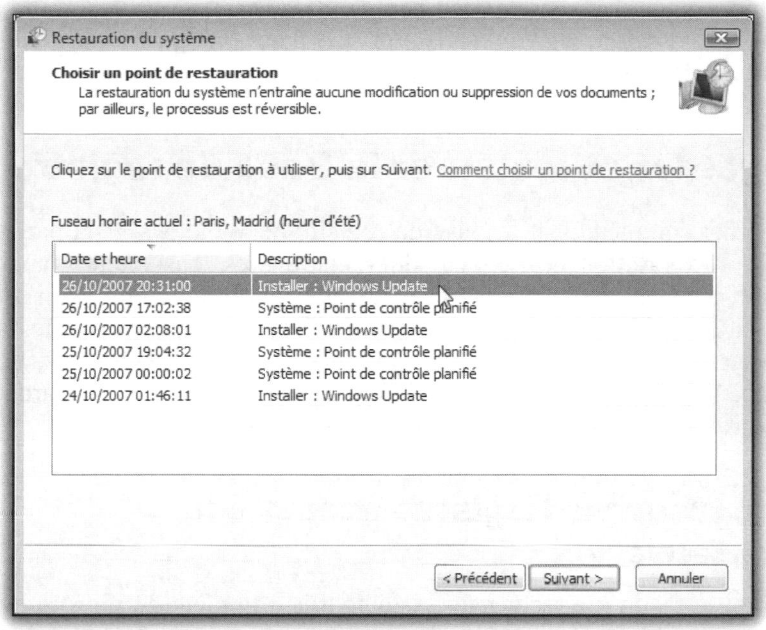

Figure 4.28 : *Sélection d'un point de restauration autre que le point de restauration recommandé*

4 Après sélection du point de restauration, cliquez sur le bouton **Suivant** puis sur le bouton **Terminer** de l'écran récapitulatif.

Windows Vista redémarre l'ordinateur et applique le point de restauration.

4.5. Sauvegarder et restaurer sa machine

Tous les éléments de sécurité existants peuvent être installés sur un ordinateur, mais il est impossible de se retrouver avec un risque nul. Ainsi, la meilleure façon de garantir la pérennité de son environnement de travail et de ses données est encore d'effectuer des sauvegardes régulières sur supports amovibles, et de conserver ces sauvegardes à l'abri.

Les différentes versions de Windows Vista ne sont pas égales en matière de sauvegarde. Toutes disposent d'utilitaires permettant de sauvegarder les données, mais les sauvegardes complètes ne sont réservées qu'aux versions *Professionnelles*, *Entreprise* et *Ultimate* (*Intégrale*), à moins d'utiliser un logiciel tiers pour ce type d'opération.

Sauvegarder et restaurer la Base de registre

Sauvegarder complètement la Base de registre de Windows Vista par la fonction d'exportation de l'éditeur du registre n'est pas d'une grande nécessité, puisque la réimportation lorsqu'une session est ouverte n'est pas possible. D'autre part, certaines clés nécessaires sont assujetties à des droits spécifiques, que même un administrateur ne possède pas. En revanche, l'utilisation des points de restauration permet de sauvegarder et/ou de restaurer le registre de façon très aisée.

Sauvegarder le Registre avec point de restauration

La meilleure façon d'effectuer une sauvegarde complète du registre est de créer manuellement un point de restauration. Ce dernier peut être appliqué depuis le menu du mode Réparer de Windows Vista en cas de problème important.

La création des points de restauration se fait depuis l'outil **Restauration du système**.

1 Cliquez sur **Démarrer/Tous les programmes/Accessoires/Outils système/Restauration du système**.

2 Dans la fenêtre **Restauration du système**, cliquez sur **Ouvrez Protection du système** (voir Figure 4.29).

3 Dans la fenêtre **Propriétés système** ouverte sur l'onglet **Protection du système**, cliquez sur le bouton **Créer**.

4 Dans la fenêtre **Protection du système**, saisissez le descriptif de ce point de restauration et cliquez sur bouton **Créer** (voir Figure 4.30).

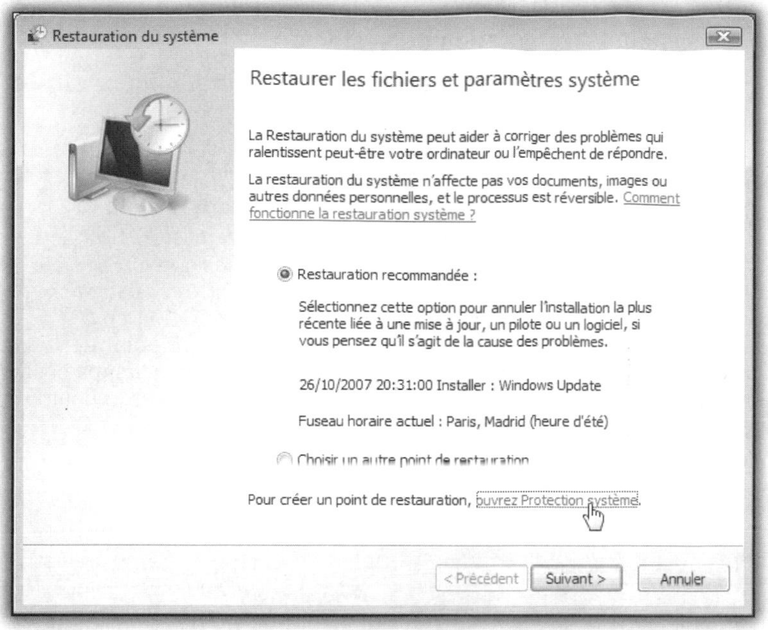

Figure 4.29 : *Accès à la création d'un point de restauration*

Figure 4.30 :
Saisie du descriptif du point de restauration

Restaurer le Registre suite à un dysfonctionnement

Si une modification de l'environnement (installation de programmes, de nouveaux pilotes ou modification d'une clé du Registre) provoque un fonctionnement inattendu ou erratique, il est possible dans une session standard de Windows Vista de restaurer le point créé manuellement avant la modification.

1 Cliquez sur **Démarrer/Tous les programmes/Accessoires/Outils système/Restauration du système**.

2 Dans la fenêtre **Restauration du système**, cliquez sur le bouton **Suivant**.

REMARQUE

Restauration du système et version de Windows Vista

La sélection des points de restauration diffère en fonction de la version de Vista utilisée. Les versions *Familiale basique* et *Familiale Premium* proposent par défaut d'appliquer un *Point de restauration recommandé* (il s'agit toujours d'un point de restauration créé automatiquement par Windows). Pour sélectionner un point de restauration créé manuellement, il faut dans un premier temps cocher l'option *Choisir un autre point de restauration* et cliquer sur le bouton **Suivant**.

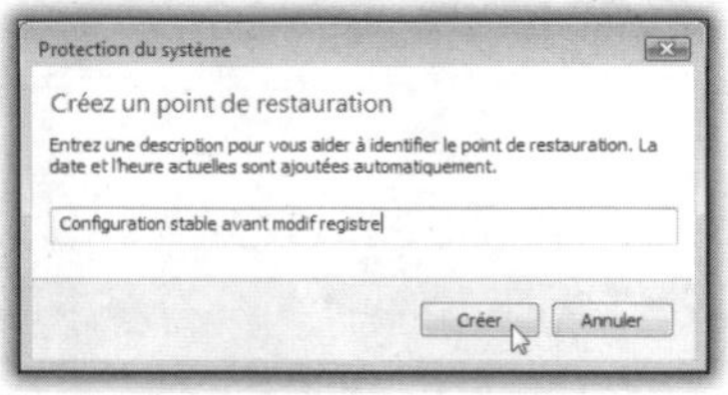

Figure 4.31 :
Sélection d'un point de restauration autre que le point recommandé

En revanche, les versions *Professionnelle*, *Entreprise* et *Intégrale* (*Ultimate*) vous donnent directement accès à tous les points de restauration (manuels ou automatiques) de moins de 5 jours.

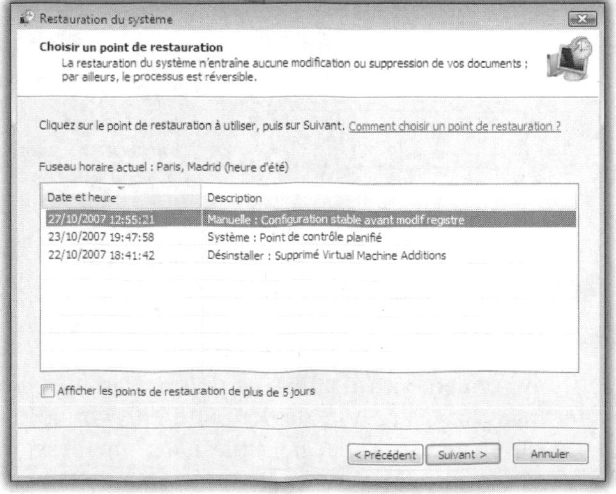

Figure 4.32 :
Sélection d'un point de restauration depuis une version Professionnelle, Entreprise ou Intégrale de Windows Vista

3 En fonction de la version de Vista en votre possession, sélectionnez le point à restaurer, ou cochez l'option *Choisir un autre point*. Cliquez sur **Suivant** et sélectionnez le point à restaurer.

4 Cliquez sur le bouton **Terminer** de l'écran récapitulatif. Windows Vista redémarre en restaurant le point sélectionné.

Sauvegarder et restaurer ses données

Windows Vista propose un outil permettant d'effectuer la sauvegarde et la restauration des données sauvegardées. Il ne s'agit pas d'un outil dédié à des sauvegardes occasionnelles. Il fonctionne sur le principe de la création d'un jeu de sauvegarde qui sera par la suite mis à jour automatiquement ou manuellement.

1 Cliquez sur **Démarrer/Tous les programmes/Maintenance/Centre de sauvegarde et de restauration**.

2 Dans la fenêtre **Centre de sauvegarde et restauration**, cliquez sur le bouton **Sauvegarder les fichiers** de la rubrique *Sauvegarder les fichiers* (versions *Basique* et *Familiale* de Vista) *Sauvegarder les fichiers ou l'intégralité de votre ordinateur* (versions *Professionnelle*, *Entreprise* ou *Intégrale*).

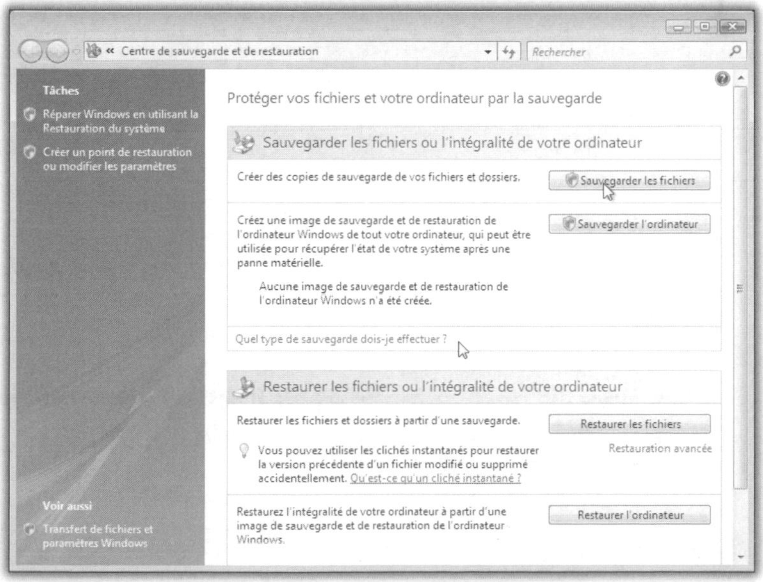

Figure 4.33 : Création d'une sauvegarde de fichiers

3 Si le Contrôle de compte d'utilisateur est actif, validez la boîte de dialogue **Contrôle de compte d'utilisateur** en cliquant sur le bouton **Continuer**.

4 Vista recherche les périphériques pouvant accueillir ce type de sauvegarde.

5 Dans la fenêtre **Sauvegarder les fichiers**, sélectionnez le type de périphérique devant recevoir la sauvegarde (disque dur ou DVD) et cliquez sur le bouton **Suivant**.

6 Dans la rubrique **Quels types de fichiers voulez-vous sauvegarder**, sélectionnez les catégories à sauvegarder. Chacune des rubriques correspond à l'un des dossiers personnels du compte utilisateur (excepté les dossiers créés dans un autre dossier que le dossiers *Utilisateur*). Cliquez sur le bouton **Suivant**.

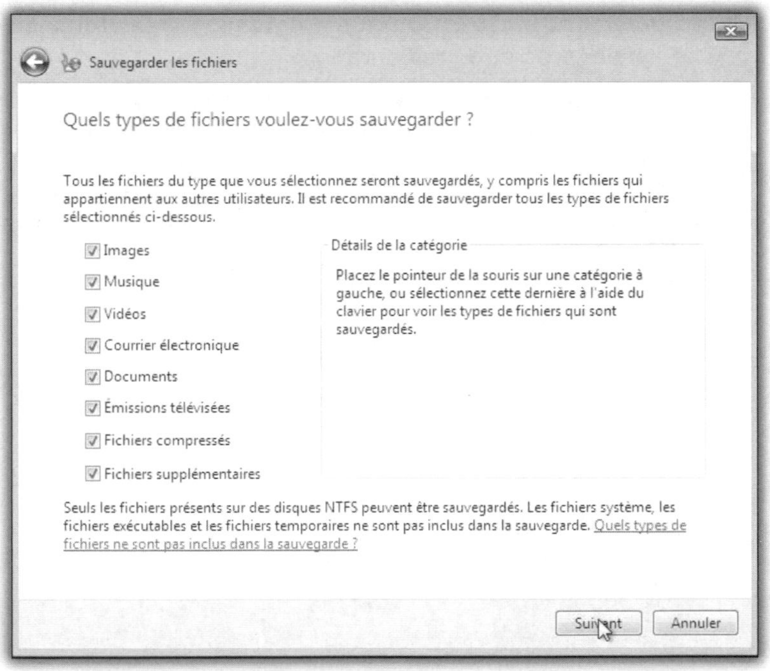

Figure 4.34 : *Sélection ou suppression des rubriques prédéfinies dans le jeu de sauvegarde*

> **Jeu de sauvegarde**
> Les rubriques sélectionnées le restent pour les sauvegardes planifiées.
> En revanche, les fichiers contenus dans le dossier personnel éponyme
> d'une rubrique non sélectionnée ne seront jamais sauvegardés.

7 La sauvegarde n'est pas unique et sera planifiée. Sélectionnez la fréquence de cette dernière depuis les listes de choix *Fréquence*, *Jour* et *Heure*. Cliquez sur le bouton **Enregistrer les paramètres et démarrer la sauvegarde**.

8 Une info bulle de la zone de notification vous informera de la fin de la sauvegarde.

Figure 4.35 :
Notification de
la fin de la
sauvegarde

Restaurer des fichiers à partir d'une sauvegarde

La restauration est possible uniquement si une sauvegarde a été réalisée.

1 Cliquez sur **Démarrer/Panneau de configuration/Centre de sauvegarde et de restauration**.

2 Dans la fenêtre **Centre de sauvegarde et de restauration**, cliquez sur le bouton **Restaurer les fichiers**.

3 Dans la rubrique *Que voulez-vous restaurer*, cochez l'option *Fichiers de la dernière sauvegarde* et cliquez sur le bouton **Suivant** (voir Figure 4.36).

4 Dans la rubrique *Sélectionnez les fichiers et dossiers à restaurer*, cliquez sur le bouton **Ajouter des dossiers**.

5 Dans la fenêtre **Ajouter le dossier à restaurer**, double-cliquez sur le disque (image de la sauvegarde) puis double-cliquez sur le dossier *Users*. Double-cliquez sur le dossier contenant les données de l'utilisateur à restaurer (continuez ainsi jusqu'au dossier parent des dossiers à restaurer). Une fois le dossier sélectionné, cliquez sur le bouton **Ajouter** (voir Figure 4.37).

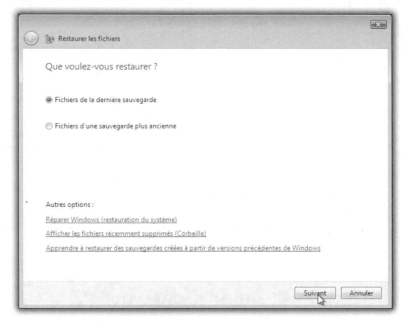

Figure 4.36 : *Sélection de la sauvegarde à utiliser*

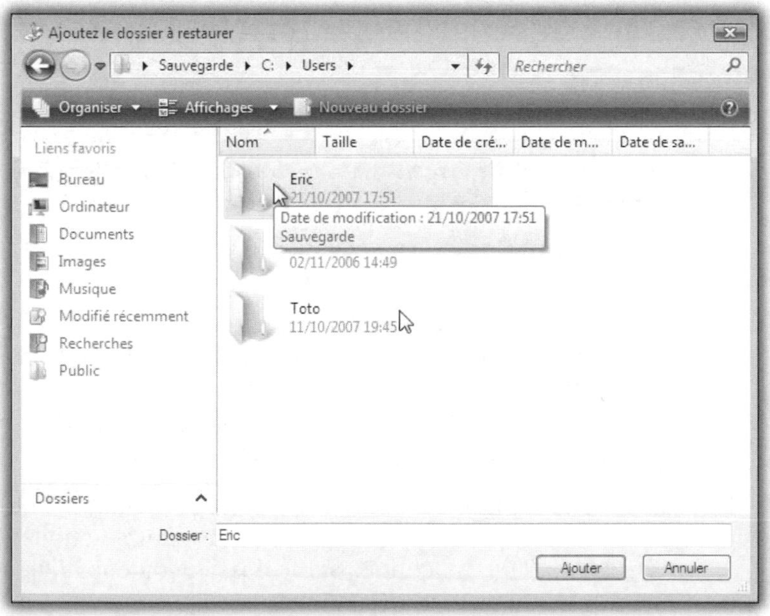

Figure 4.37 : *Sélection du dossier utilisateur*

6 Dans la fenêtre **Restaurer les fichiers**, cliquez sur le bouton **Suivant**.

7 Sélectionnez l'option *Dans l'emplacement d'origine* si vous souhaitez que les fichiers soient restaurés à leur place initiale, ou l'option *Dans l'emplacement suivant* en spécifiant le dossier de destination pour un autre emplacement. Cliquez sur le bouton **Démarrer la restauration**.

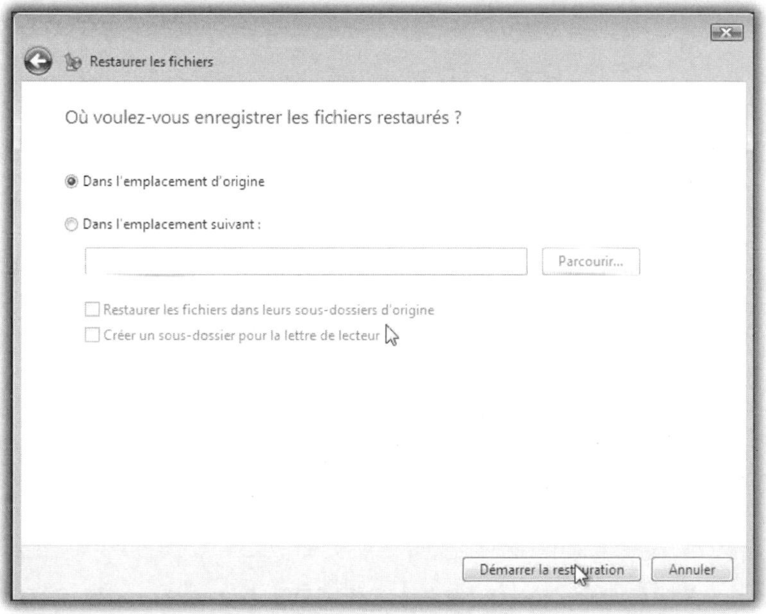

Figure 4.38 : *Sélection de la destination de la restauration*

8 Si la restauration des fichiers a lieu dans leur emplacement d'origine, vous pouvez être amené à valider la réécriture de ces derniers, si une copie du ou des fichiers est déjà présente. Pour remplacer un fichier par sa sauvegarde, cliquez sur **Copier et remplacer** dans la fenêtre **Copie de fichiers**. Si vous souhaitez ne plus être interrogé sur les conflits de réécriture, cochez l'option *Appliquer mes choix à tous les conflits* (voir Figure 4.39).

9 Cliquez sur le bouton **Terminer** de la fenêtre **Restaurer les fichiers** lorsque l'opération est terminée.

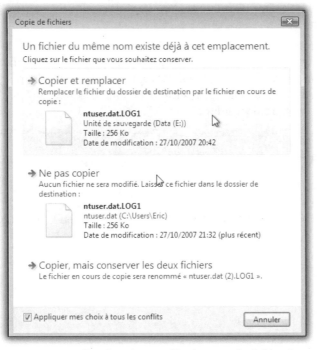

Figure 4.39 : *Gestion des conflits lorsque le fichier à restaurer existe déjà dans le dossier cible*

Restaurer tous les fichiers de données en une passe

1 Cliquez sur **Démarrer/Tous les programmes/Maintenance/Centre de sauvegarde et de restauration**.

2 Dans la fenêtre **Centre de sauvegarde et de restauration**, cliquez sur le bouton **Restaurer les fichiers**.

3 Dans la rubrique *Que voulez-vous restaurer*, cochez l'option *Fichiers de la dernière sauvegarde* et cliquez sur le bouton **Suivant**.

4 Dans la rubrique *Sélectionnez les fichiers et dossiers à restaurer*, cliquez sur le bouton **Ajouter des dossiers**.

5 Dans la fenêtre **Ajouter le dossier à restaurer**, sélectionnez le ou les disques durs présents dans la sauvegarde et cliquez sur le bouton **Ajouter**.

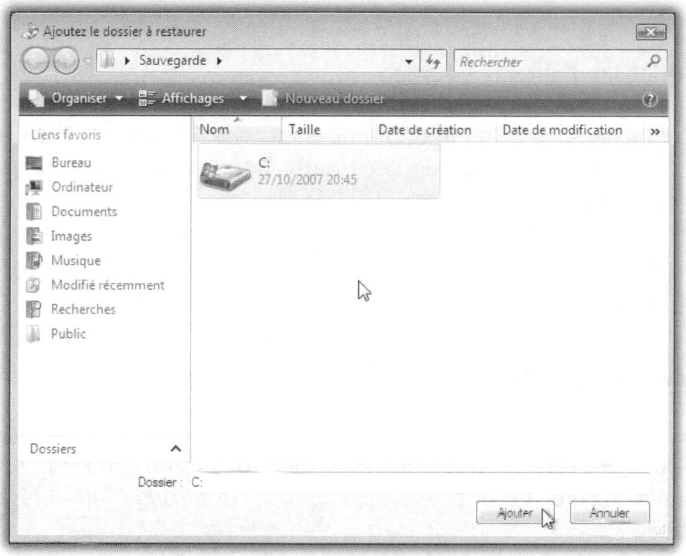

Figure 4.40 : *Restauration de la sauvegarde dans son intégralité*

6 Dans la fenêtre **Restaurer les fichiers**, cliquez sur le bouton **Suivant**.

7 Sélectionnez l'option *Dans l'emplacement d'origine* si vous souhaitez que les fichiers soient restaurés à leur place initiale, ou l'option *Dans l'emplacement suivant*, en spécifiant le dossier de destination pour un autre emplacement. Cliquez sur le bouton **Démarrer la restauration**.

8 Si la restauration des fichiers a lieu dans leur emplacement d'origine, vous pouvez être amené à valider la réécriture de ces derniers, si une copie du ou des fichiers est déjà présente. Pour remplacer un fichier par sa sauvegarde, cliquez sur **Copier et remplacer** dans la fenêtre **Copie de fichiers**.

9 Cliquez sur le bouton **Terminer** de la fenêtre **Restaurer les fichiers** lorsque l'opération est terminée.

Sauvegarde et restauration complète de l'ordinateur

Seules les versions *Professionnelle*, *Entreprise* et *Intégrale* de Windows Vista proposent la sauvegarde complète de l'ordinateur (système et données). Les utilisateurs possédant une version *Basique*, *Familiale Premium* ne peuvent que créer des points de restauration pour sauvegarder les fichiers système.

L'avantage de créer régulièrement des sauvegardes complètes de l'ordinateur est qu'il n'est pas nécessaire de réinstaller Windows Vista, les applications et de restaurer les données en cas de panne grave. En effet, le jeu de sauvegarde contenant l'intégralité des données de l'ordinateur rend ce dernier immédiatement opérationnel après sa restauration.

Sauvegarde complète de l'ordinateur

La procédure de sauvegarde complète est accessible depuis le Centre de sauvegarde et restauration du Panneau de configuration pour les possesseurs d'une version *Professionnelle*, *Entreprise* ou *Intégrale* de Windows Vista.

1 Cliquez sur **Démarrer/Panneau de configuration** et double-cliquez sur l'icône *Centre de sauvegarde et de restauration*.

2 Dans la fenêtre **Centre de sauvegarde et de restauration**, cliquez sur **Sauvegarder l'ordinateur** dans la rubrique *Sauvegarder les fichiers ou l'intégralité de votre ordinateur*.

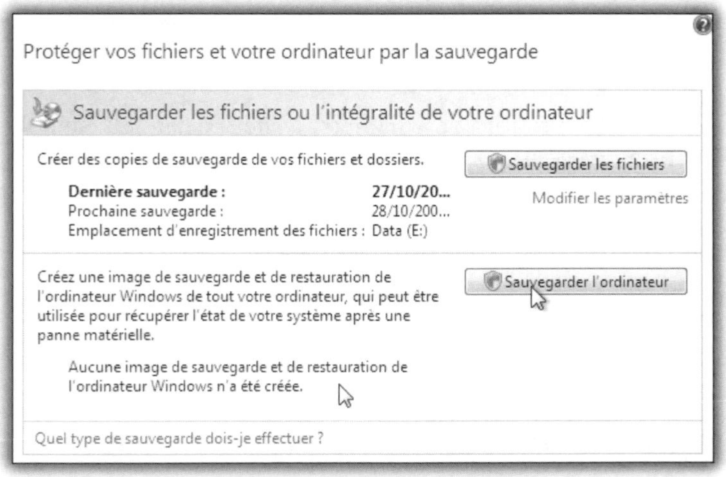

Figure 4.41 : *Sauvegarde complète de l'ordinateur*

REMARQUE

Volumétrie d'une sauvegarde complète

Une configuration moyenne de Windows Vista incluant des données multimédias peut occuper plus de 80 Go d'espace disque. La sauvegarde compresse les fichiers mais de par la volumétrie, il est conseillé de réaliser cette sauvegarde sur un disque dur plutôt que des DVD enregistrables (4,7 Go par DVD).

3 Si le Contrôle de compte d'utilisateur est activé, validez la boîte de dialogue de contrôle en cliquant sur le bouton **Continuer**.

4 Sélectionnez le périphérique destiné à recevoir la sauvegarde et cliquez sur le bouton **Suivant**. Si vous optez pour une sauvegarde sur DVD, cochez l'option *Sur un ou plusieurs DVD* et sélectionnez le graveur dans la liste déroulante.

5 Dans l'écran récapitulatif, cliquez sur le bouton **Démarrer la sauvegarde**.

Figure 4.42 : Démarrer la sauvegarde

Le temps de la sauvegarde dépend de la puissance de votre ordinateur et de la quantité de données à sauvegarder. Vous pouvez continuer à travailler, la sauvegarde pouvant être réalisée en tâche de fond.

Restauration complète de l'ordinateur

La restauration complète de l'ordinateur est nécessaire lorsque ce dernier refuse de redémarrer suite à une panne matérielle, ou lorsque plusieurs fichiers de données et programmes viennent à manquer. Bien qu'un bouton **Restaurer l'ordinateur** soit présent depuis le Centre de sauvegarde et de restauration, il n'est d'aucune utilité. En effet, la restauration complète de l'ordinateur ne peut être effectuée que depuis la Console de récupération (Options de récupération).

1 Insérez le DVD d'installation de Windows Vista dans le lecteur et redémarrez votre ordinateur.

2 Lorsque le message *Appuyez sur n'importe quelle touche pour démarrer du CD-ROM ou DVD-ROM* apparaît à l'écran, appuyez sur une touche du clavier.

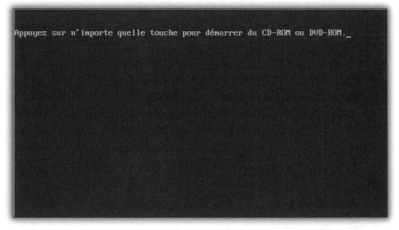

Figure 4.43 : Appuyer sur une touche du clavier pour démarrer l'ordinateur à partir du DVD d'installation de Windows Vista

3 Dans la fenêtre **Installer Windows**, sélectionnez la langue pour chacune des rubriques et cliquez sur le bouton **Suivant**.

4 Cliquez sur **Réparer l'ordinateur**.

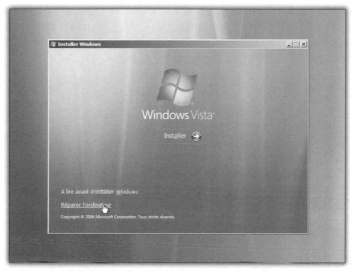

Figure 4.44 : *Cliquez sur Réparer l'ordinateur et non sur Installer*

5 Dans la boîte de dialogue **Options de récupération système**, sélectionnez le système d'exploitation (*Microsoft Windows Vista*) et cliquez sur le bouton **Suivant**.

6 Dans la fenêtre **Options de récupération système**, cliquez sur **Restauration de l'ordinateur Windows**.

Figure 4.45 : *Restauration de l'ordinateur depuis les Options de récupération*

7 Sélectionnez la sauvegarde à restaurer. Par défaut, la sauvegarde proposée est la plus récente, mais vous pouvez en choisir une autre en cochant l'option *Restaurer une sauvegarde différente*. Cliquez sur le bouton **Suivant**.

Figure 4.46 : *Sélection de la sauvegarde à restaurer*

8 Sauf si votre disque dur héberge différents systèmes d'exploitation, cochez l'option *Formater et repartitionner les disques* et cliquez sur le bouton **Terminer** pour lancer la restauration.

Figure 4.47 : *Lancement de la restauration, avec repartitionnement et reformatage des disques*

9 Dans la fenêtre **Restauration de l'ordinateur Windows**, cochez l'option *Je confirme que je souhaite formater les disques et restaurer la sauvegarde* et cliquez sur le bouton OK.

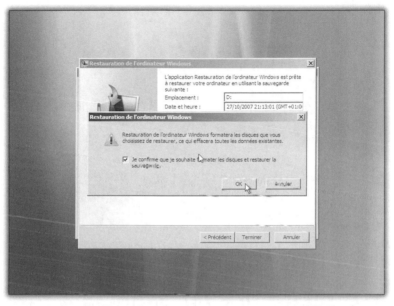

Figure 4.48 : *Confirmation de la restauration avec partitionnement et formatage des disques*

ATTENTION

formatage et partitionnement des disques

Aucune des données insérées entre la sauvegarde et la restauration ne pourront par la suite être récupérées. Ces dernières seront définitivement perdues. L'option de reformatage et de repartitionnement n'est à utiliser que sur un système où seul Windows Vista est installé.

La restauration démarre. Cette dernière peut durer plusieurs dizaines de minutes en fonction de la volumétrie de données à restaurer (voir Figure 4.49).

Dès que la restauration est terminée, l'ordinateur redémarre automatiquement.

Figure 4.49 : *Restauration complète de l'ordinateur en cours de réalisation*

4.6. Optimisation du système

REMARQUE

Considération matérielle

Windows Vista est dédié à une utilisation sur un ordinateur récent. Pour une utilisation optimale, préférez un ordinateur muni des éléments suivants :

- un microprocesseur à plusieurs cœurs ;
- plus d'un gigaoctet de mémoire vive ;
- un ou plusieurs disques durs rapides (SATA) ;
- une carte vidéo à mémoire dédiée de plus de 128 mégaoctets compatible DirectX 10.

Optimisation du disque dur

La défragmentation

Le disque dur d'un ordinateur, lorsqu'il doit enregistrer un fichier, écrit les fichiers en fonction de l'espace physique. La majorité des fichiers ne font pas la même taille. Progressivement, les fichiers se découpent en petit morceaux sur le disque dur. Les informations recherchées seront de plus en plus longues à être disponibles.

Un lecteur avec beaucoup de fichiers fragmentés effectuera les tâches courantes de plus en plus lentement.

Redéfinir la plage horaire de la défragmentation planifiée

Afin d'optimiser le système, Microsoft a planifié une défragmentation automatique de tous les disques dur, le mercredi a 1h du matin. Seulement, il est fort probable que l'ordinateur ne soit pas allumé durant ces heures tardives.

1 Pour modifier l'heure de l'exécution de cette tâche, rendez-vous dans le Panneau de configuration.

2 Cliquez sur **Démarrer/Panneau de configuration/Système et maintenance/Outils d'administration** (en mode Page d'accueil du Panneau de configuration).

3 Double-cliquez sur **Planificateur de tâches**. Une fois le Planificateur de tâches affiché, déroulez les listes : *Microsoft/Windows/Défrag*.

4 Sélectionnez dans la liste des tâches *ScheduledDefrag* puis dans le volet **Action** cliquez sur le lien *Propriétés*.

5 Dans la boîte de dialogue **Propriétés de SchduledDefrag**, cliquez sur l'onglet **Déclencheurs**. Sélectionnez la condition puis cliquez sur le bouton **Modifier...** (voir Figure 4.50).

6 Modifiez l'heure de la défragmentation puis cliquez sur le bouton OK. Cliquez une nouvelle fois sur OK pour valider les propriétés de la tâche.

REMARQUE

Date de la tâche planifiée

La date spécifiée est une date précédente. Cette date n'affectera pas le système puisqu'il s'agit d'une tâche répétitive hebdomadaire.

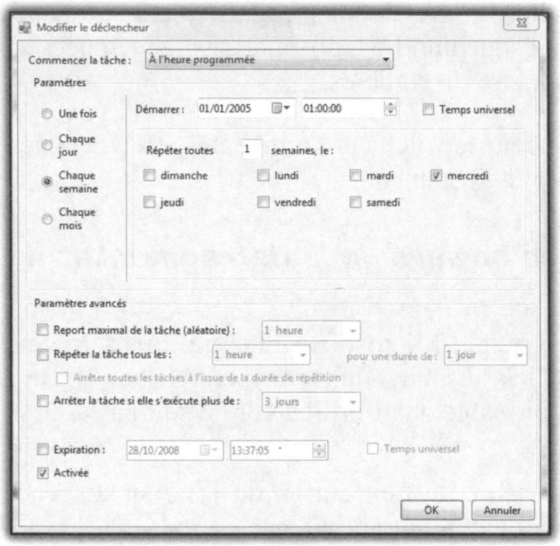

Figure 4.50 :
Modification de
l'horaire de la
défragmentation

Défragmenter un disque dur

1 Cliquez sur le bouton **Démarrer/Ordinateur** et cliquez du bouton droit sur le disque dur à défragmenter. Dans le menu contextuel, cliquez sur **Propriétés**.

2 Une fois les propriétés du disque affichées, cliquez sur l'onglet **Outils** puis sur le bouton **Défragmenter maintenant**.

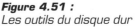

Figure 4.51 :
Les outils du disque dur

3 Une boîte de dialogue vous informe que la tâche planifiée de défragmentation est activée. Cliquez sur le bouton **Défragmenter Maintenant**.

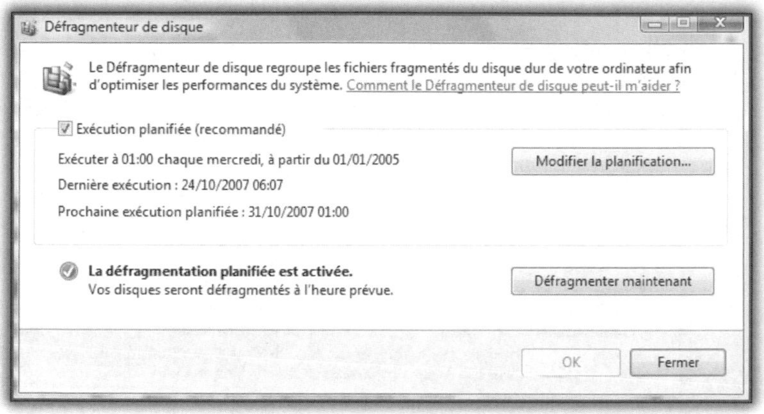

Défragmenteur de disque

Le Défragmenteur de disque regroupe les fichiers fragmentés du disque dur de votre ordinateur afin d'optimiser les performances du système. Comment le Défragmenteur de disque peut-il m'aider ?

☑ Exécution planifiée (recommandé)

Exécuter à 01:00 chaque mercredi, à partir du 01/01/2005

Dernière exécution : 24/10/2007 06:07

Prochaine exécution planifiée : 31/10/2007 01:00

Modifier la planification...

La défragmentation planifiée est activée.
Vos disques seront défragmentés à l'heure prévue.

Défragmenter maintenant

OK   Fermer

Figure 4.52 : *La boîte de dialogue de défragmentation*

Optimisation du chargement de Windows Vista

Après quelques temps d'utilisation, divers logiciels sont installés et peuvent ralentir le démarrage du système. Dans certains cas, ces programmes se chargent dès l'ouverture de session ou s'inscrivent en tant que service de la machine.

Désactiver les éléments non indispensables au chargement de Windows Vista

L'utilitaire de configuration système avancé Msconfig permet de désactiver au démarrage tous les outils non indispensables.

1 Cliquez sur le bouton **Démarrer**. Dans la zone de saisie *Rechercher* tapez msconfig. Une fois dans la zone des programmes, cliquez sur **Msconfig**.

2 L'utilitaire de configuration système s'affiche, cliquez sur l'onglet **Démarrage** (voir Figure 4.53).

ATTENTION

Désactiver un programme de démarrage
Ne jamais désactiver un programme de démarrage sans avoir créé de point de restauration.

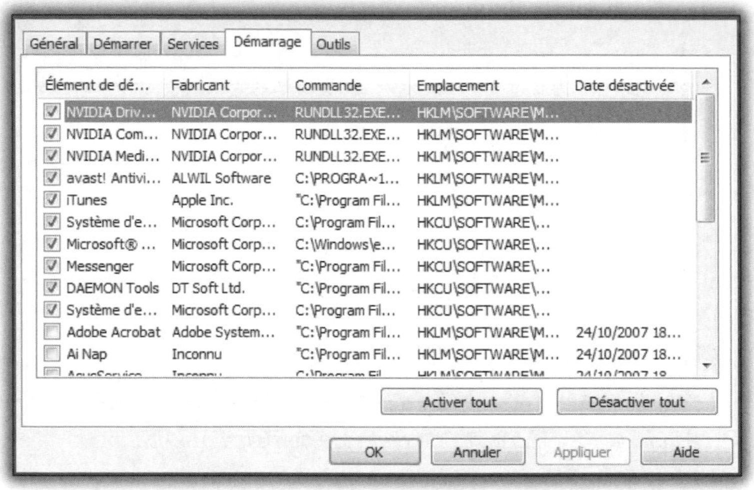

Figure 4.53 : *Msconfig onglet Démarrage*

3 Recherchez dans la liste les éléments de démarrage non requis, tels que les outils comme *QuickTime*, ou *Acrobat*. Ces outils se pré chargent en mémoire pour une utilisation potentielle.

4 En fonction de l'utilisation de l'ordinateur, désactivez les entrée des programmes se pré chargeant.

5 Cliquez sur le bouton **Appliquer** une fois que les éléments de démarrage non utiles auront été désactivés. L'ordinateur proposera de redémarrer.

REMARQUE

Désactivation d'éléments

Il est conseillé de redémarrer l'ordinateur après une modification telle que celle-ci. Compte tenu de l'impact, il est conseillé de tester immédiatement le résultat.

Gestion des services

Il sera également possible avec l'utilitaire Msconfig de désactiver les services inutiles. Chaque service a été créé par une installation d'application ou par Windows lui-même.

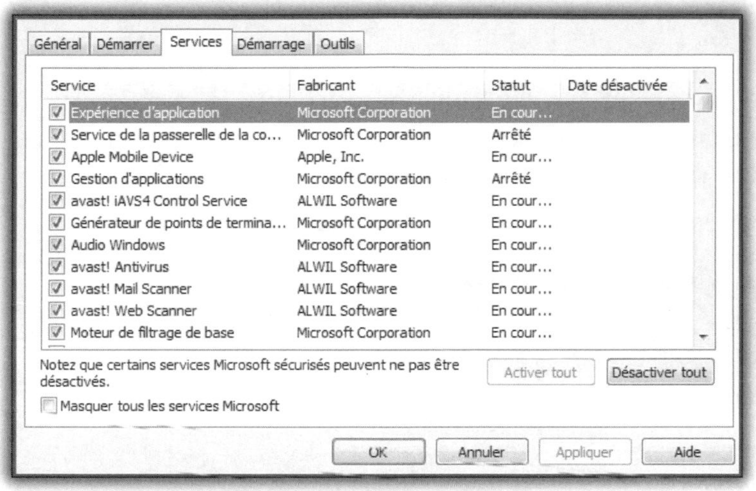

Service	Fabricant	Statut	Date désactivée
☑ Expérience d'application	Microsoft Corporation	En cour...	
☑ Service de la passerelle de la co...	Microsoft Corporation	Arrêté	
☑ Apple Mobile Device	Apple, Inc.	En cour...	
☑ Gestion d'applications	Microsoft Corporation	Arrêté	
☑ avast! iAVS4 Control Service	ALWIL Software	En cour...	
☑ Générateur de points de termina...	Microsoft Corporation	En cour...	
☑ Audio Windows	Microsoft Corporation	En cour...	
☑ avast! Antivirus	ALWIL Software	En cour...	
☑ avast! Mail Scanner	ALWIL Software	En cour...	
☑ avast! Web Scanner	ALWIL Software	En cour...	
☑ Moteur de filtrage de base	Microsoft Corporation	En cour...	

Notez que certains services Microsoft sécurisés peuvent ne pas être désactivés.   [Activer tout] [Désactiver tout]

☐ Masquer tous les services Microsoft

[OK] [Annuler] [Appliquer] [Aide]

Figure 4.54 : Msconfig onglet Services

Désactivation de services
Toute désactivation de service peut entraîner l'instabilité du système ou d'une application. Pensez à créer un point de restauration.

1 Dans l'utilitaire MSconfig, cliquez sur l'onglet **Services**. Afin de visualiser les services autres que ceux installés par Microsoft, cochez la case *Masquer tous les services Microsoft*.

2 Décochez les services inutiles. Cliquez sur le bouton **Appliquer** et redémarrez l'ordinateur pour valider vos modifications.

Liste des services Microsoft pouvant être désactivés

Windows, pour des besoins génériques d'utilisation, démarre certains services par défaut. Il est possible pour des raisons de performances, de désactiver certains d'entre eux afin d'obtenir de meilleures performances.

Pour modifier les services Microsoft, préférez la console *Services* afin de modifier leurs statuts :

Cliquez sur le bouton **Démarrer**. Dans la zone de recherche, saisissez services puis cliquez sur **Services** dans la liste des programmes.

Les services ont trois types de démarrage :

- *Automatique à début différé* : le service démarrera après les services définis en automatique.
- *Automatique* : le service démarrera au démarrage de la machine.
- *Manuel* : le service démarrera à la demande.
- *Désactivé* : le service ne sera jamais démarré.

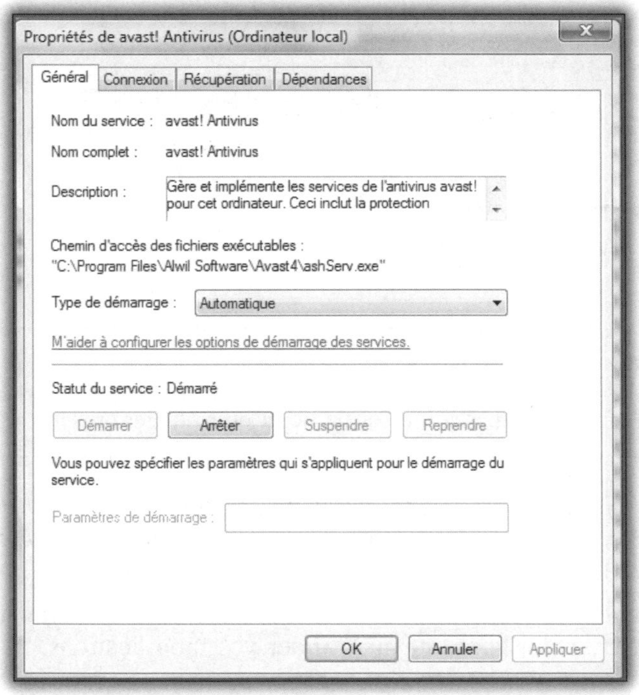

Figure 4.55 : *Les propriétés d'un service*

Pour modifier le type de démarrage d'un service, double-cliquez sur le nom du service puis dans la liste déroulante *Type de démarrage*, sélectionnez la valeur souhaitée.

⚠ ATTENTION

Modifications

Avant toute modification, créez un point de restauration. Une fois la modification effectuée, testez sa validité après un redémarrage de la machine.

Tableau 4.1 : *Le type de démarrage est le statut d'origine du service*		
Nom du service	**Type de démarrage**	**Conseil**
Accès au registre à distance	*Automatique*	Ce service permet aux utilisateurs du réseau de modifier la Base de registre à distance. Désactivez ce service si vous souhaitez uniquement y accéder sur la machine locale.
Agent de protection d'accès réseau	*Manuel*	Ce service est utile uniquement dans les réseaux d'entreprises. Il peut être désactivé si vous utilisez de manière personnelle votre ordinateur.
Assistance IP	*Automatique*	Ce service permet d'utiliser la technologie IP dernière génération (IPv6), encore peu implantée. Désactivez ce service si vous ne projetez pas d'utiliser IPv6 sur votre réseau.
Carte à puces	*Automatique*	Les cartes à puces permettent l'authentification sur le système ; généralement peu utilisées chez un particulier. Désactivez ce service.
Contrôle parental	*Automatique*	Ce service permet la gestion du contrôle parental. Si l'ordinateur n'est pas utilisé par des enfants, désactivez ce service.
Expérience audio-vidéo haute qualité Windows	*Automatique*	Cet outil peut être désactivé si l'ordinateur ne partage pas de données multimédias, pour une diffusion sur le réseau. Il permet d'assurer la qualité de service pour le transport audio et vidéo à travers le réseau. Si vous n'utilisez pas de périphérique tels qu'un Extender Media center ou n'assurez pas la diffusion a travers Windows Media Player, désactivez ce service.

Tableau 4.1 : *Le type de démarrage est le statut d'origine du service*

Nom du service	Type de démarrage	Conseil
Fichiers hors connexion	*Automatique*	Les fichiers hors connexion sont une fonctionnalité de Windows liée aux partages de fichiers. Elle permet de stocker sur un ordinateur l'intégralité des documents disponible sur le partage. À chaque reconnexion sur le réseau, le service *Fichiers hors connexion* effectuera une synchronisation avec la machine assurant le partage. Si vous n'utilisez pas cette fonctionnalité, désactivez le service.
Gestion d'applications	*Automatique*	Ce service permet la diffusion et l'installation des applications sur un réseau d'entreprise. Ce service peut être désactivé sur un ordinateur utilisé au domicile.
Interruption SNMP	*Manuel*	SNMP est un outil de diagnostic permettant de connaître en temps réel l'état d'un ordinateur ou d'un périphérique réseau. Ce service est utile uniquement si un outil de gestion SNMP est disponible sur le réseau. Dans le cas contraire, désactivez ce service.
Lanceur des services Windows Media Center	*Automatique*	Ce service permet l'exécution du logiciel Windows Media Center. Si vous n'utilisez pas cet outil, désactivez le service.
Modules de génération de clés IKE et AuthIP	*Automatique*	Service utilisé pour la sécurisation des données lorsqu'une session Ipsec (transmissions sécurisées sur un réseau IP) est établie. Désactivez ce service si vous n'utilisez pas Ipsec.

Tableau 4.1 : *Le type de démarrage est le statut d'origine du service*

Nom du service	Type de démarrage	Conseil
Protocole EAP (Extensible Authentification Protocol)	*Automatique*	Ce protocole est utilisé pour des méthodes d'authentifications spécifiques sur un réseau Wi-Fi ou une authentification par carte à puces. Désactivez ce service si cela ne correspond pas à votre infrastructure.
Registre à distance	*Automatique*	Ce service permet l'accès à la Base de registre depuis un ordinateur distant. Désactivez ce service.
Service de planification Windows Media Center	*Automatique*	Désactivez ce service si vous n'utilisez pas Media Center.
Service Panneau de saisie Tablet PC	*Automatique*	Si l'ordinateur n'est pas un modèle tablet PC, désactivez ce service.
Service SNMP	*Automatique*	Service permettant la réception des informations SNMP sur le réseau. Désactivez ce service.
Service Windows Media Center Extender	*Automatique*	Si vous n'utilisez pas de périphériques média center Extender tel qu'une Xbox 360, désactivez ce service.
Stratégie de retrait de la carte à puce	*Automatique*	Si vous n'utilisez pas de cartes à puces pour l'authentification, désactivez ce service.

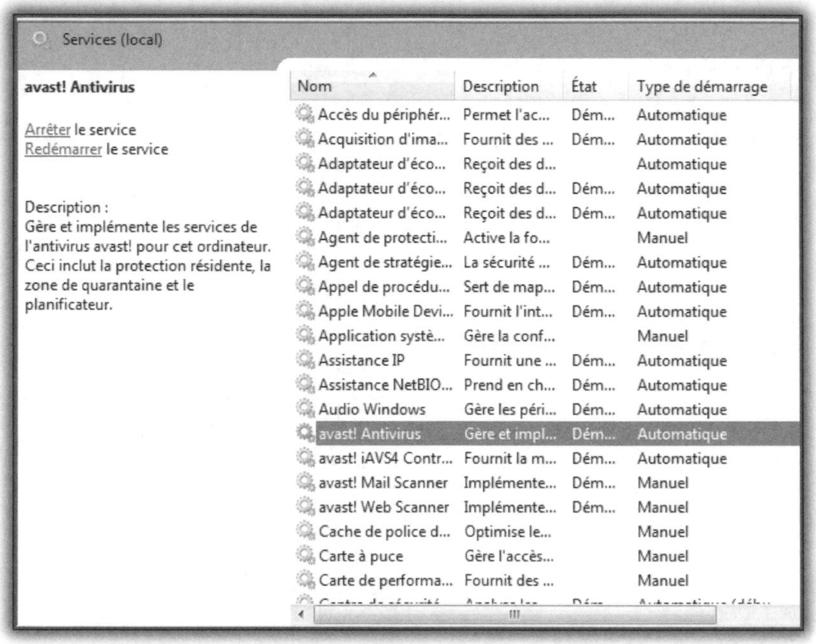

Figure 4.56 : *La console de gestion des services*

Optimisation de Windows Vista pour la marche courante

La fonction Superfetch

La fonction Superfetch est activée par défaut sur Windows Vista. Cette fonctionnalité permet, selon l'utilisation de l'ordinateur, de précharger en mémoire les composants les plus utilisés. Par exemple, dans le cas d'une utilisation bureautique poussée, la fonction Superfetch détectera une utilisation de Microsoft Word et de Microsoft Excel et pré chargera en mémoire les programmes les plus utilisés. Superfetch fera la distinction entre la semaine et le week-end. Si le week-end vous utilisez plutôt un logiciel de montage photo ou vidéo, celui-ci sera chargé en mémoire.

Cet outil tourne constamment en mémoire afin de détecter les programmes les plus utilisés ; la consommation mémoire augmentera sensiblement. Cependant, pour améliorer les performances, si vous considérez ne jamais utiliser les mêmes applications, il peut être utile de désactiver Superfetch.

Cette fonction est basée sur le service nommé Superfetch. Pour le désactiver :

1 Cliquez sur le bouton **Démarrer**. Dans la zone de recherche, saisissez services puis cliquez sur **Services** dans la liste des programmes.

2 Une fois la fenêtre de gestion de services affichée, recherchez le service *Superfetch*.

3 Double-cliquez sur le nom du service *Superfetch*. Dans la boîte de dialogue de propriétés du service, cliquez sur le bouton **Arrêter**. Cliquez sur la liste déroulante *Type de démarrage*. Sélectionnez **Désactivé** et cliquez sur OK.

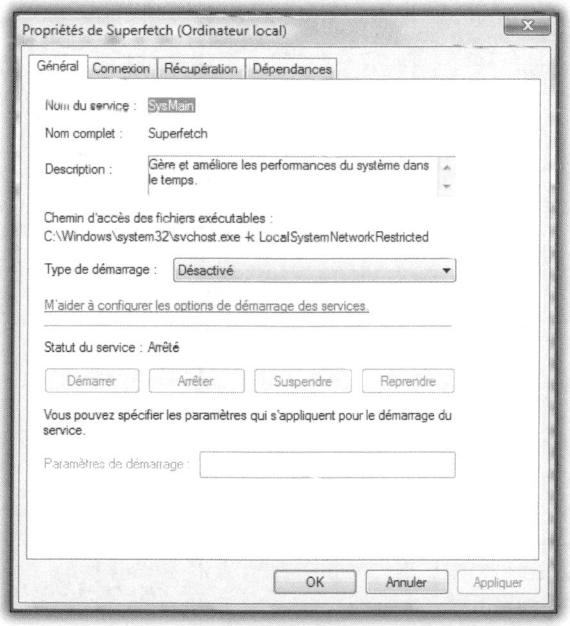

Figure 4.57 :
La boîte de dialogue du service Superfetch, dans la console de gestion des services

Le fichier d'échange

Le fichier d'échange de Windows permet de stocker des éléments temporaires de la mémoire vive vers le disque dur. Ce fichier d'échange est utilisé pour libérer de la mémoire physique, dans le cas de lourdes opérations. Les opérations sur le fichier d'échange sont nombreuses, surtout lors d'utilisation de logiciels multimédias tels que Windows Movie Maker. Il est recommandé de déplacer le fichier d'échange sur un disque physique différent de celui où le système est installé, ou de celui où beaucoup de fichiers sont traités.

Déplacer le fichier d'échange

Les paramètres du fichier d'échange sont disponibles dans les propriétés système.

1 Pour accéder au paramétrage du fichier d'échange, cliquez sur le bouton **Démarrer/Panneau de configuration/Système et maintenance** et cliquez sur le lien **Système**.

2 Dans la fenêtre **Propriétés système**, cliquez sur le lien *Paramètres système avancés*.

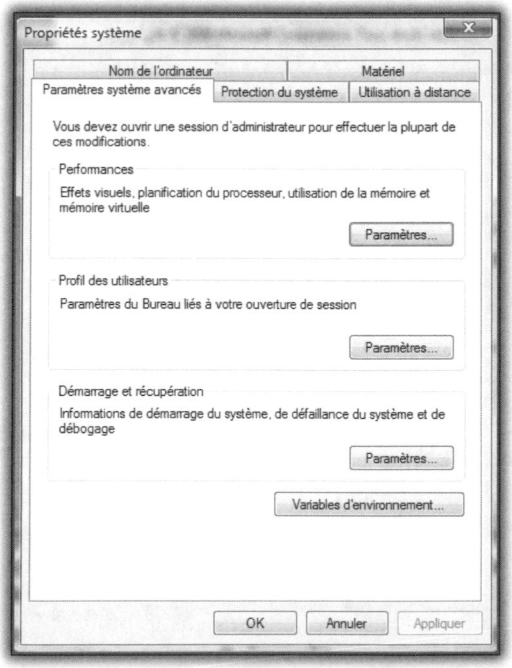

Figure 4.58 :
La boîte de dialogue
des propriétés du
système avancé

3 Dans la fenêtre **Propriétés systèmes**, assurez-vous que l'onglet sélectionné est **Paramètres système avancé**. Dans la section *performances*, cliquez sur le bouton **Paramètres**.

4 Une fois la boîte de dialogue **Options de performances** affichée, sélectionnez l'onglet **Avancé**.

5 Dans la section *Mémoire virtuelle*, cliquez sur le bouton **Modifier**.

En fonction de la configuration matérielle de l'ordinateur, Windows estimera une taille recommandée pour le fichier d'échange. Cette taille recommandée se situe dans la section *Taille totale du fichier d'échange pour tous les lecteurs*.

6 Décochez au besoin la case *Gérer automatiquement le fichier d'échange pour tous les lecteurs*.

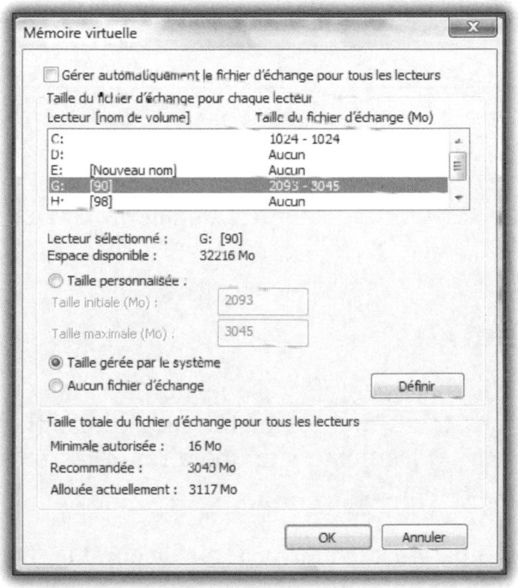

Figure 4.59 :
Paramètres de la
gestion du fichier
d'échange

7 Dans la section *Taille totale du fichier d'échange pour chaque lecteur*, sélectionnez le disque *C:* puis cliquez sur la puce *Aucun fichier d'échange*. Cliquez sur le bouton **Définir**. Sélectionnez un autre lecteur (de préférence sur un autre disque physique), cliquez sur la puce *Taille gérée par le système* puis cliquez sur le bouton **Définir**. Une fois cette opération terminée, cliquez sur le bouton OK ; vous serez invité à redémarrer le système.

Vider le fichier d'échange après chaque redémarrage

Le fichier d'échange de Windows n'est pas forcément purgé à chaque démarrage ou arrêt du système. Chaque accès à ce fichier nécessite de créer une nouvelle page mémoire. Il arrivera que les pages mémoire du fichier d'échange se retrouvent fragmentées. Les accès disques seront de plus en plus long, en particulier si l'ordinateur dispose de moins d'un gigaoctet de mémoire physique.

Pour optimiser la gestion du fichier d'échange, celui-ci peut être vidé à chaque redémarrage de la machine.

1 Cliquez sur le bouton **Démarrer**. Dans la zone de saisie *Rechercher* tapez Regedit et appuyez sur la touche [↵].

ATTENTION

Modification de la Base de registre

Toute modification de la Base de registre nécessite d'avoir réalisé un point de restauration.

2 Recherchez la clé : HKEY_LOCAL_MACHINE\SYSTEM\Current ControlSet\Control\Session Manager\Memory Management. Double-cliquez sur ClearPageFileAtShutdown et modifiez la valeur de 0 à 1.

Nettoyer les disques

Les disques durs et particulièrement le disque dur système stockent énormément d'informations telles que les historiques d'installations, y compris les patchs de sécurité, les fichiers temporaires et les pages web visitées, pour des raisons de rapidité.

Au bout de quelques temps, le disque système accumule beaucoup d'informations, c'est pourquoi un nettoyage s'impose.

1 Pour démarrer l'outil de nettoyage de disque, cliquez sur le bouton **Démarrer/Tous les Programmes/Accessoires/Outils système/Nettoyage de disque**.

2 Une boîte de dialogue de sélection de disque apparaîtra, avec les différents lecteurs affichés dans une liste déroulante. Sélectionnez le disque **C:** puis cliquez sur le bouton OK.

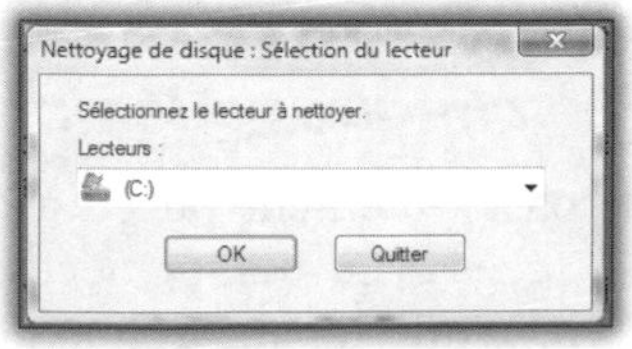

Figure 4.60 :
Sélection du lecteur à nettoyer par l'outil de nettoyage de disque

L'ordinateur analyse les différents fichiers qu'il pourra supprimer.

Une fois l'analyse terminée, l'outil de nettoyage de disque affiche une liste de composants qu'il estime pouvoir supprimer.

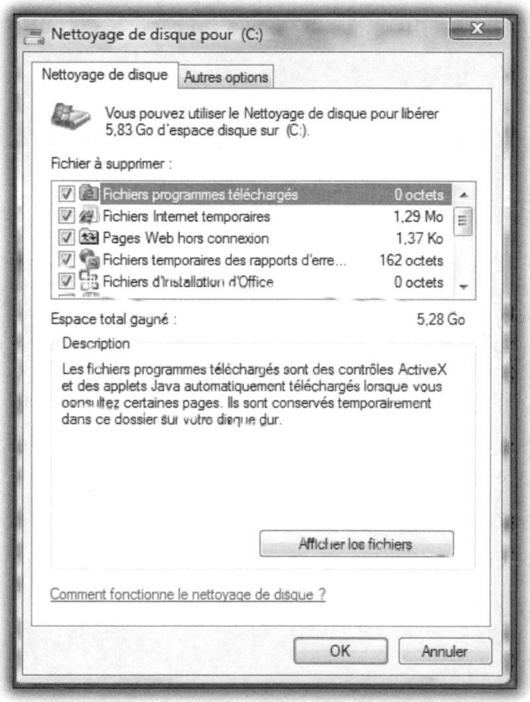

Figure 4.61 :
Liste des types de fichiers
pouvant être supprimés

3 Sélectionnez les composants à supprimer ou non en activant les cases à cocher se rapportant à ces derniers. Assurez-vous que la case à cocher *Fichiers temporaires* est bien sélectionnée. Cliquez sur le bouton OK pour que l'outil procède à la suppression des fichiers.

4.7. Check-list

▪ empêcher la perte du mot de passe d'un compte administrateur ;
▪ réinitialiser un mot de passe avec un disque de réinitialisation de mot de passe ;
▪ éviter et bloquer les tentatives d'intrusion sur son ordinateur ;

- paramétrer le Centre de sécurité de Windows ;
- paramétrer le pare-feu de Windows Vista ;
- empêcher les logiciels espions de s'implanter sur l'ordinateur ;
- rechercher la présence de logiciels espions ;
- configurer son programme antivirus avec le Centre de sécurité Windows ;
- traiter des fichiers infectés par un virus ;
- limiter le nombre de notifications du Centre de sécurité Windows ;
- faire un retour arrière suite à une mise à jour automatique de Windows Vista ;
- sauvegarder et restaurer l'intégralité du Registre de Windows (créer et appliquer un point de restauration) ;
- effectuer une sauvegarde des données utilisateur ;
- restaurer depuis une sauvegarde une partie ou l'intégralité des données d'un utilisateur ;
- procéder à une sauvegarde complète de l'ordinateur ;
- effectuer une restauration complète de l'ordinateur ;
- défragmenter les disques durs ;
- désactiver des éléments superflus ou inutiles lors du chargement de Windows ;
- désactiver les services inutiles ;
- modifier l'emplacement et la taille du fichier d'échange ;

Les pannes logicielles

Désormais Windows Vista intègre de nombreuses fonctions d'assistance dont une aide au dépannage, voire un Assistant qui en étant connecté à Internet, fait une proposition pour appliquer un correctif. Grâce à une connexion Internet, de multiples bases de connaissances sur des erreurs de fonctionnement logiciels sont mises à jour et peuvent ainsi être consultées pour aider à la résolution d'un problème d'exécution de programme.

Même si ces Assistants sont efficaces, il faut parfois résoudre par soi-même les erreurs qui surviennent, principalement pour dépanner son PC suite à une erreur d'exécution d'un programme. Il est nécessaire de décomposer son intervention en deux grandes étapes :

- l'identification de l'erreur ;
- la réalisation des actions nécessaires à la résolution.

Pour aider à la première étape de diagnostic, nous appréhenderons le principe simplifié qu'un logiciel, pour fonctionner, utilise les couches successives suivantes :

- le système d'exploitation ;
- le cœur du programme composé d'un ou plusieurs fichiers exécutables (*.EXE*, *.BAT*, *.COM*, etc.) ;
- les fichiers de paramètres (fichiers type *DLL*, entrées dans la Base de registre, etc.) ;
- les fichiers de l'utilisateur, comme les fichiers images (*JPEG*, *GIFF*, …), vidéo (*AVI*, *WMV*, *MPEG*, …), Word (*DOCX*), etc.

Pour ce qui est d'appliquer une correction, nous vous invitons à consulter les fiches de ce chapitre selon les affirmations suivantes, lors de l'utilisation du programme. Ces affirmations découlent directement du raisonnement du fonctionnement d'un programme en couches. Elles catégorisent les incidents et permettent d'orienter vers les corrections à appliquer.

5.1. Mon programme ne démarre plus

Cette affirmation présuppose que le programme a déjà fonctionné avec le système d'exploitation installé sur la machine.

Il faut réparer le programme, restaurer la configuration machine à une date antérieure ou réinstaller le programme.

Quelques références dans le chapitre :

- diagnostiquer et réparer Microsoft Office 2007 ;
- utiliser un point de restauration ;
- auto diagnostic ou auto réparation.

5.2. Mon programme ne démarre pas

Cette affirmation permet d'envisager que le programme n'a jamais fonctionné sur le système courant.

Il faut réinstaller le programme s'il est prévu pour fonctionner avec le système d'exploitation de la machine, exécuter le programme en mode de compatibilité, ou émuler un autre système et installer le programme sur ce dernier.

Quelques références dans le chapitre :

- installer un logiciel ;
- interagir sur les propriétés de compatibilité ;
- émuler un autre système d'exploitation avec Virtual PC 2007.

5.3. Installer ou désinstaller correctement un logiciel

L'utilisation d'un programme sur un ordinateur et la survenue d'une erreur peuvent être comparées à un accident dans le cycle de vie du logiciel. L'installation ou la désinstallation étant les phases de début et de fin de ce cycle. C'est pourquoi ces deux périodes sont importantes, voire sources de problèmes, et doivent être envisagées avec sérieux.

En effet, lors d'une installation, il peut s'avérer que tous les composants nécessaires au fonctionnement du programme ne soient pas installés, provoquant ainsi des erreurs lors de l'exécution. De même à la désinstallation, il subsiste parfois des traces ou composants du programme qui peuvent empêcher sa réinstallation, voire provoquer des conflits avec des composants d'autres programmes. Dans le cadre de la résolution d'un incident d'exécution d'un programme, nous aborderons ces deux étapes.

Rapports et solutions aux problèmes

À l'exécution d'un programme sous Windows Vista, lorsque celui-ci provoque une erreur soit le système a le temps nécessaire et la possibilité de garder une trace de cet événement, soit il ne l'a pas et s'arrête de fonctionner. Dans le premier cas, cet incident programme enregistre les traces de l'erreur mais ouvre également un Assistant de dépannage. Cet Assistant peut également être utilisé a posteriori.

Au moment de l'erreur

La fenêtre **Microsoft Windows** s'affiche, indiquant le programme à l'origine de l'incident.

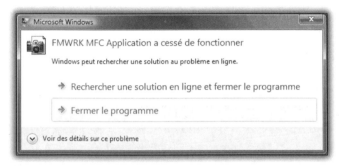

Figure 5.1 : *Microsoft Windows*

REMARQUE

Résolution d'incident

Lorsque des messages d'erreurs apparaissent, il faut prendre le temps de bien lire. En effet, les informations affichées par le système sont autant de mots-clés pour une recherche efficace ultérieurement, en particulier le nom du programme qui a provoqué l'erreur et son éditeur.

Cliquez sur le bouton **Rechercher une solution en ligne et fermer le programme** pour rechercher sur les bases de connaissance Microsoft et vérifier si cet incident est déjà connu.

Rechercher une erreur

Lorsqu'un logiciel provoque des erreurs lors de son exécution, un enregistrement de cet incident est probablement automatiquement conservé par Windows Vista. Pour visualiser l'ensemble des problèmes dus à un programme sur votre système, procédez comme indiqué ci-après :

1 Cliquez sur **Panneau de configuration** dans le volet droit du menu **Démarrer**.

2 Cliquez sur **Système et maintenance** dans la fenêtre **Panneau de configuration**.

3 Cliquez sur **Afficher l'historique des problèmes** dans la rubrique *Rapports et solutions aux problèmes* dans la fenêtre courante. La liste des problèmes d'applications s'affiche.

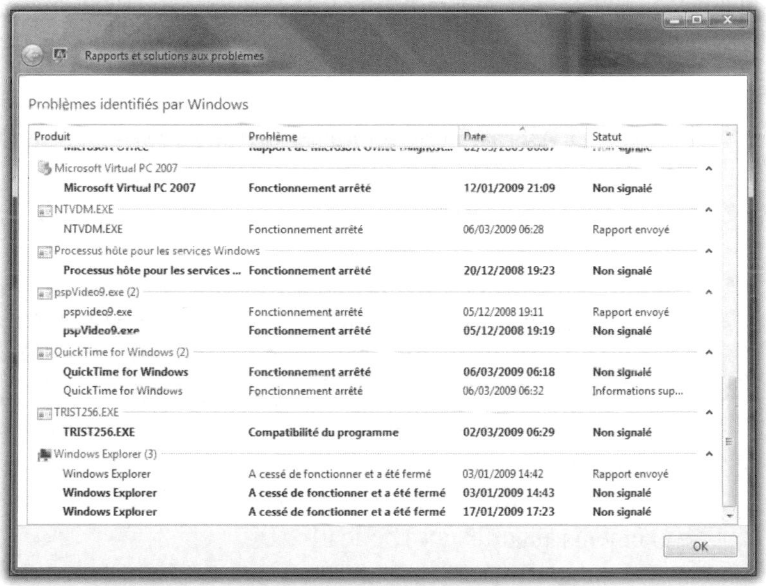

Produit	Problème	Date	Statut
Microsoft Office	Rapport de Microsoft Office (Diagnost...	02/03/2009 06:07	Non signalé
Microsoft Virtual PC 2007			
Microsoft Virtual PC 2007	Fonctionnement arrêté	12/01/2009 21:09	Non signalé
NTVDM.EXE			
NTVDM.EXE	Fonctionnement arrêté	06/03/2009 06:28	Rapport envoyé
Processus hôte pour les services Windows			
Processus hôte pour les services ...	Fonctionnement arrêté	20/12/2008 19:23	Non signalé
pspVideo9.exe (2)			
pspvideo9.exe	Fonctionnement arrêté	05/12/2008 19:11	Rapport envoyé
pspVideo9.exe	Fonctionnement arrêté	05/12/2008 19:19	Non signalé
QuickTime for Windows (2)			
QuickTime for Windows	Fonctionnement arrêté	06/03/2009 06:18	Non signalé
QuickTime for Windows	Fonctionnement arrêté	06/03/2009 06:32	Informations sup...
TRIST256.EXE			
TRIST256.EXE	Compatibilité du programme	02/03/2009 06:29	Non signalé
Windows Explorer (3)			
Windows Explorer	A cessé de fonctionner et a été fermé	03/01/2009 14:42	Rapport envoyé
Windows Explorer	A cessé de fonctionner et a été fermé	03/01/2009 14:43	Non signalé
Windows Explorer	A cessé de fonctionner et a été fermé	17/01/2009 17:23	Non signalé

Problèmes identifiés par Windows

Figure 5.2 : *Rapports et solutions aux problèmes*

4 Cliquez du bouton droit sur l'incident à corriger puis cliquez sur **Rechercher une solution** dans le menu contextuel.

REMARQUE

Détails concernant l'erreur
Double-cliquez sur l'incident identifié pour afficher le détail de l'erreur rencontrée.

5 Cliquez sur le bouton **Envoyer les informations** de la boîte de dialogue **Rapports et solutions aux problèmes**.

6 La boîte de dialogue se met à jour et informe des actions à réaliser. Il indique également si le problème n'a pas de nouvelle correction connue. Cliquez sur le bouton **Fermer** pour quitter cet Assistant.

7 Cliquez sur OK pour fermer la fenêtre **Rapports et solutions aux problèmes**.

Consulter le journal des événements

Toujours dans le cadre de l'identification des erreurs et des programmes qui les génèrent, il est fort probable que ces erreurs soient enregistrées dans le journal des événements.

Procédez ainsi :

1 Cliquez sur **Panneau de configuration** dans le volet droit du menu **Démarrer**.

2 Cliquez sur **Système et maintenance** dans la fenêtre **Panneau de configuration**.

3 Cliquez sur **Afficher les journaux d'événements** dans la rubrique *Outils d'administration* de la fenêtre courante. Cliquez sur **Continuer** à l'affichage de la fenêtre **Contrôle de compte d'utilisateur**.

4 Cliquez sur le répertoire **Journaux Windows** de la rubrique *Observateur d'événement (Local)* dans le volet gauche de la fenêtre **Observateur d'événements**.

5 Cliquez sur **Application** pour faire apparaître la liste des événements relatifs aux applications.

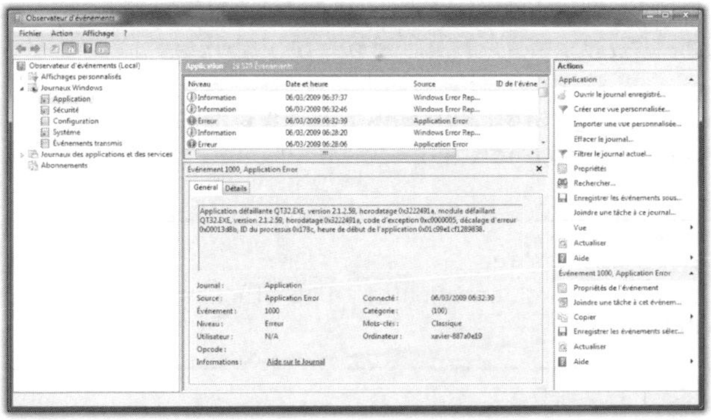

Figure 5.3 :
Journal des applications

6 Rendez-vous sur l'événement de votre choix pour consulter le descriptif de l'erreur, dans la partie centrale de la fenêtre **Observateur d'événements**.

REMARQUE

Choix de l'événement

Pour choisir l'événement, vous pouvez :

- vous rendre à la date et à l'heure auxquelles votre application ne s'est pas exécutée comme vous l'attendiez et lire tous les événements de cette période ;
- vous rendre sur le premier événement de type erreur et vérifier que la date et l'heure correspondent à la survenue de votre problème.

7 Identifiez dans le descriptif de l'erreur le nom du programme qui a généré l'incident. Parfois, le message correspondant à l'erreur elle-même n'est pas très explicite. Aussi, consultez également les messages d'informations précédant immédiatement le message d'erreur pour identifier le nom du programme qui s'exécutait. Il y a de grandes probabilités que les deux événements contigus soient liés.

REMARQUE

ID de l'événement

Si vous êtes anglophone, consultez le site web www.eventid.net. Il donne de précieuses informations sur la nature des erreurs, en recherchant dans une base de connaissances qui indexe tous les identifiants d'événements et affiche un descriptif des problèmes connus associés.

Auto diagnostic ou auto réparation

De nombreux programmes intègrent désormais des fonctions de réparation automatique. C'est-à-dire qu'au moment du démarrage, un contrôle des composants nécessaires à leur fonctionnement s'effectue. En cas d'erreur lors de ce contrôle, un Assistant de réparation s'exécute.

Par exemple, c'est le cas pour le logiciel Microsoft Office 2007. En cas d'erreur au démarrage d'une des applications de la suite bureautique, l'Assistant Microsoft Office Diagnostics s'exécute automatiquement.

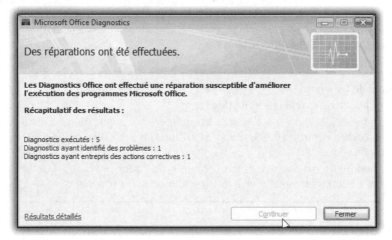

Figure 5.4 : *Microsoft Office Diagnostics*

Une fois l'analyse réalisée, un rapport s'affiche dans la fenêtre **Microsoft Office Diagnostics**. Cliquez sur **Fermer** pour quitter l'Assistant.

> **Auto réparation**
> Cette action est assez comparable à la réinstallation d'un programme sans désinstallation préalable. Même si votre programme ne possède pas de fonction d'auto diagnostic ou d'auto réparation, procédez vous-même à la réinstallation de votre programme à partir de vos fichiers d'origine.

Utiliser un point de restauration

Si le programme a déjà fonctionné sur votre machine, la possibilité de revenir à une configuration système antérieure devient possible. Pour cela, il suffit d'utiliser un point de restauration à une date à laquelle le logiciel était en état de fonctionnement.

1 Cliquez sur **Restauration du système** dans le menu **Démarrer/Tous les programmes/Accessoires/Outils système**. Cliquez sur **Continuer** à l'affichage de la fenêtre **Contrôle de compte d'utilisateur** pour permettre l'exécution de l'Assistant Création d'un point de restauration.

2 Cochez *Choisir un autre point de restauration* dans la fenêtre **Restauration du système**. Cliquez sur **Suivant**.

3 Cochez *Afficher les points de restauration de plus de 5 jours*. Sélectionnez dans la liste le point de restauration de votre choix, puis cliquez sur **Suivant** pour continuer l'Assistant.

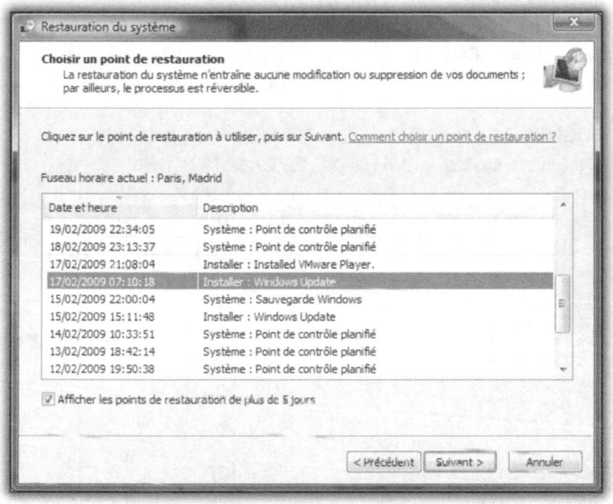

Figure 5.5 :
Lister les points de restauration

4 Cliquez sur **Terminer** dans la fenêtre **Restauration du système** pour confirmer le point de restauration choisi et lancer l'opération. Cliquez sur **Oui** dans la boîte de dialogue **Restauration du système** afin de confirmer le lancement de la restauration.

5 Une fenêtre avec une barre de progression s'affiche pendant l'exécution de l'opération, puis la machine redémarre à la fin de la restauration.

6 Une fois la machine redémarrée, une boîte de dialogue s'affiche informant de la bonne exécution de la restauration du système. Cliquez sur **Fermer** pour accéder à votre Bureau.

*Pour créer un point de restauration, consultez la section **Créer un point de restauration** plus loin dans ce chapitre, page 240.*

Interagir sur les propriétés de compatibilité

Windows Vista permet d'interagir sur le mode de démarrage des logiciels installés, en modifiant les propriétés d'exécution de ces derniers. Ainsi le mode Compatibilité permet de modifier les propriétés d'exécution suivantes.

Tableau 5.1 : *Compatibilité*		
Rubrique	**Option d'exécution**	**Condition de choix (liste non exhaustive)**
Mode de compatibilité	Exécuter ce programme en mode Compatibilité pour	Ancien programme, qui ne s'exécute pas après installation, avec un message d'erreur indiquant un problème de version de Windows
Paramètres	Exécuter en 256 couleurs	Problème de démarrage avec un message d'erreur relatif aux nombres de couleurs à afficher
Paramètres	Exécuter avec une résolution d'écran de 640 x 480	Problème de démarrage avec un message d'erreur relatif à la résolution d'écran
Paramètres	Désactiver les thèmes visuels	Problème d'affichage à l'exécution du programme
Paramètres	Désactiver la composition du Bureau	Problème de scintillement à l'exécution du programme
Paramètres	Désactiver la mise à l'échelle de l'affichage pour les résolutions élevées	Écran noir en fonction de la taille de la fenêtre d'exécution du programme
Niveau de privilège	Exécuter ce programme en tant qu'Administrateur	Problème pour écrire un fichier sur le disque à l'exécution

Pour accéder aux propriétés de compatibilité d'un programme et visualiser ainsi chacune des rubriques, cliquez du bouton droit sur l'icône du programme à utiliser, puis sélectionnez **Propriétés** dans le menu contextuel. Cliquez ensuite sur l'onglet **Compatibilité**.

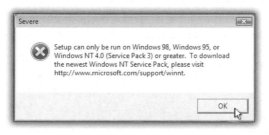

Figure 5.6 :
Compatibilité

Mode de compatibilité

Lorsqu'un ancien programme est installé sur le nouveau système d'exploitation Windows Vista, il peut arriver que des erreurs surviennent lors de son utilisation, par exemple une fenêtre qui se ferme de manière intempestive, une fonctionnalité qui refuse de se lancer, etc. En effet, d'une version à l'autre d'un système d'exploitation tel que Windows, des différences de fonctionnement surviennent dans la façon de prendre en charge les ordres du logiciel par le noyau.

Figure 5.7 :
Erreur de Compatibilité

Même si une certaine compatibilité est conservée, il est nécessaire parfois de forcer l'utilisation d'un programme dans le système d'exploitation pour lequel il fonctionne le mieux.

1 Cliquez du bouton droit sur l'icône du programme à utiliser puis sélectionnez **Propriétés** dans le menu contextuel.

2 Cliquez sur l'onglet **Compatibilité**. Cochez *Exécuter ce programme en mode de compatibilité pour* puis sélectionnez dans la liste déroulante le mode de compatibilité à appliquer dans la rubrique *Compatibilité* de la fenêtre **Propriétés nom du programme**.

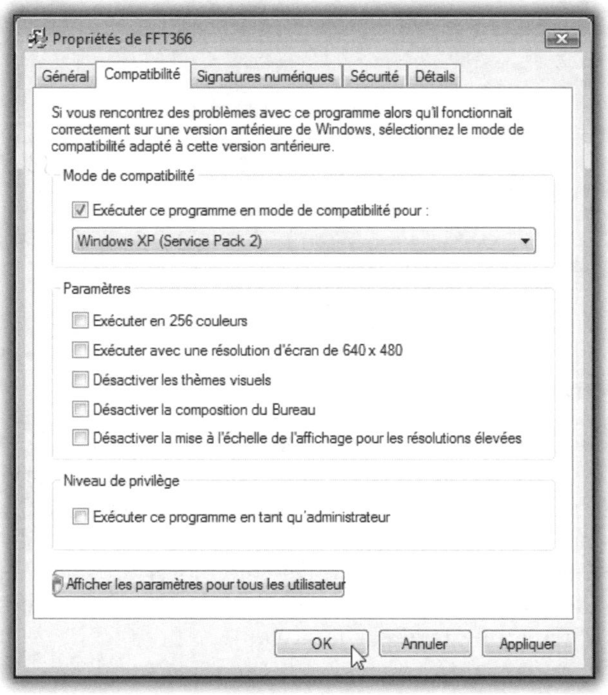

Figure 5.8 :
Utiliser un programme en mode de compatibilité

Voici les détails concernant les modes de compatibilité.

Tableau 5.2 : Modes de compatibilité
Version émulée
Windows 95
Windows 98
Windows NT 4

Tableau 5.2 : *Modes de compatibilité*
Version émulée
Windows 2000
Windows XP (Service Pack 2)
Windows Server 2003 (Service Pack 1)

3 Cliquez sur le bouton **Appliquer** pour prendre en compte les modifications puis cliquez sur OK pour fermer la fenêtre **Propriétés nom du programme**.

Mode Compatibilité

Le mode Compatibilité ne constitue pas une émulation du système indiqué à part entière, mais agit un peu à la manière d'un traducteur qui ne connaîtrait qu'un alphabet. Aussi, certains anciens programmes contiennent des accès au cœur du système d'origine qui peuvent ne pas être pris en charge et avoir un impact différent sur Windows Vista. Souvent les programmes pour lesquels il faut être le plus vigilant sont ceux qui pilotent des accès aux périphériques, CD ou DVD compris.

Émuler un autre système d'exploitation

Dans la liste des systèmes pris en charge par le mode de compatibilité, le système DOS ne figure plus. Désormais pour faire fonctionner un programme DOS, il est nécessaire d'utiliser un émulateur. Pour ce faire, Microsoft propose en téléchargement Virtual PC 2007.

*Consultez la section **Émuler un autre système d'exploitation avec Virtual PC 2007** située plus loin dans ce chapitre, page 248.*

Paramètres

Les différentes options pouvant être sélectionnées dans la rubrique *Paramètres* correspondent à des paramètres d'affichage. En effet, de nombreux problèmes d'exécution d'un programme sont liés aux propriétés d'affichage. Ainsi, lors de l'exécution d'un programme, des éclats à l'affichage de la fenêtre peuvent se produire, comme des scintillements. Si ces symptômes n'apparaissent que sur la fenêtre nouvellement affichée, il peut s'agir d'un problème de compatibilité avec Aero, le nouveau gestionnaire de l'interface graphique de Windows Vista, et non d'un problème matériel. Aussi, avant d'effectuer un dépannage sur votre matériel, essayez toutes les options d'affichage.

1 Cliquez du bouton droit sur l'icône du programme à utiliser puis sélectionnez **Propriétés** dans le menu contextuel.

2 Cliquez sur l'onglet **Compatibilité** puis cochez l'option de votre choix dans la rubrique *Paramètres* de la fenêtre **Propriétés nom du programme**. Ainsi pour désactiver Aero pour un seul programme, cochez **Désactiver la composition du Bureau**.

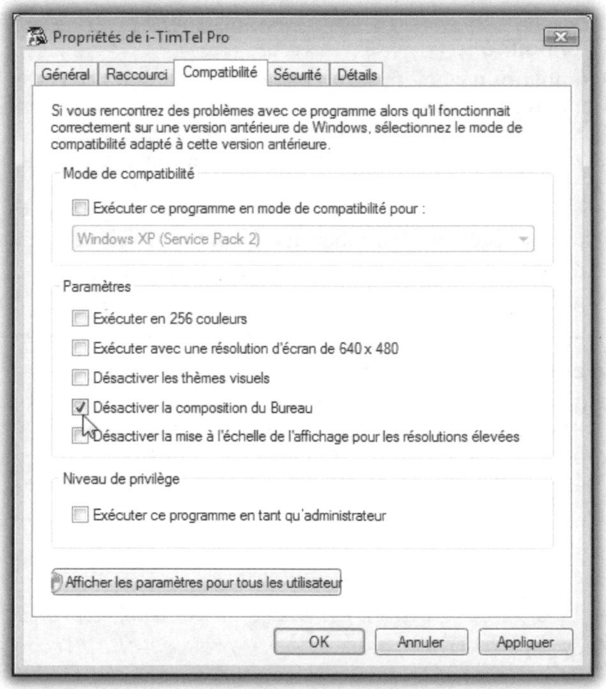

Figure 5.9 :
Désactiver la
composition
du Bureau

3 Cliquez sur le bouton **Appliquer** pour prendre en compte les modifications puis cliquez sur OK pour fermer la fenêtre **Propriétés nom du programme**. Exécutez de nouveau le programme pour contrôler son fonctionnement.

4 Répétez ces opérations pour chacun des paramètres d'affichage, jusqu'à ce que votre programme démarre correctement.

Niveau de privilège

Pour des raisons de sécurité et de protection des données de l'ordinateur, les programmes s'installent par défaut avec les droits de l'utilisateur qui a ouvert la session Windows Vista. Si la plupart du temps, ce mode d'installation est à privilégier, il peut être nécessaire d'installer un programme en tant qu'administrateur complet de la machine. En effet, certains programmes cherchent à modifier des fichiers système lorsqu'ils s'installent et ne peuvent donc compléter leur installation que si cette dernière est effectuée en mode Administrateur de la machine.

Le plus courant pour cette situation demeure l'affichage d'une boîte de dialogue contenant un message d'erreur de type "*Impossible d'écrire dans un répertoire*" lors de l'installation du produit.

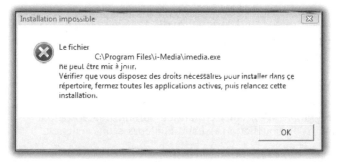

Figure 5.10 : Message d'erreur

1 Cliquez du bouton droit sur l'icône du programme à utiliser, puis sélectionnez **Propriétés** dans le menu contextuel.

2 Cliquez sur l'onglet **Compatibilité**, puis cochez *Exécuter ce programme en tant qu'Administrateur* dans la rubrique *Niveau de privilège* de la fenêtre **Propriétés nom du programme**.

3 Cliquez sur le bouton **Appliquer** pour prendre en compte les modifications, puis cliquez sur OK pour fermer la fenêtre **Propriétés nom du programme**. Exécutez de nouveau le programme pour contrôler son fonctionnement.

Également, le niveau de privilège peut être modifié directement dans le menu contextuel de l'icône du programme à exécuter.

1 Cliquez du bouton droit sur l'icône du programme d'installation du logiciel à installer, puis sélectionnez **Exécuter en tant qu'Administrateur** dans le menu contextuel.

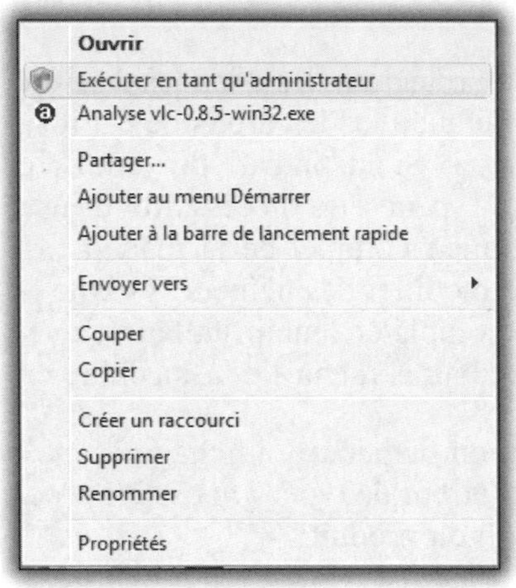

Ouvrir
Exécuter en tant qu'administrateur
Analyse vlc-0.8.5-win32.exe
Partager...
Ajouter au menu Démarrer
Ajouter à la barre de lancement rapide
Envoyer vers ▸
Couper
Copier
Créer un raccourci
Supprimer
Renommer
Propriétés

Figure 5.11 :
Installer un programme en tant qu'administrateur

2 Cliquez sur **Autoriser** à l'affichage de la fenêtre **Contrôle de compte d'utilisateur** pour démarrer l'installation spécifique au programme. Suivez les instructions proposées par l'Assistant.

Programme exécuté en tant qu'administrateur

REMARQUE

L'icône du programme à exécuter en tant qu'administrateur a été modifiée par l'ajout d'un bouclier aux quatre couleurs d'une fenêtre Windows.

Installation en tant qu'administrateur

ATTENTION

N'utilisez cette option d'installation qu'avec des programmes dont vous êtes sûr de l'origine. En effet, un logiciel malveillant installé en tant qu'administrateur aura la possibilité de faire beaucoup plus de dégâts qu'en mode d'installation standard.

Créer un point de restauration

Si malgré les actions précédentes, le programme refuse obstinément de démarrer, il faut désormais le désinstallerpuis le réinstaller. En revanche, ces opérations peuvent engendrer des modifications importantes dans la Base de registre, c'est pourquoi afin de se donner la possibilité de revenir en arrière sur la désinstallation d'un programme, il est nécessaire de créer un point de restauration.

Pour cela :

1 Cliquez sur le bouton **Démarrer** puis cliquez du bouton droit sur **Ordinateur**. Sélectionnez **Propriétés** dans le menu contextuel.

2 Cliquez sur **Protection du système** dans le volet gauche de la fenêtre **Système et Maintenance/Système**. Cliquez sur **Continuer** à l'affichage de la fenêtre **Contrôle de compte d'utilisateur**.

3 Cliquez sur le bouton **Créer** de l'onglet **Protection du système** de la fenêtre **Propriétés du système**.

Figure 5.12 :
Propriétés du système

4 Saisissez un descriptif du point de restauration à créer dans le champ *Créez un point de restauration* de la boîte de dialogue **Protection du système**.

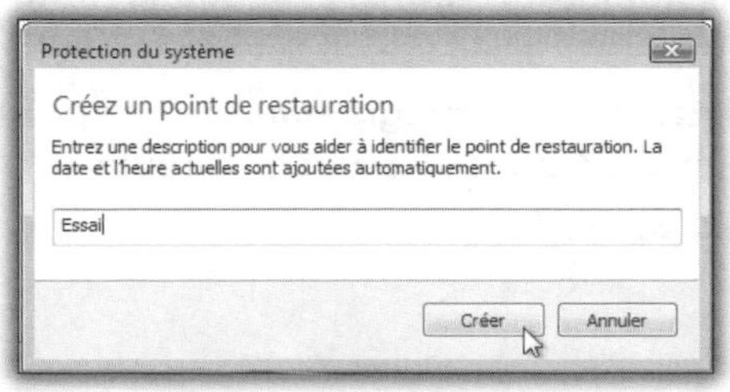

Figure 5.13 :
Descriptif point de restauration

Choix du descriptif

De la pertinence du descriptif dépendra la future facilité de choix du point de restauration. Aussi, nous vous conseillons d'indiquer le type d'action que vous allez réaliser après la création du point de restauration, le nom du logiciel que vous installez, une identification de la personne qui a réalisé l'action.

Exemple : `Avant installation Antivirus.`

5 Cliquez sur **Créer** dans la boîte de dialogue **Protection du système** pour démarrer la création du point de restauration. Pendant son exécution, une barre de progression s'affiche dans la boîte de dialogue **Protection du système**.

6 Une fois l'opération terminée, la boîte de dialogue **Protection du système** informe de la bonne exécution de l'action. Cliquez sur OK pour fermer cette boîte de dialogue et revenir à la fenêtre précédente **Propriétés du système**.

7 Cliquez sur OK pour fermer la fenêtre **Propriétés du système**.

Désinstaller un logiciel

Après avoir réalisé un point de restauration de votre système, vous pouvez procéder à la désinstallation de votre programme qui génère des erreurs. Pour un meilleur fonctionnement de votre ordinateur, il est nécessaire de bien désinstaller vos programmes. En effet, une désinstallation mal réalisée peut laisser des composants ou des traces du logiciel qui peuvent bloquer ou rentrer en conflit lors d'une réinstallation future du même logiciel, mais aussi parfois d'autres programmes. Aussi, nous vous conseillons de désinstaller les logiciels à l'aide du Gestionnaire de programmes Windows Vista.

1 Cliquez sur le bouton **Démarrer/Panneau de configuration** de la Barre des tâches de Windows Vista.

2 Cliquez sur **Désinstaller un programme** de la rubrique *Programmes* dans la fenêtre **Panneau de configuration**.

Figure 5.14 :
Désinstaller un programme

3 À l'ouverture de la fenêtre, la liste des programmes installés se construit. Sélectionnez le programme à désinstaller puis cliquez sur le bouton **Désinstaller**. Cliquez sur **Continuer** à l'affichage de la fenêtre **Contrôle de compte d'utilisateur**.

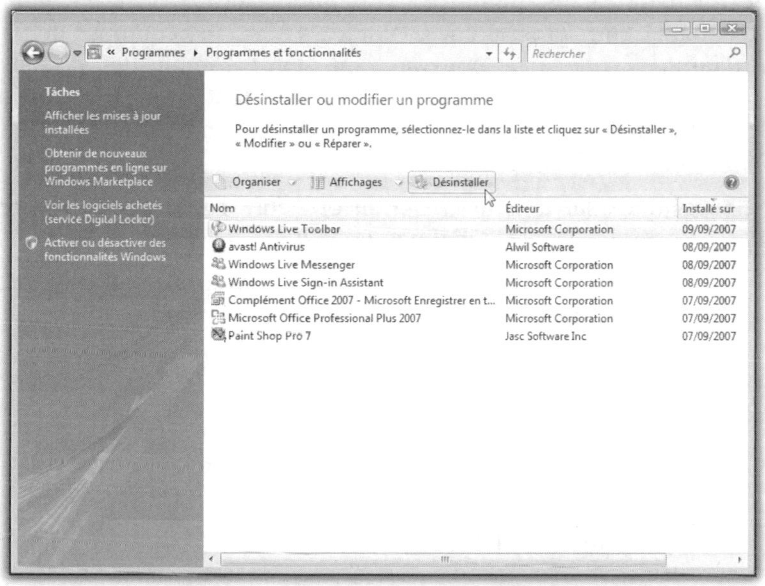

Figure 5.15 : *Choisir un programme à désinstaller*

4 Cliquez sur **Oui** à la demande de confirmation de la suppression du programme mentionnée, pour que Windows Installer débute la suppression de l'application.

REMARQUE

Options de désinstallation

Certain programmes demandent d'autres actions de la part de l'utilisateur. Sélectionnez les options correspondant à vos attentes.

5 Cliquez sur **OK** pour quitter la boîte de dialogue informant de la fin de la suppression du programme.

La liste des programmes installés se met à jour. Lorsque vous la consultez de nouveau, le logiciel désinstallé ne figure plus dans celle-ci.

Désinstaller un composant de Windows Vista

Certains programmes de Windows Vista ne sont pas visibles dans le Gestionnaire de programmes de Windows Vista. En effet, comme de nombreux autres programmes, Windows Vista est composé de plusieurs programmes, que nous pouvons considérer comme des options. Pour activer ou désactiver ces options, il faut se rendre dans le Gestionnaire de cette liste d'options. Celle-ci correspond aux fonctionnalités Windows pour Windows Vista.

1 Cliquez sur le bouton **Démarrer/Panneau de configuration** de la Barre des tâches de Windows Vista.

2 Cliquez sur **Désinstaller un programme** de la rubrique *Programmes* dans la fenêtre **Panneau de configuration**.

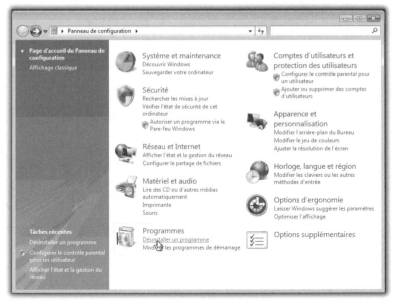

Figure 5.16 : *Désinstaller un programme*

3 À l'ouverture de la fenêtre, la liste des programmes installés se construit. Cliquez sur **Activer ou désactiver des fonctionnalités Windows** dans le volet gauche de la fenêtre **Programmes et fonctionnalités**. Cliquez sur **Continuer** à l'affichage de la fenêtre **Contrôle de compte d'utilisateur**.

4 Sélectionnez la fonctionnalité à retirer dans la fenêtre **Fonctionnalités de Windows**, puis cliquez sur OK. Une fenêtre **Microsoft Windows** s'affiche avec un indicateur de progression qui permet de visualiser l'avancement de la désinstallation.

Figure 5.17 :
Désinstaller une
fonctionnalité
Windows Vista

Une fois la fonctionnalité supprimée, les fenêtres **Microsoft Windows** et **Fonctionnalités de Windows** se ferment automatiquement.

Installer un logiciel

L'installation d'un nouveau programme engendre des modifications nombreuses dans la Base de registre du système Windows Vista. C'est pourquoi, avant chaque installation d'un programme, il est nécessaire de créer un point de restauration. Certains programmes réalisent cette opération eux-mêmes, mais afin de faciliter le repérage de ce point de restauration, il est plus simple de se créer son propre point de restauration.

Pour réaliser un point de restauration consultez la section *Créer un point de restauration page 240.*

Point de restauration

Le délai de rétention d'un point de restauration dépend de la place disque réservée aux points de restauration. L'espace disque utilisable par les points de restauration n'est pas paramétrable, mais il peut atteindre

REMARQUE

jusqu'à 15 % de l'espace de chacun de vos disques durs et vous devez avoir au minimum 300 Mo de disponible. Pour éviter de perdre la possibilité de revenir à un point de restauration que vous connaissez à cause de la consommation de l'espace disque, il est important de réaliser un point de restauration au minimum à chaque installation, mais aussi une fois par semaine lorsque votre système est en état de bon fonctionnement. En effet, en cas de besoin d'espace disque supplémentaire pour créer un nouveau point de restauration, c'est le plus ancien qui est remplacé et donc perdu. C'est pourquoi il faut maintenir des points de restauration à jour.

Une fois le point de restauration défini, exécutez le programme d'installation de votre logiciel. Généralement, le programme d'installation démarre à l'insertion du CD ou DVD-ROM de l'éditeur. Si l'installation ne démarre pas d'elle-même, recherchez sur le CD ou le DVD, un programme nommé Install ou Setup. En effet, dans la grande majorité des cas, les programmes d'installation portent l'un de ces deux noms. Double-cliquez sur le nom du fichier pour lancer son exécution.

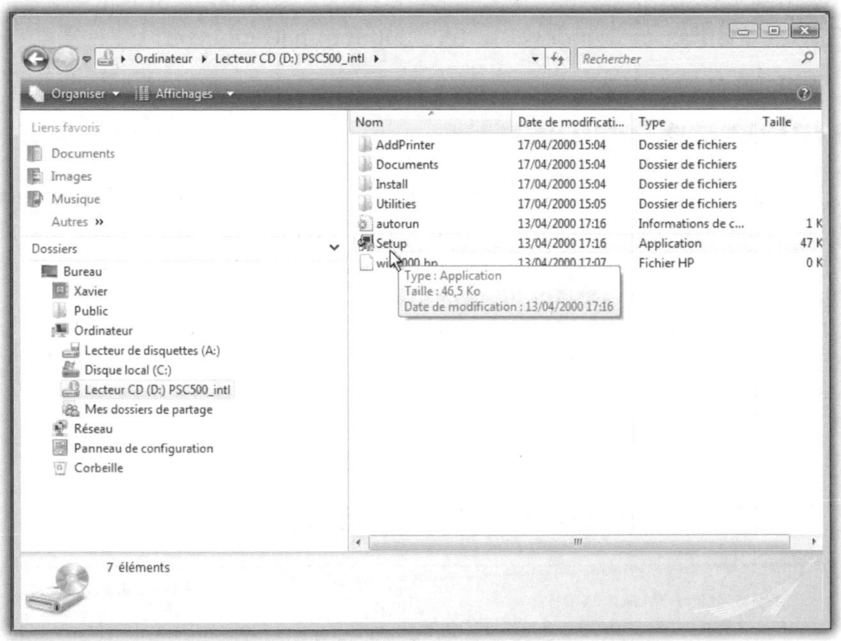

Figure 5.18 : *Programme d'installation*

Procédez à l'installation du programme en utilisant les options par défaut. En effet, vous aurez toujours la possibilité d'ajouter des options ou des composants du programme installé ultérieurement en modifiant les paramètres de votre application.

Options par défaut
REMARQUE
Les logiciels sont de plus en plus complexes et les délais de mise sur le marché raccourcis ; aussi les batteries de test, même si elles sont réalisées sérieusement par les éditeurs, ne peuvent identifier toutes les erreurs et/ou cas possibles. Selon ce principe, ce sont les options par défaut d'un programme qui demeurent les mieux testées, donc qui sont les plus robustes en terme de fiabilité ; c'est pourquoi nous vous recommandons d'installer un programme avec ses options par défaut. De plus, l'installation s'en trouvera simplifiée.

Si un programme a commis une erreur lors de son installation, l'Assistant Compatibilité de Windows Vista propose de réinstaller le programme.

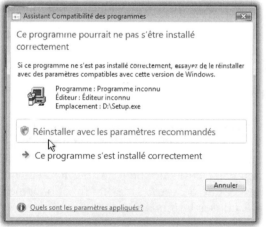

Figure 5.19 :
Réinstaller un programme

5.4. Paramétrer un programme pour corriger des erreurs

L'utilisation d'un programme sur un ordinateur et surtout la survenue d'une erreur, peut être comparée à un accident dans le cycle de vie du logiciel. Comme nous venons de voir dans le chapitre précédent, l'installation ou la désinstallation sont les phases de début et de fin de ce cycle. Mais principalement, les erreurs de fonctionnement d'un programme surviennent au cours de la vie du programme. Pour appréhender le dépannage d'un logiciel déjà installé sur la machine, nous considérons que celui-ci est composé en trois couches empilées :

- le cœur du programme, fichiers exécutables de type *.EXE*, *.BAT*, *.COM*, etc. ;
- les fichiers de paramètres de type *DLL*, entrées dans la Base de registre, etc. :
- les fichiers de l'utilisateur, comme les fichiers images (*JPEG*, *GIFF*, …), vidéos (*AVI*, *WMV*, *MPEG*, etc.), *Word* (*DOCX*), etc.

Pour corriger des erreurs concernant le cœur du programme, rendez-vous au début de ce chapitre dans la section **Installer ou désinstaller correctement un logiciel** *page 227.*

Les autres erreurs peuvent être corrigées pour la plupart soit en appliquant un correctif au programme en erreur, soit en modifiant ses options d'utilisation.

Émuler un autre système d'exploitation avec Virtual PC 2007

Parmi les erreurs qui empêchent un programme de fonctionner avec Windows Vista, ce peut être tout simplement que le programme n'a pas été conçu pour fonctionner avec le système d'exploitation Windows Vista. Si ce programme a été développé pour tourner avec une version antérieure de Windows et que des problèmes de fonctionnement apparaissent, il faut avant tout utiliser le mode Compatibilité.

Pour réaliser cette action, consultez la section **Interagir sur les propriétés de compatibilité** *page 233.*

En revanche, le programme a pu être réalisé pour un autre système d'exploitation que Microsoft Windows et, par conséquent, ne pas démarrer sous Windows Vista.

1 Pour télécharger Virtual PC 2007, rendez-vous sur le site Microsoft **http://www.microsoft.com/downloads/details.aspx?familyid= 04D26402-3199-48A3-AFA2-2DC0B40A73B6&displaylang=fr**.

2 Cliquez sur le bouton **Télécharger** correspondant à votre type de machine (32 bits ou 64 bits) situé dans rubrique *Nom de fichier* de la page web. Suivez les instructions indiquées dans la boîte de dialogue de téléchargement.

Figure 5.20 : *Télécharger Virtual PC 2007*

3 Installez le logiciel Virtual PC 2007 en suivant les recommandations d'installation d'un programme, en particulier en définissant un point de restauration.

Installer Microsoft Virtual PC

1 Ouvrez l'Explorateur et rendez-vous dans le répertoire où a été téléchargé le programme d'installation **Setup.exe**.

2 Double-cliquez sur le fichier **Setup.exe** pour lancer le programme.

3 Cliquez sur le bouton **Exécuter** de la fenêtre **Fichier ouvert - Avertissement de sécurité**.

Figure 5.21 :
Installer Virtual PC 2007

4 Cliquez sur **Continuer** dans la boîte de dialogue **Contrôle de compte d'utilisateur** pour autoriser l'Assistant d'installation à s'exécuter.

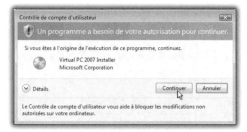

Figure 5.22 :
Contrôle de compte
Virtual PC 2007

5 Cliquez sur **Suivant** dans la nouvelle fenêtre **Assistant du logiciel "Microsoft Virtual PC 2007"**. Cliquez sur OK de la boîte de dialogue **Microsoft Virtual PC 2007** informant de la non prise en charge de Windows Vista par cette version de logiciel.

Figure 5.23 :
Assistant d'installation
Virtual PC 2007

6 Sélectionnez l'option **J'accepte les termes du contrat de licence** puis cliquez sur **Suivant**.

7 Conservez l'option par défaut *Tous les utilisateurs de cet ordinateur (Tous les utilisateurs)* puis cliquez sur **Suivant**.

8 Une fois tous les paramètres de l'installation définis, cliquez sur le bouton **Installer** de la fenêtre **Assistant du logiciel "Microsoft Virtual PC 2007"**. Une barre de progression s'affiche pendant la mise en place des fichiers sur le système.

9 Cliquez sur le bouton **Terminer** pour fermer la fenêtre **Assistant du logiciel "Microsoft Virtual PC 2007"**.

10 Désormais pour lancer la **Console Virtual PC**, cliquez sur **Microsoft Virtual PC** dans le menu **Démarrer/Tous les programmes**.

Figure 5.24 :
Démarrer Microsoft Virtual PC 2007

Configurer une machine virtuelle

Lors de votre première utilisation du logiciel, l'Assistant Nouvel ordinateur virtuel s'exécute. Autrement, cliquez sur le bouton **Nouveau** de la fenêtre **Console Virtual PC** pour démarrer l'Assistant. Pour l'exemple, la configuration de la machine virtuelle portera sur la création d'une machine MS-DOS, dans le but de faire fonctionner un ancien programme de jeu fonctionnant uniquement avec MS-DOS.

Procédez ainsi :

1 Cliquez sur **Suivant** dans la boîte de dialogue **Assistant nouvel ordinateur virtuel**.

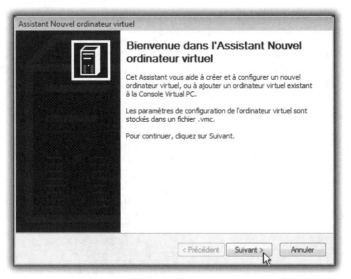

Figure 5.25 : *Assistant Nouvel ordinateur virtuel*

2 Cliquez sur **Suivant**, après avoir vérifié que l'option *Créer un ordinateur virtuel* était cochée.

3 Remplissez le champ *Nom et emplacement* en indiquant le nom de votre machine virtuelle. Cliquez sur le bouton **Suivant**. Pour l'exemple, inscrivez MS-DOS.

Emplacement par défaut

Le nom que vous donnez à la machine virtuelle sera le nom d'un répertoire qui sera créé par défaut dans le répertoire *Mes ordinateurs virtuels* dans *Documents*.

4 Sélectionnez le choix par défaut **Autre** dans la liste déroulante *Système d'exploitation* de la rubrique *Système d'exploitation*. Cliquez sur **Suivant**.

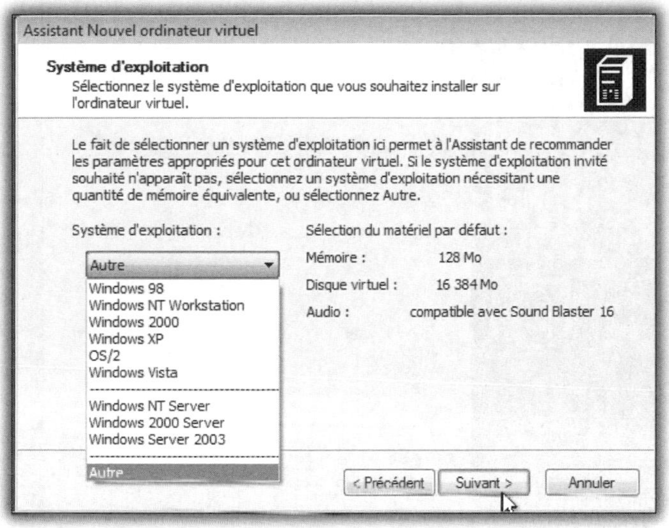

Assistant Nouvel ordinateur virtuel

Système d'exploitation
Sélectionnez le système d'exploitation que vous souhaitez installer sur
l'ordinateur virtuel.

Le fait de sélectionner un système d'exploitation ici permet à l'Assistant de recommander
les paramètres appropriés pour cet ordinateur virtuel. Si le système d'exploitation invité
souhaité n'apparaît pas, sélectionnez un système d'exploitation nécessitant une
quantité de mémoire équivalente, ou sélectionnez Autre.

Système d'exploitation :   Sélection du matériel par défaut :

Autre   Mémoire :   128 Mo

Windows 98   Disque virtuel :   16 384 Mo
Windows NT Workstation
Windows 2000   Audio :   compatible avec Sound Blaster 16
Windows XP
OS/2
Windows Vista

Windows NT Server
Windows 2000 Server
Windows Server 2003

Autre   < Précédent   Suivant >   Annuler

Figure 5.26 : Choix du système d'exploitation

REMARQUE

Système d'exploitation
   Le choix du système d'exploitation permet d'indiquer à Virtual PC
comment fonctionner, mais en ne correspond en aucun cas à
l'installation du système.

5 Sélectionnez l'option par défaut *Utilisant la quantité de mémoire
vive recommandée* de la rubrique *Mémoire*. Cliquez sur **Suivant**.

6 Sélectionnez l'option *Un nouveau disque virtuel* de la rubrique
Options de disque dur virtuel. Cliquez sur **Suivant**.

7 Attribuez la taille de disque dur à affecter à la machine virtuelle.
Si l'espace disque de votre ordinateur est suffisant, laissez les
paramètres par défaut. L'emplacement du disque dur virtuel est
créé sous forme d'un fichier dans le répertoire correspondant au
nom de la machine virtuelle. Cliquez sur **Suivant** pour continuer
l'Assistant.

8 L'Assistant affiche les caractéristiques de la machine virtuelle
créée. Cliquez sur le bouton **Terminer** pour fermer la boîte de
dialogue **Assistant nouvel ordinateur virtuel**.

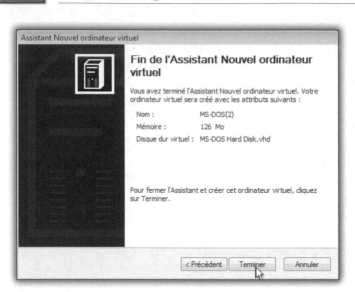

Figure 5.27 : *Résumé de la configuration*

La liste des machines virtuelles est mise à jour dans la fenêtre **Console Virtual PC**.

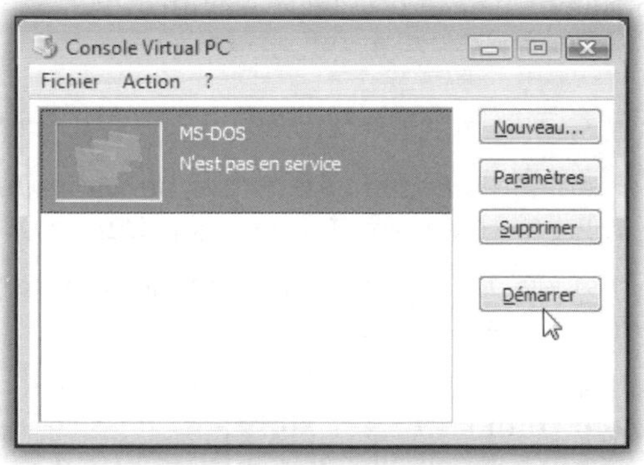

Figure 5.28 :
Console Virtual PC

Installer un système d'exploitation sur une machine virtuelle

Une fois la machine virtuelle définie, il faut installer le système d'exploitation sur lequel exécuter les programmes ne fonctionnant pas sur la machine d'origine travaillant avec le système d'exploitation Windows Vista. Le nom de machine hôte sera utilisé pour définir la machine faisant tourner Virtual PC 2007. Pour l'exemple, nous installerons le système d'exploitation Windows 98.

Avant de débuter, assurez vous d'avoir en votre possession une disquette de démarrage Windows 98 et le CD-ROM d'installation du système.

Licence d'exploitation

Une machine virtuelle est considérée vis-à-vis des fournisseurs de logiciels comme une machine à part entière. Cela signifie que tous les programmes installés sur cette machine doivent avoir été acquis légalement. Les droits d'utilisation des programmes sont donc votre propriété. De ce point de vue, un système d'exploitation est un logiciel comme un autre. Il doit être installé et avoir été acquis dans les règles.

1 Insérez la disquette dans le lecteur de la machine hôte, ainsi que le CD-ROM.

Lecteur de disquettes

Désormais, de nombreuses machines ne possèdent plus de lecteur de disquettes. Virtual PC permet de simuler un lecteur qui contient une disquette en pointant un fichier correspondant à l'image d'une disquette. Cliquez sur **Capturer l'image de disquette** dans le menu **Disquette** de la fenêtre de la machine virtuelle active. Sélectionnez le fichier image de votre disquette. Couramment, ces fichiers portent l'extension *IMG* ou *VFD*.

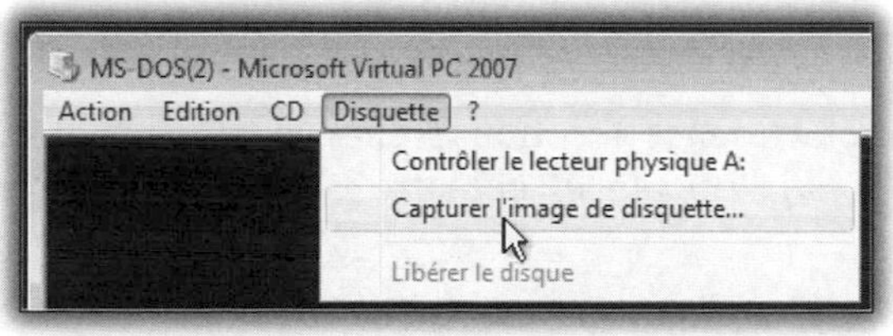

Figure 5.29 :
Capturer l'image
Disquette

2 Sélectionnez la machine virtuelle à démarrer dans la fenêtre **Console Virtual PC** puis cliquez sur le bouton **Démarrer** pour la mettre en service.

3 Le démarrage s'effectue grâce à la disquette de boot. Tapez [Shift]+[F5] pour accéder à la ligne de commandes, sans autres action. Au bout de quelques instants, le prompt A: s'affiche, le système attend alors vos instructions. Tapez la commande C: ; le système vous informe alors que ce lecteur n'est pas accessible, indiquant que le disque dur n'est pas prêt à recevoir des données par le système d'exploitation à installer. Exécutez la commande FDISK pour définir et allouer l'espace disque déclaré à la machine virtuelle.

4 Tapez sur ⏎ pour confirmer la prise en charge des disques de grande capacité, à l'époque, disque supérieur à 2 Go.

5 Tapez sur ⏎ pour sélectionner l'option *1* choisie par défaut *1. Créer une partition DOS ou un lecteur logique DOS*.

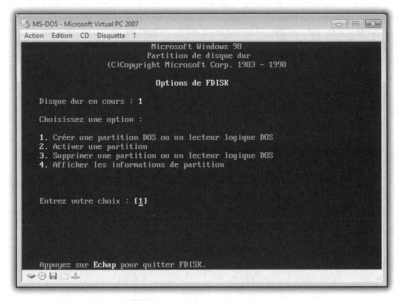

Figure 5.30 : Menu FDISK

6 Tapez sur ⏎ pour sélectionner l'option *1* choisie par défaut *1. Créer une partition DOS principale* et démarrez la création de la partition.

7 Tapez sur ⏎ pour valider l'option par défaut *O* pour activer la partition. Désormais, le lecteur *Logique C:* est assigné à votre disque dur. Pour que la prise en compte soit effective, il faut redémarrer la machine virtuelle. Cliquez sur **Réinitialiser** dans le menu **Actions** de la fenêtre de la machine virtuelle active.

8 Le démarrage s'effectue de nouveau grâce à la disquette de boot. Sélectionnez l'option *1. Démarrer avec prise en compte du CD-ROM*, puis validez en tapant sur la touche ⏎.

9 Tapez la commande FORMAT C: à l'affichage du prompt A:, pour démarrer le formatage du disque dur *C:* et permettre ainsi l'écriture de données sur ce dernier. Confirmez le formatage en tapant ⎡O⎤ puis validez par la touche ⎡←⎤. À la fin du formatage, saisissez un nom de volume pour nommer le disque dur puis validez par ⎡←⎤.

10 Saisissez ⎡E:⎤ au prompt A:, puis validez par ⎡←⎤. Saisissez la commande INSTALL pour démarrer l'installation de Windows 98. Suivez les instructions de l'Assistant d'installation de Windows 98, en sélectionnant les options par défaut.

Choix du lecteur de CD-ROM

Par défaut, la disquette de démarrage de Windows 98 attribue le lecteur D: à un disque virtuel ; ainsi la lettre suivant immédiatement, E:, est attribuée au lecteur de CD-ROM. En revanche, selon votre disquette de démarrage, le lecteur de CD-ROM peut être assigné à une autre lettre ; ce sera donc cette dernière qu'il faudra saisir avant l'utilisation de la commande INSTALL.

Disquette virtuelle

Si l'installation a été démarrée à l'aide d'une disquette de démarrage virtuelle, au cours de l'installation lorsque Windows 98 invitera à retirer la disquette du lecteur, cliquez sur **Libérer nom du fichier image** dans le menu **Disquette** de la fenêtre de la machine virtuelle active.

11 Une fois l'installation terminée pour quitter la machine virtuelle, il suffit d'arrêter Windows 98. Cliquez sur **Démarrer/Arrêter**, vérifiez que l'option *Arrêter* est sélectionnée puis cliquez sur OK dans la fenêtre **Arrêt de Windows**.

Utiliser une machine virtuelle

Une fois le système d'exploitation installé sur la machine virtuelle, celle-ci peut-être utilisée comme une machine à part entière.

Sélectionnez la machine virtuelle à démarrer dans la fenêtre **Console Virtual PC** puis cliquez sur le bouton **Démarrer** pour la mettre en service.

Si comme pour l'exemple, Windows 98 a été installé, la machine démarre avec Windows 98.

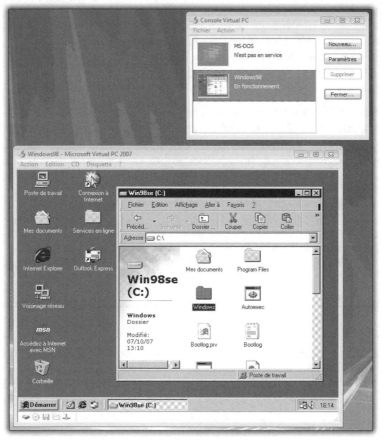

Figure 5.31 : *Windows 98 sous la Console Virtual PC*

Vous pouvez procéder à l'installation de vos programmes originaux fonctionnant sous Windows 98, comme si vous travailliez avec une machine de l'époque.

Diagnostiquer et réparer Microsoft Office 2007

Au fil de l'utilisation d'un outil bureautique complet et complexe tel que Microsoft Office 2007, la performance de ce dernier décroît. De plus, les multiples modifications de paramètres finissent par faire perdre l'accès à des fonctionnalités, voire dans certains cas peuvent empêcher le démarrage d'une application comme Excel 2007 ou Word 2007. Il est fourni avec Microsoft Office 2007 un outil de diagnostics qui permet d'identifier les problèmes de performances de l'ordinateur ou les composants endommagés de la suite bureautique.

Procédez ainsi :

1 Cliquez sur **Microsoft Office Diagnostics** dans le menu **Démarrer/Tous les programmes/Microsoft Office/Outils Microsoft Office** pour démarrer l'Assistant.

2 Cliquez sur **Continuer** dans la fenêtre **Microsoft Office Diagnostics**.

3 Cliquez sur **Exécuter les diagnostics** pour démarrer l'analyse. Une barre de progression apparaît en face de l'élément examiné.

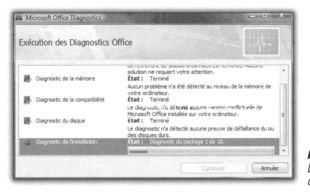

Figure 5.32 :
Démarrer les diagnostics

4 Une fois l'analyse réalisée, un rapport s'affiche dans la fenêtre **Microsoft Office Diagnostics**. Cliquez sur **Fermer** pour quitter l'Assistant.

Figure 5.33 :
Rapport des diagnostics

Phase de diagnostic

REMARQUE

L'analyse prend environ un quart d'heure. Il est également recommandé de ne pas utiliser la machine pendant cet examen, pour éviter d'interférer sur la performance du diagnostic, en particulier lors des tests de la mémoire.

Si vous êtes connecté à Internet, l'Assistant propose de cliquer sur le bouton **Continuez** pour afficher le rapport d'erreur dans une page web *Résultats des diagnostics Microsoft Office*. Naviguez dans la page afin d'accéder à des propositions de corrections ou de mises à jour.

Réparer Microsoft Office Word 2007

Cet outil de diagnostic peut également se lancer directement à partir de Microsoft Word 2007.

1 Cliquez sur le **Bouton Office** puis cliquez sur **Options Word** dans le menu contextuel actif.

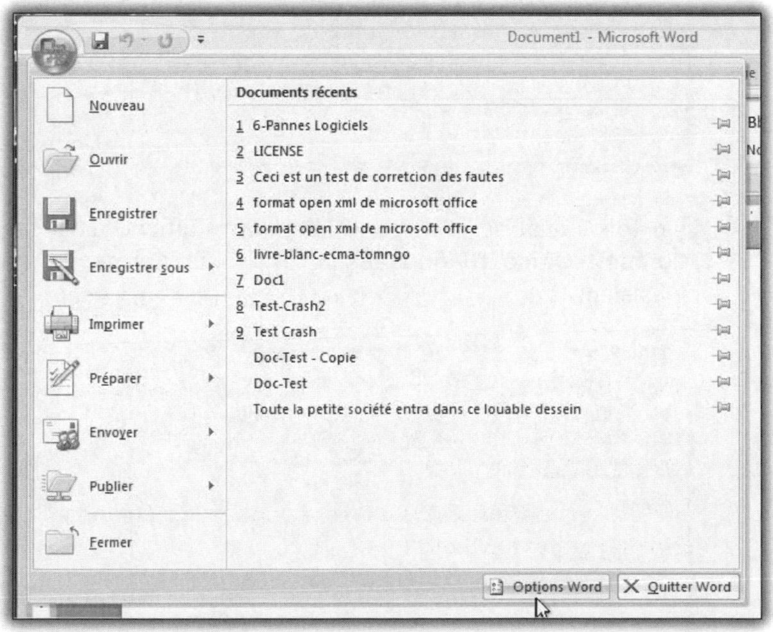

Figure 5.34 : Options Word

2 Cliquez sur **Ressources** dans le volet gauche de la boîte de dialogue **Options Word**.

3 Cliquez sur le bouton **Diagnostiquer** de la rubrique *Exécuter les diagnostics Microsoft Office* pour exécuter l'Assistant de diagnostic et réparation Microsoft Office.

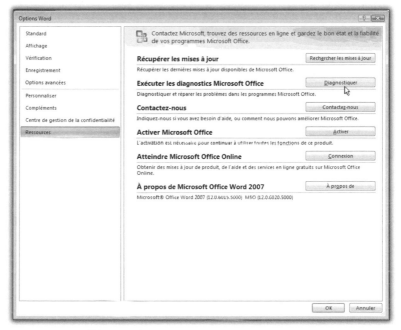

Figure 5.35 : *Diagnostiquer*

4 Suivez les instructions de l'Assistant, qui s'exécute en mode Autonome en dehors de Microsoft Word.

5 Cliquez sur OK pour fermer la boîte de dialogue **Options Word**.

Réparer Microsoft Office Excel 2007

Cet outil de diagnostic peut également se lancer directement à partir de Microsoft Excel 2007.

1 Cliquez sur le **Bouton Office** puis cliquez sur **Options Excel** dans le menu contextuel actif.

Figure 5.36 :
Options Excel

2 Cliquez sur **Ressources** dans le volet gauche de la boîte de dialogue **Options Excel**.

3 Cliquez sur le bouton **Diagnostiquer** de la rubrique *Exécuter les diagnostics Microsoft Office*, pour exécuter l'Assistant de diagnostic et réparation Microsoft Office.

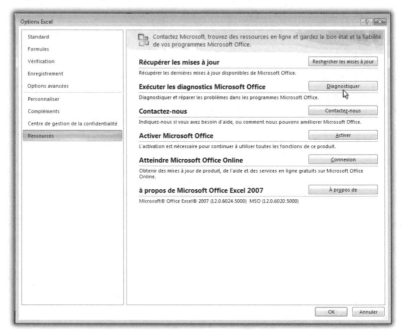

Figure 5.37 : *Diagnostiquer*

4 Suivez les instructions de l'Assistant, qui s'exécute en mode Autonome en dehors de Microsoft Excel.

5 Cliquez sur OK pour fermer la boîte de dialogue **Options Excel**.

Problème de cohabitation avec les versions précédentes d'Office

Microsoft Office 2007 est une suite bureautique complète qui utilise un grand nombre de programmes ou fichier additionnels. Mais d'une version à l'autre de la suite bureautique, les programmes ou fichiers employés peuvent porter les mêmes noms, mais surtout les programmes résidents, ceux chargés en permanence dans l'ordinateur dès son démarrage, peuvent ne pas fonctionner ensemble. Pour éviter cette situation, la meilleure solution consiste à supprimer les fichiers ou références concernant les versions précédentes de Microsoft Office.

Microsoft propose d'installer des outils qui se chargent de désinstaller les versions de Microsoft Office suivantes :

Version Office XXX	Lien Internet
Office 97	http://support.microsoft.com/kb/q176823/
Office 2000 CD1	http://support.microsoft.com/kb/q239938/
Office 2000 CD2	http://support.microsoft.com/kb/q247674/

Tableau 5.3 : Désinstaller Microsoft Office anciennes versions

Cliquez sur **Télécharger EraseXXX.exe maintenant** pour débuter le téléchargement de l'outil. Suivez ensuite les instructions indiquées par l'Assistant d'installation.

Problèmes d'échanges de mes fichiers créés avec Office 2007

Pour accompagner les problèmes de compatibilité dus à la mise en œuvre des nouveaux formats de document créé par sa suite bureautique, Microsoft fournit un correctif téléchargeable sur son site. Ce correctif est à appliquer sur l'ordinateur de votre correspondant qui emploie une version antérieure à Word, Excel et PowerPoint 2007.

Pour télécharger le Pack de compatibilité Microsoft Office, rendez-vous sur le lien suivant :

http://www.microsoft.com/downloads/details.aspx?FamilyID=941b3470-3ae9
-4aee-8f43-c6bb74cd1466&displaylang=fr

1 Cliquez sur le bouton **Télécharger** dans la page web *Pack de compatibilité Microsoft Office pour les formats de fichier Word, Excel et PowerPoint 2007*, puis suivez les instructions de l'Assistant de téléchargement.

ATTENTION

Téléchargement et mise à jour
Lisez les informations fournies par Microsoft, afin de vérifier en particulier que ce correctif peut s'installer sur votre version de Microsoft Office.

2 Cliquez sur **Exécuter** dans la boîte de dialogue **Téléchargement de fichiers – Avertissements de sécurité**. Une barre de progression se met jour ; elle indique l'état d'avancement du téléchargement du fichier *FileFormatConverters.exe*.

3 Cliquez sur **Continuer** à l'affichage de la fenêtre **Contrôle de compte d'utilisateur**.

4 Cochez l'option *Cliquez ici pour accepter les termes du contrat de licence logiciel Microsoft*, puis cliquez sur **Continuer** dans la fenêtre **Module de compatibilité pour Microsoft Office System 2007** et démarrez l'installation du module de compatibilité.

5 Cliquez sur OK pour fermer la fenêtre **Module de compatibilité pour Microsoft Office System 2007**.

Une fois le correctif installé, utilisez votre logiciel Word comme à l'accoutumé. Désormais les documents Word 2007 sont convertis lors de leur ouverture pour être directement exploitables par la version antérieure de Word.

REMARQUE

Compatibilité

La changement de format de fichier vers une version antérieure implique la perte de certaines fonctions dans les documents Word 2007, par exemple les contrôles ActiveX XML. Ceci se confirme aussi bien à l'enregistrement d'un document à une version antérieure, qu'à la conversion à l'ouverture avec l'outil de compatibilité.

Appliquer des correctifs en masse pour Office 2007 grâce au Service Pack 1

Le dépannage passe avant tout par la prévention. Pour éviter les écueils subis par d'autres utilisateurs, Microsoft met régulièrement à jour des correctifs pour sa suite bureautique Microsoft Office. Rendez-vous régulièrement sur le site **http://office.microsoft.com/fr-fr/downloads /CD100602001036.aspx** afin de procéder au téléchargement et à l'installation de ces nombreux correctifs, voire procéder à l'ajout de nouvelles fonctionnalités.

En ce qui concerne, l'application du Service Pack 1 pour la suite bureautique Microsoft Office 2007, rendez-vous sur le site **http://www .microsoft.com/downloads/details.aspx?familyid=9ec51594-992c-4165-a997 -25da01f388f5&displaylang=fr**, puis cliquez sur le bouton **Télécharger**.

Sélectionner le répertoire destination du fichier `office2007sp1 -kb936982-fullfile-fr-fr.exe` à télécharger sur votre ordinateur. Le téléchargement peut durer de quelques minutes à plusieurs heures en fonction du débit de votre ligne, car le fichier fait plus de 200 Mo.

1 Exécutez le programme téléchargé. Cliquez sur **Continuer** à l'affichage de la fenêtre **Contrôle de compte d'utilisateur** pour débuter l'installation.

2 Cochez *Cliquez ici pour accepter les termes du contrat de licence logiciel Microsoft*, puis cliquez sur **Continuer** de la fenêtre **2007 Microsoft Office Suite Service Pack1 (SP1)** pour que la mise à jour démarre.

3 Cliquez sur OK pour quitter la fenêtre informant que l'installation est terminée.

5.5. Traitement de texte (Microsoft Office Word 2007)

Pour simplifier l'approche du dépannage d'incidents avec Microsoft Word 2007, seulement deux types de panne seront appréhendés. Soit les problèmes sont dus à un incident technique, par exemple un fichier programme ou personnel endommagé, soit un incident d'utilisation ou paramétrage de Word 2007, par exemple la perte des barres d'outils.

Mes correspondants ne peuvent pas lire mes documents

Parmi les pannes techniques, l'une d'entre elles concerne les problèmes de compatibilité des nouveaux fichiers Word. En effet, Microsoft Office Word 2007 utilise un nouveau format de fichier, portant l'extension *.docx* par défaut. Ce format n'est pas connu des versions antérieures de Word. Aussi pour faciliter l'échange de documents avec des correspondants, deux méthodes se présentent :

■ Vous enregistrez directement vos documents au format précédent de Word en *.DOC*.

■ Vos correspondants convertissent eux-mêmes les fichiers *.DOCX*.

Modifier le format d'enregistrement par défaut de Word 2007

Pour permettre à vos correspondants de lire les documents Word que vous leur envoyez, modifiez le format de votre document. Pour éviter d'effectuer cette manipulation pour chaque document que vous créez, modifiez le format d'enregistrement par défaut de Microsoft Word 2007.

1 Cliquez sur le **Bouton Office** puis cliquez sur **Options Word** dans le menu contextuel actif.

2 Cliquez sur **Enregistrements** dans le volet gauche de la boîte de dialogue **Options Word**.

3 Sélectionnez le format de votre choix dans la liste déroulante *Enregistrer les fichiers au format suivant* de la rubrique *Enregistrer des documents.*

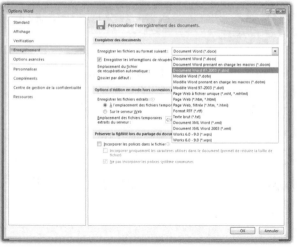

Figure 5.38 :
Enregistrement

4 Cliquez sur OK pour fermer la boîte de dialogue **Options Word**.

Ouvrir des documents Word 2007 à partir d'une version antérieure de Word

Microsoft, pour résoudre les problèmes de compatibilité dus à la mise en œuvre d'un nouveau format de document, fournit un correctif téléchargeable sur son site. Ce correctif est à appliquer sur l'ordinateur de votre correspondant qui utilise une version antérieure à Word 2007.

1 Indiquez à votre correspondant de se rendre à l'adresse suivante : http://www.microsoft.com/downloads/details.aspx?FamilyID=941b3470-3ae9-4aee-8f43-c6bb74cd1466&displaylang=fr.

2 Cliquez sur le bouton **Télécharger** dans la page web *Pack de compatibilité Microsoft Office pour les formats de fichier Word, Excel et PowerPoint 2007*, puis suivez les instructions de l'Assistant de téléchargement.

Téléchargement et mise à jour

Lisez les informations fournies par Microsoft, afin de vérifier en particulier que ce correctif peut s'installer sur votre version de Microsoft Office.

3 Une fois le téléchargement du fichier *FileFormatConverters.exe* terminé, cliquez sur le bouton **Exécuter** de la fenêtre **Téléchargement terminé** pour démarrer l'Assistant d'installation. Suivez les instructions de l'Assistant en sélectionnant les options par défaut.

4 Une fois le correctif installé, utilisez votre logiciel Word comme à l'accoutumé. Désormais, les documents Word 2007 sont convertis à leur ouverture pour être directement exploitables par la version antérieure de Word.

Compatibilité

La changement de format de fichier vers une version antérieure implique la perte de certaines fonctions dans les documents Word 2007, comme par exemple les contrôles ActiveX XML. Ceci se confirme aussi bien à l'enregistrement d'un document à une version antérieure, qu'à la conversion à l'ouverture avec l'outil de compatibilité.

Réparer un fichier Word

Plusieurs raisons peuvent endommager un fichier. Par exemple, un sinistre tel qu'une coupure électrique provoque la perte des informations en cours de rédaction, voire peut endommager la structure technique du fichier. Pour se sortir de ce mauvais pas, deux solutions. L'une consiste à ouvrir le fichier à partir d'un enregistrement précédent, l'autre à réparer le fichier dans son état courant sur le disque.

Récupération de document

Si l'option de récupération automatique d'un document est activée, lorsque Word est redémarré suite à un sinistre tel qu'une coupure électrique, le volet de *Récupération de document* s'affiche à gauche de la fenêtre principale de Word.

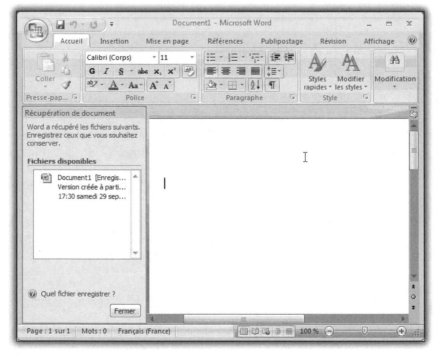

Figure 5.39 : *Récupération de document*

Cliquez sur le document à récupérer de votre choix, dans la liste des documents récupérables. Ce dernier s'ouvre dans la fenêtre principale de Word 2007. Vérifiez si cette version correspond à votre attente. Pour continuer à travailler normalement avec le document, cliquez sur le bouton **Fermer** du volet de *Récupération de document*.

REMARQUE

Version du document récupéré

En fait, la version du document récupéré correspond à son état lors de sa dernière sauvegarde valide. Si vous n'effectuez pas de sauvegarde régulièrement pendant votre travail, le risque de perdre beaucoup d'informations est élevé. En revanche, pour vous aider à réaliser cette opération de sauvegarde régulière, il existe dans Word une option paramétrable d'activation de récupération automatique.

RENVOI *Pour réaliser cette action, consultez la section **Activer la récupération automatique de document** page 270.*

Auto réparation

L'auto réparation consiste en la reconstruction du fichier Word courant qui a été corrompu, contrairement à la récupération automatique qui restaure un fichier en bon état d'une date antérieure.

Par défaut, à l'ouverture d'un document corrompu, Word 2007 exécute automatiquement l'Assistant de réparation.

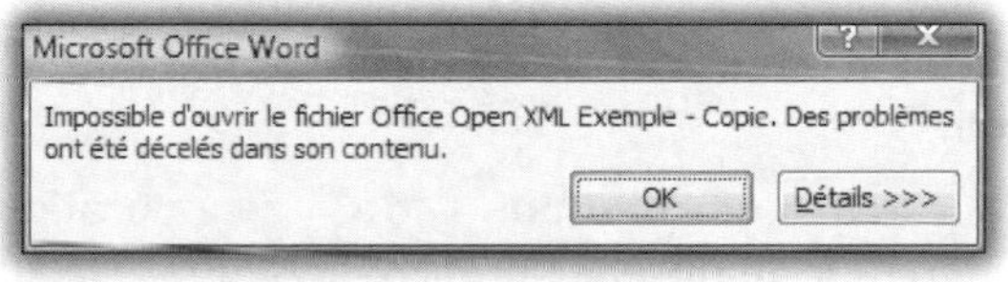

Microsoft Office Word

Impossible d'ouvrir le fichier Office Open XML Exemple - Copie. Des problèmes ont été décelés dans son contenu.

OK   Détails >>>

Figure 5.40 :
Fichier Word corrompu

1 Cliquez sur OK dans la boîte de dialogue **Microsoft Office Word**, informant de l'impossibilité d'ouvrir le fichier pour des problèmes dans son contenu.

2 Cliquez sur **Oui** pour démarrer la réparation à partir de la boîte de dialogue **Microsoft Office Word**, qui informe du caractère illisible du document.

3 Cliquez sur OK dans la boîte dialogue informant du résultat de l'opération, pour quitter et revenir à la fenêtre principale de Word 2007.

Réparation

La particularité du nouveau format de fichier **.DOCX* de Word 2007, également appelé OpenXML, est son architecture. En effet, un document **.DOCX* est un ensemble de sous-fichiers organisés hiérarchiquement, à la manière d'un répertoire, et surtout compressé en un seul fichier au format *ZIP*. Donc, même si son extension est différente, un fichier Word peut être exploré avec un utilitaire qui reconnaît le format *ZIP*. Vous pouvez donc récupérer un fichier Word 2007 corrompu, qui porte l'extension **.DOCX* en employant un utilitaire de réparation d'un fichier *ZIP*.

Activer la récupération automatique de document

Les erreurs ou les incidents n'étant pas inévitables, il est préférable d'organiser son environnement de travail afin d'être le moins pénalisé possible par un événement inattendu. Une des méthodes de protection les plus fiables demeure la réalisation de l'enregistrement de son travail de manière régulière. Cette action étant fastidieuse, elle risque d'être oubliée, c'est pourquoi Microsoft propose l'activation d'une option qui permet de réaliser un enregistrement de manière automatique.

1 Cliquez sur le **Bouton Office** puis sur **Options Word** dans le menu contextuel actif.

2 Cliquez sur **Enregistrement** dans le volet gauche de la boîte de dialogue **Options Word**.

3 Cochez **Enregistrez les informations de récupération automatique toutes les XX minutes**, ou XX est une valeur paramétrable, à 10 minutes par défaut.

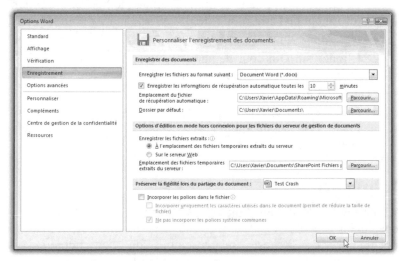

Figure 5.41 : *Récupération automatique*

4 Cliquez sur OK pour fermer la fenêtre **Options Word**.

Les fichiers temporaires sont enregistrés automatiquement dans le répertoire temporaire suivant : *C:\Utilistaeurs\Nom Utilisateur\AppData\ Roaming\Microsoft\Word*.

REMARQUE

Choix de la durée

L'enregistrement d'un document génère une légère interruption ou lenteur dans la session de travail au moment de la sauvegarde. Il faut donc trouver un compromis entre perturbation et durée acceptable de pertes de l'information. En effet, en cas de sinistre, si la valeur de la récupération automatique est de 30 minutes, la perte d'information peut être alors les 29 dernières minutes de votre travail. La valeur par défaut de Microsoft est dans la plupart des cas acceptable.

Document Word illisible à son ouverture via l'Explorateur

Lorsqu'un fichier Word *.DOCX* est ouvert en double-cliquant sur son icône, des signes cabalistiques s'affichent dans un programme qui n'est pas Microsoft Office Word. Cet incident est typique d'une modification ou d'un problème dans les associations de fichiers d'ouverture de programme.

Procédez ainsi :

1 Cliquez du bouton droit sur le fichier de données provoquant le symptôme, puis cliquez sur **Propriétés** dans le menu contextuel.

2 Cliquez sur le bouton **Modifier** de l'onglet **Général** dans la fenêtre **Propriétés de nom du fichier**.

3 Sélectionnez **Microsoft Office Word** dans la rubrique *Programmes recommandés* de la fenêtre **Ouvrir avec** (voir Figure 5.42).

4 Cliquez sur OK pour fermer la fenêtre **Ouvrir avec**, appliquer les modifications et rendre ainsi active l'association de fichiers et le programme à utiliser. Cliquez de nouveau sur OK pour fermer la fenêtre **Propriétés de nom du fichier**.

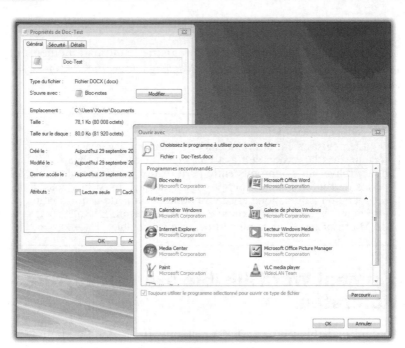

Figure 5.42 : *Association de fichiers*

Absence de Microsoft Office Word dans la rubrique Programmes recommandés

Microsoft Office Word peut ne pas être dans la rubrique *Programmes recommandés*, pour deux raisons. La première est que l'extension du fichier concerné n'est pas une extension prise en charge par Microsoft Office Word ; la seconde est que Microsoft Office Word n'est pas ou plus installé sur l'ordinateur.

Dans le premier cas, il faut ajouter l'extension *.doc* ou *.docx* à votre fichier.

1 Cliquez du bouton droit sur le fichier de données provoquant le symptôme, puis cliquez sur **Propriétés** dans le menu contextuel.

2 Ajoutez l'extension *.doc* ou *.docx* au nom du fichier dans le champ prévu à cet effet de l'onglet **Général** dans la fenêtre **Propriétés de nom du fichier**. Cliquez sur OK pour appliquer la modification.

3 Cliquez sur le bouton **Oui** de la boîte de dialogue **Renommer** pour confirmer le changement d'extension.

Dans le second cas, il faut réparer Microsoft Office Word 2007.

*Consultez la section **Diagnostiquer et réparer Microsoft Office 2007** page 258.*

Les images ne s'affichent pas dans un document

Lorsqu'une image est insérée dans Microsoft Word, il peut arriver que seul l'emplacement de l'image soit visible dans la page, mais pas l'image en question. En revanche, à l'impression du document l'image est bien présente sur la feuille de papier éditée. En fait, il y a de grandes chances que cet incident soit lié à une modification dans les options de Microsoft Word.

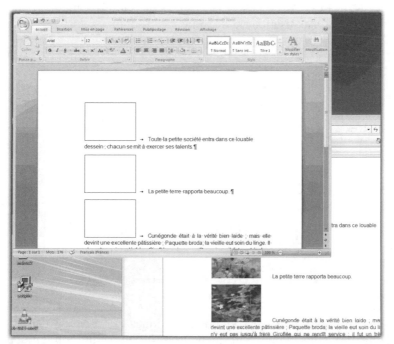

Figure 5.43 : *Images non visibles*

1 Cliquez sur le **Bouton Office** puis cliquez sur **Options Word** dans le menu contextuel actif.

2 Cliquez sur **Options avancées** dans le volet gauche de la boîte de dialogue **Options Word**.

3 Décochez **Afficher les espaces pour images** dans la rubrique *Afficher le contenu du document.*

4 Cliquez sur OK pour fermer la boîte de dialogue **Options Word**.

Des symboles apparaissent dans mon document

L'une des caractéristiques principales d'un traitement de texte comme Word 2007 demeure la possibilité de gérer la mise en forme du texte pour que ce dernier soit plus facilement lisible à l'écran ou à l'impression. Pour ce faire, le programme a besoin de mettre en place des commandes qui agiront sur la mise en page. Or ces commandes peuvent être rendues visibles sous forme de symboles, à l'aide d'une option de Microsoft Word 2007, ce qui peut induire une certaine confusion dans la visualisation du document à l'écran.

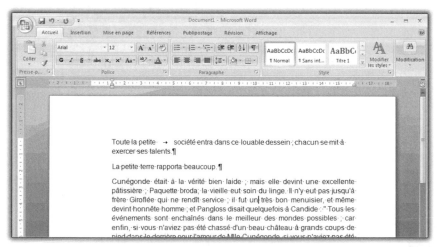

Figure 5.44 : *Symboles de mise en forme*

Aussi, pour ne plus afficher ces symboles, cliquez sur **Accueil** dans la Barre de menu, puis cliquez sur le bouton **Afficher tout** du groupe *Paragraphe* du Ruban actif.

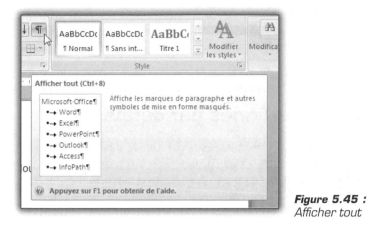

Figure 5.45 :
Afficher tout

Ci-après, voici une liste non exhaustive de symboles rencontrés.

Tableau 5.4 : *Afficher les symboles de mise en page*	
Symbole	**Mise en page associée**
¶	Saut de paragraphe. Renvoie à la ligne et permet des modifications de police pour ce nouveau paragraphe.
↵	Saut de ligne. Renvoie à la ligne mais conserve les caractéristiques du paragraphe courant.
°	Espace insécable. Évite que deux mots séparés par un espace ne se trouvent séparés par un saut de ligne.
.	Représente un espace entre deux mots.
→	Représente une tabulation. Une tabulation permet d'ajuster des débuts de ligne sur la même référence d'emplacement d'une règle.

REMARQUE

Erreur Microsoft Word

Ceci ne constitue pas une erreur de Microsoft Word mais entraîne une confusion pour de nombreux utilisateurs. L'avantage d'afficher ces commandes de mise en page est de permettre de créer un document qui utilise les mêmes commandes de mise en page et ainsi évite des écarts à l'impression.

En effet, si un mot est précédé de 5 espaces et en dessous, un autre mot est précédé d'une tabulation, à l'écran les deux mots seront alignés verticalement, alors qu'à l'impression un léger décalage peut survenir. Pour éviter ce décalage à l'impression, il aurait fallu utiliser l'une ou l'autre des méthodes pour conserver l'alignement sur papier. En affichant

REMARQUE   les symboles de mise en forme, la correction de l'une ou de l'autre des mises en forme aurait été effectuée et ainsi l'écart à l'impression aurait pu être évité.

Supprimer les interlignes par défaut

Dans de nombreux forums, de nombreuses personnes désirent supprimer l'interligne qui s'affiche entre deux lignes. En effet, par défaut dans Word 2007 lorsqu'en bout de ligne la touche ⏎ est utilisée, la ligne suivante débute non immédiatement après la ligne saisie, mais une ligne en dessous. Ceci a pour effet de donner à l'affichage un écart d'une ligne vide entre les deux lignes contenant du texte. Cette habitude d'utiliser la touche ⏎ provient de l'emploi des premiers traitements de texte, qui eux-mêmes étaient inspirés de l'utilisation des machines à écrire. Dans Microsoft Word, cette action a pour but de changer de paragraphe. Ainsi, l'écartement entre les deux lignes saisies qui ont été séparées par un saut de paragraphe (appui sur la touche ⏎) correspond au paramètre par défaut de l'interligne entre deux paragraphes.

Pour résoudre ce problème, deux choix sont possibles :

- effectuer un renvoi de ligne sans changer de paragraphe en bout de ligne ;
- modifier la taille de l'interligne entre deux paragraphes.

Sauter une ligne dans un même paragraphe

Désormais les traitements de texte comme Word 2007 gèrent eux-mêmes le renvoi à la ligne lorsque du texte est saisi, sans se soucier de sa mise en forme. En fonction de la largeur définie de la feuille, le traitement de texte renvoie automatiquement le texte à la ligne suivante lorsque la fin de la ligne courante est atteinte. En revanche, la coupure peut ne pas correspondre au découpage désiré par l'auteur. Dans ce cas, pour effectuer un renvoi de ligne, positionnez le curseur de la souris où vous souhaitez réaliser la coupure, puis saisissez au clavier la combinaison de touches Maj+⏎. Le texte saisi désormais se retrouve immédiatement après la ligne précédente sans interligne.

Si l'affichage des symboles de mise en forme est activé, le saut de ligne est représenté par le symbole ..

Consultez la section **Des symboles apparaissent dans mon document** *page 274.*

Modifier l'interligne entre deux paragraphes

Par défaut, l'interligne entre deux paragraphes dans Word 2007 correspond à une hauteur de ligne. Pour modifier ce paramètre, suivez les instructions suivantes :

1 Positionnez-vous sur l'interligne puis cliquez du bouton droit.

2 Dans le menu contextuel qui s'affiche, sélectionnez *Paragraphe*.

3 Dans la rubrique *Espacement* de l'onglet **Retrait et espacement** de la boîte de dialogue **Paragraphe**, modifiez les valeurs *Avant* ou *Après* en cliquant sur les flèches pour augmenter ou diminuer les valeurs. Pour supprimer l'interligne, saisissez la valeur 0. Dans la zone *Aperçu*, vous pouvez visualiser le rendu.

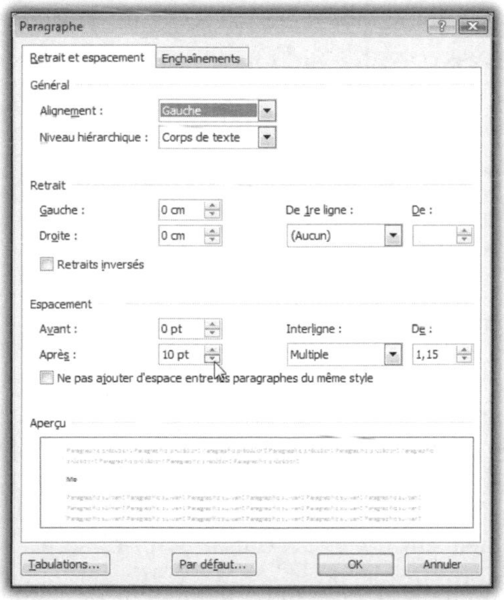

Figure 5.46 :
Interligne de
paragraphe

Changement de paragraphe

L'un des avantages de travailler avec des paragraphes est la possibilité d'appliquer une mise en forme à l'ensemble du paragraphe. Cette mise en forme est également appliquée par défaut au paragraphe suivant, ce qui offre une troisième possibilité pour supprimer l'interligne. En effet, vous pouvez cocher l'option *Ne pas ajouter d'espace entre les paragraphes de même style* de la rubrique *Espacement*. Ceci a pour effet d'affiner votre présentation, en conservant la cohérence d'affichage des paragraphes de même mise en forme, alors qu'un paragraphe différent sera séparé par un interligne.

4 Cliquez sur le bouton OK pour appliquer le changement au paragraphe où le curseur de votre souris est positionné.

Bouton Par défaut

Pour que les modifications s'appliquent à l'ensemble des documents que vous allez créer, avant de cliquez sur le bouton OK, cliquez sur le bouton **Par défaut**. Ceci a pour effet d'enregistrer la configuration dans le document modèle utilisé par défaut pour la création de nouveaux documents sans modèle spécifique.

Si l'affichage des symboles de mise en forme est activé, le saut de paragraphe est représenté par le symbole.

*Consultez la section **Des symboles apparaissent dans mon document** page 274.*

Je ne trouve pas l'insertion de formules de politesse

Cette fonctionnalité n'est plus présente dans Microsoft Word 2007. En revanche, il est très facile de créer votre propre liste de formules de politesse associée à un texte de raccourci. Ainsi lorsque que vous saisirez dans votre document un texte raccourci, celui-ci sera remplacé automatiquement par la formule de politesse de votre choix, grâce au correcteur orthographique.

1 Cliquez sur le **Bouton Office** puis cliquez sur **Options Word** dans le menu contextuel actif.

2 Cliquez sur **Vérification** dans le volet gauche de la boîte de dialogue **Options Word** qui s'affiche.

3 Cliquez sur le bouton **Options de correction automatique** de la rubrique *Options de correction automatique*.

4 Saisissez dans la zone de texte *Remplacer* le texte raccourci qui fera référence à la formule de politesse de votre choix de la rubrique *Correction en cours de frappe*, dans l'onglet **Correction Automatique** de la boîte de dialogue **Correction automatique : Français (France)**.

5 Dans la zone *Par*, saisissez la formule de politesse complète qui se substituera au texte raccourci.

6 Cliquez sur le bouton **Ajouter** pour incrémenter le dictionnaire de la nouvelle correction.

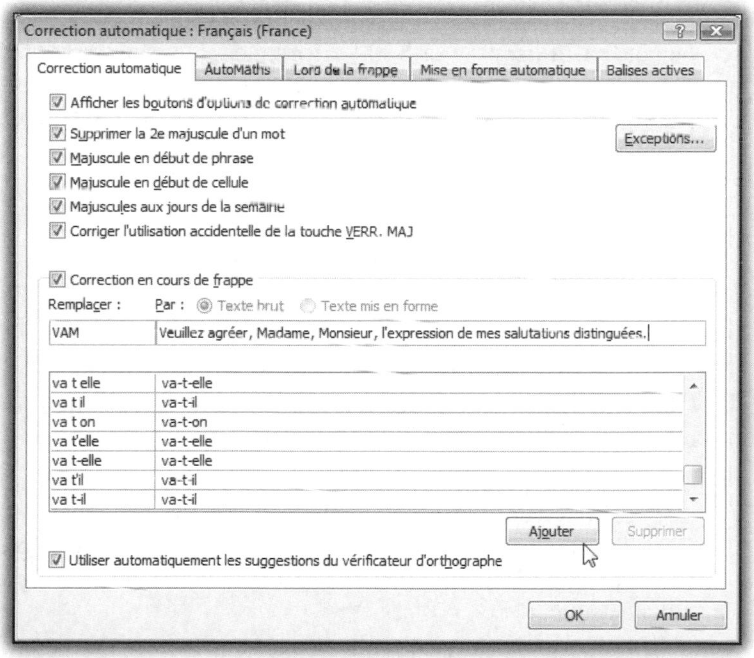

Figure 5.47 : Formule de politesse

7 Renouvelez l'opération autant de fois que vous avez de formules de politesse à ajouter. Cliquez sur le bouton OK pour quitter la boîte de dialogue **Correction automatique : Français (France)**. Cliquez sur le bouton OK pour fermer la fenêtre **Options Word**.

REMARQUE

Texte raccourci

Le choix du texte raccourci est très important. En effet, le correcteur automatique remplacera ce texte dés qu'il le trouvera, donc il faut éviter des textes raccourcis correspondant à un mot de la langue française. Par exemple, évitez le raccourci ROI pour "retour sur investissement". En revanche, la casse est respectée, donc pour saisir un texte raccourci, nous vous conseillons d'utiliser un raccourci d'au moins trois lettres saisies en majuscules, ce qui est plus improbable à trouver dans un texte normal.

Lorsque je saisis un mot dans mon document, un autre mot s'affiche

Il se peut qu'en utilisant Word 2007, lorsque vous saisissez un mot ce dernier soit remplacé par un autre quand vous continuez à écrire. Si ce cas se présente, il est probable que le mot que vous avez saisi soit connu du correcteur orthographique mais que l'action associée ait été modifiée.

Procédez ainsi :

1 Cliquez sur le **Bouton Office** puis cliquez sur **Options Word** dans le menu contextuel actif.

2 Cliquez sur **Vérification** dans le volet gauche de la boîte de dialogue **Options Word** qui s'affiche.

3 Cliquez sur le bouton **Options de correction automatique** de la rubrique *Options de correction automatique*.

4 Faites défiler la liste correspondant à la colonne *Remplacer* jusqu'à trouver le mot qui provoque l'erreur, dans l'onglet **Correction Automatique** de la boîte de dialogue **Correction automatique : Français (France)**. Les valeurs sont triées par ordre alphabétique.

5 Sélectionnez la ligne puis cliquez sur le bouton **Supprimer**. Éventuellement, remplacez l'action associée en fonction de vos attentes.

6 Cliquez sur le bouton OK pour quitter la boîte de dialogue **Correction automatique : Français (France)**. Cliquez de nouveau sur le bouton OK pour fermer la fenêtre **Options Word**.

À la saisie d'un caractère, j'efface le caractère présent

Microsoft Word 2007 propose deux types d'insertion de caractère dans un document. L'un d'eux écrase le texte déjà en place, lors de la saisie du texte à la position du curseur. Ce type de saisie se nomme le mode Refrappe. Pour l'invalider et permettre de décaler le texte à la saisie de nouveaux caractères (mode Insérer), il faut modifier les options de Word 2007.

1 Cliquez sur le **Bouton Office** puis cliquez sur **Options Word** dans le menu contextuel actif.

2 Sélectionnez **Options avancées** dans le volet gauche de la boîte de dialogue **Options Word**.

3 Décochez la case *Utiliser le mode Refrappe* de la rubrique *Options d'édition*.

4 Décochez la case *Utiliser la touche Inser pour contrôler le mode refrappe* de la rubrique *Options d'édition* pour éviter de basculer d'un mode à l'autre accidentellement.

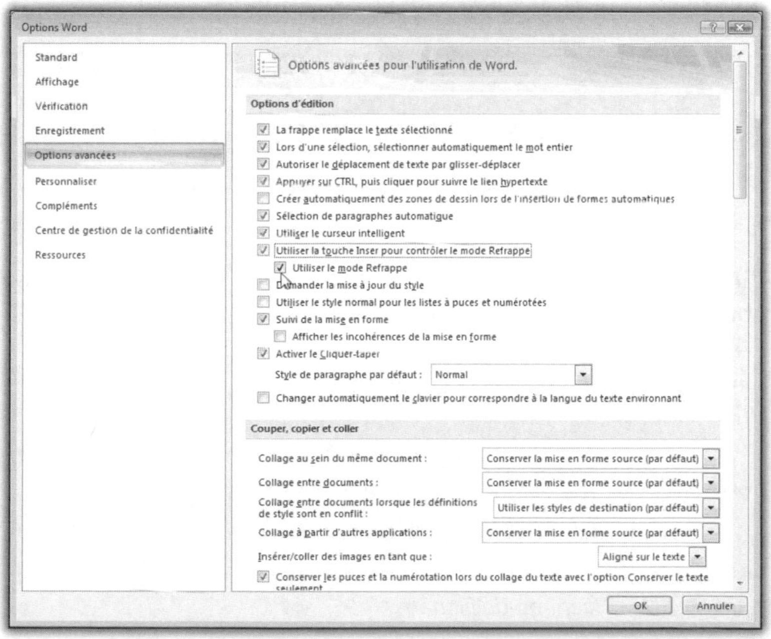

Figure 5.48 : *Mode Refrappe*

Mode Refrappe

Si cette option était cochée, vous pouvez également utiliser la touche [Inser] pour basculer le statut du mode Refrappe en mode Insérer et inversement, ce qui est peut-être la manipulation à l'origine du problème. En revanche, le statut ne change réellement d'état que lorsque vous cliquez de nouveau dans le document actif.

5 Cliquez sur OK pour valider et appliquer vos options.

Pour revenir au mode de saisie d'origine, effectuez à nouveau les mêmes opérations ; elles auront pour effet d'invalider l'option d'insertion lors de la saisie.

Le Ruban des commandes a disparu

La grande nouveauté de l'interface utilisateur de Word 2007 est l'affichage d'un ruban pour visualiser et utiliser l'ensemble des commandes disponibles de Word 2007. Si le ruban n'est plus disponible, l'utilisation de Word 2007 devient très difficile.

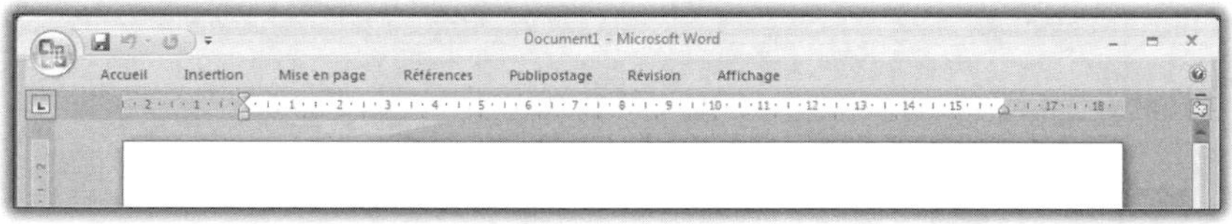

Figure 5.49 : *Ruban réduit*

Cliquez du bouton droit sur la Barre de menu puis décochez **Réduire le ruban** dans le menu contextuel.

Figure 5.50 : *Affichage du Ruban*

> **Ruban Word 2007**
> Le ruban est le point d'accès à l'ensemble des commandes Word 2007. Si la commande que vous recherchez n'est pas disponible au premier niveau du Ruban, il faut accéder au niveau suivant comme pour les anciens menus déroulants.

Utiliser la base de connaissances de l'éditeur du produit Word 2007

Comme tous les grands éditeurs de logiciels, Microsoft met à disposition de ses utilisateurs son retour d'expérience sur les incidents rencontrés sur ses produits.

Utiliser la base de connaissances en ligne Microsoft Office

De nombreux problèmes que vous rencontrez ont certainement déjà été rencontrés par d'autres utilisateurs. Selon le principe des forums, Microsoft propose des réponses et des instructions pour corriger les nombreux problèmes indiqués par ses utilisateurs. Aussi, rendez-vous sur le lien suivant **http://support.microsoft.com/search/?adv=1** pour interroger la base de connaissances de Microsoft. Dans le champ *Produit à inclure dans la recherche*, indiquez `Word 2007` pour restreindre les réponses à Word. Dans le champ *Rechercher*, indiquez un mot-clé pour affiner votre recherche.

Utiliser Microsoft Office Update

Le dépannage passe avant tout par la prévention. Pour éviter les écueils subis par d'autres utilisateurs, Microsoft met régulièrement à jour des correctifs pour sa suite bureautique Microsoft Office. Rendez-vous régulièrement sur le site **http://office.microsoft.com/fr-fr/downloads /CD100602001036.aspx** afin de procéder au téléchargement et à l'installation de ces nombreux correctifs, voire procéder à l'ajout de nouvelles fonctionnalités.

La mise à jour est également accessible directement depuis les Options de Word 2007.

1 Cliquez sur le **Bouton Office** puis cliquez sur **Options Word** dans le menu contextuel actif.

2 Sélectionnez **Ressources** dans le volet gauche de la boîte de dialogue **Options Word**.

3 Cliquez sur le bouton **Rechercher les mises à jour** de la rubrique *Récupérer les mises à jour*. Suivez les instructions de l'Assistant Windows Update.

Options Word	
Standard	Contactez Microsoft, trouvez des ressources en ligne et gardez le bon état et la fiabilité de vos programmes Microsoft Office.
Affichage	
Vérification	**Récupérer les mises à jour** · Rechercher les mises à jour
Enregistrement	Récupérer les dernières mises à jour disponibles de Microsoft Office.
Options avancées	**Exécuter les diagnostics Microsoft Office** · Diagnostiquer
Personnaliser	Diagnostiquer et réparer les problèmes dans les programmes Microsoft Office.
Compléments	**Contactez-nous** · Contactez-nous
Centre de gestion de la confidentialité	Indiquez-nous si vous avez besoin d'aide, ou comment nous pouvons améliorer Microsoft Office.
Ressources	**Activer Microsoft Office** · Activer

Figure 5.51 : *Rechercher les mises à jour*

5.6. Tableur (Microsoft Office Excel 2007)

Microsoft Excel est un puissant outil de calcul. Il permet la mise en œuvre de formules et de fonctions de calculs complexes. Aussi, de nombreux problèmes survenant avec Excel 2007 sont davantage d'ordre mathématique que technique.

Rendez-vous sur le site Microsoft **http://office.microsoft.com/fr-fr/excel /FX100487621036.aspx** pour découvrir comment se servir de manière avancée de certaines fonctions.

*Concernant les problèmes techniques tels que les problèmes de démarrage ou de fichiers endommagés, rendez-vous à la section **Traitement de texte (Microsoft Office Word 2007)** page 264.*

En effet, le principe de fonctionnement concernant Word et Excel 2007 est équivalent ; la logique de dépannage à appliquer demeure similaire.

C'est pourquoi ce chapitre abordera uniquement quelques problèmes liés à l'usage de Microsoft Excel.

Je n'arrive pas à figer plusieurs lignes ou plusieurs colonnes

Dans le Ruban Excel **Affichage** de la rubrique *Fenêtre*, l'option *Figer les volets* propose trois choix pour figer les volets. Les deux choix faisant référence explicitement à la colonne ou à la ligne ne permettent de ne figer les volets que pour la première ligne ou la première colonne du tableau. Aussi, pour figer plusieurs colonnes et/ou plusieurs lignes, il faut choisir la commande **Figer les volets**. L'action de figer les volets se fait à partir de la cellule active ; avant d'effectuer l'opération, il faut sélectionner la cellule de référence.

Procédez ainsi :

1 Sélectionnez la cellule à partir de laquelle les informations de gauche resteront affichées, ainsi que les informations situées au-dessus de cette cellule. Pour notre exemple, sélectionnez la cellule *D4*.

2 Cliquez sur **Affichage** dans la Barre de menu. Cliquez sur le bouton **Figer les volets** du groupe *Fenêtre* du Ruban actif.

3 Cliquez sur **Figer les volets** dans le menu contextuel.

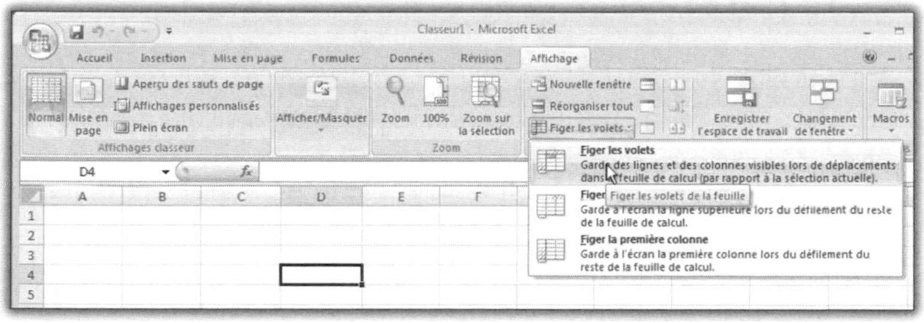

Figure 5.52 : *Figer les volets*

Une ligne apparaît qui délimite la zone figée ; la zone mobile étant les cellules à droite et en dessous des lignes. Pour faire défiler l'information, utilisez les flèches du clavier.

Je ne visualise pas l'ensemble de mes données dans une colonne

Excel est un outil puissant de manipulation de données. Ainsi, à partir de série de données dans une feuille de calcul, vous pouvez définir des filtres pour visualiser uniquement une partie des données utiles à vos critères d'affichage. Si vous n'arrivez plus à visualiser l'ensemble des données d'une colonne, le problème est probablement qu'un filtre est actif sur l'une des colonnes du tableau. Pour annuler le filtre ou afficher l'ensemble des valeurs de la série, suivez les étapes ci-après :

1 Cliquez sur le bouton affichant un entonnoir dans l'en-tête de la colonne filtrée. Ce symbole signifie que la colonne utilise un filtre.

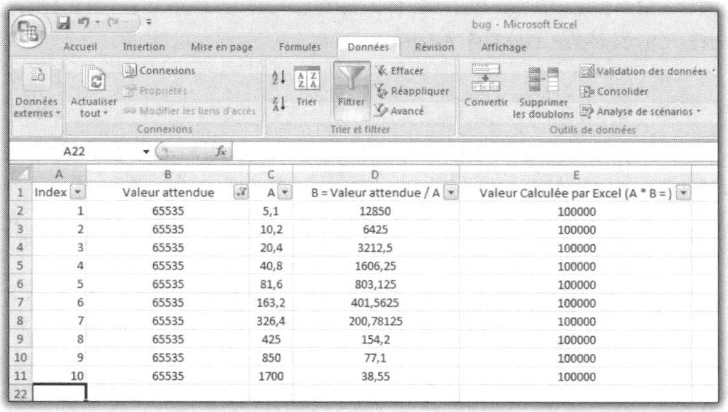

	A	B	C	D	E
1	Index	Valeur attendue	A	B = Valeur attendue / A	Valeur Calculée par Excel (A * B =)
2	1	65535	5,1	12850	100000
3	2	65535	10,2	6425	100000
4	3	65535	20,4	3212,5	100000
5	4	65535	40,8	1606,25	100000
6	5	65535	81,6	803,125	100000
7	6	65535	163,2	401,5625	100000
8	7	65535	326,4	200,78125	100000
9	8	65535	425	154,2	100000
10	9	65535	850	77,1	100000
11	10	65535	1700	38,55	100000
22					

Figure 5.53 : *Filtre actif*

2 Cliquez sur *Sélectionnez tout* dans le menu contextuel. Cliquez sur OK dans ce même menu pour appliquer la sélection.

Si plusieurs colonnes sont filtrées, il est plus rapide de supprimer les filtres sur l'ensemble des colonnes.

1 Sélectionnez la première ligne de votre tableau où l'ensemble de vos colonnes filtrées se situe.

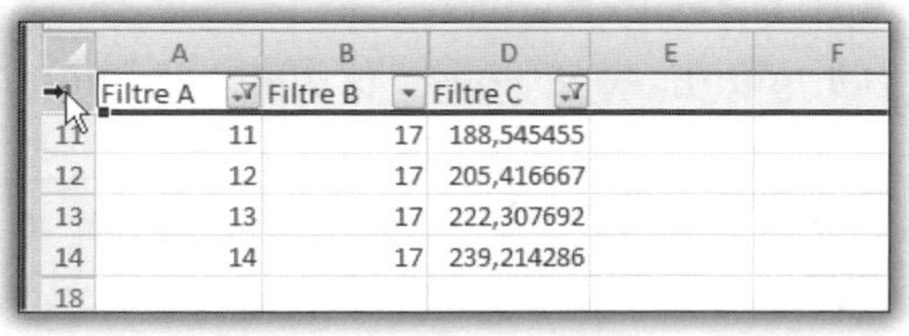

	A	B	D	E	F
1	Filtre A	Filtre B	Filtre C		
11	11	17	188,545455		
12	12	17	205,416667		
13	13	17	222,307692		
14	14	17	239,214286		
18					

Figure 5.54 : *Colonnes filtrées*

2 Cliquez sur **Données** dans la Barre de menu. Cliquez sur le bouton **Filtrer** du groupe *Trier et filtrer* du Ruban actif. Le bouton fléché présent à droite des titres de chaque colonne disparaît. L'ensemble de vos données est affiché dans les colonnes.

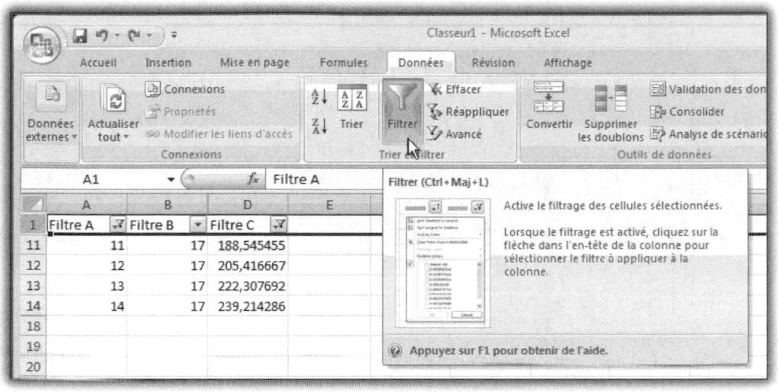

Figure 5.55 : Supprimer les filtres

3 Cliquez de nouveau sur le bouton **Filtrer** pour réactiver sans sélection les filtres sur les colonnes.

Colonne ou lignes masquées

Excel 2007 permet de cacher des lignes ou des colonnes. Cette fonctionnalité est utile lors de calculs intermédiaires, qui ne sont pas forcément pertinent lors d'une présentation à autrui. En revanche, au moment de faire de modifications à votre tableau Excel, vous ne pouvez plus accéder à vos colonnes ou à vos lignes. Pour identifier facilement si une colonne ou une ligne est masquée, il suffit de regarder si l'incrémentation du nom des colonnes ou des lignes est contiguë. En effet, par défaut Excel donne un numéro de ligne et de colonnes contigus. S'il y a un saut dans la numérotation de la colonne ou de la ligne, la ligne ou la colonne manquante est masquée.

Procédez ainsi :

1 Sélectionnez les deux colonnes de part et d'autre de la colonne masquée.

2 Cliquez du bouton droit sur le libellé de l'une des deux colonnes. Cliquez sur **Afficher** dans le menu contextuel. Votre colonne apparaît.

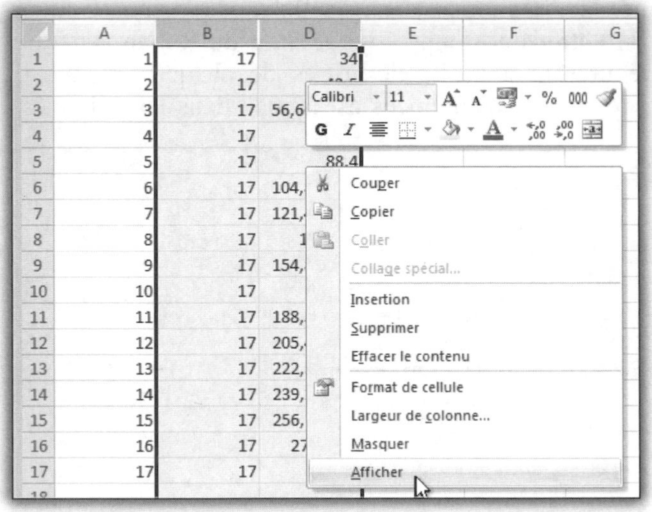

▲	A	B	D	E	F	G
1	1	17	34			
2	2	17				
3	3	17	56,6			
4	4	17				
5	5	17	88,4			
6	6	17	104,			
7	7	17	121,			
8	8	17	1			
9	9	17	154,			
10	10	17				
11	11	17	188,			
12	12	17	205,			
13	13	17	222,			
14	14	17	239,			
15	15	17	256,			
16	16	17	27			
17	17	17				

Menu contextuel :
- Couper
- Copier
- Coller
- Collage spécial...
- Insertion
- Supprimer
- Effacer le contenu
- Format de cellule
- Largeur de colonne...
- Masquer
- Afficher

Figure 5.56 : *Afficher une colonne*

REMARQUE

Afficher une ligne

Pour afficher une ligne, le principe est le même. Au lieu de sélectionner deux colonnes, sélectionnez les lignes de part et d'autre des lignes à afficher.

Je ne vois pas les résultats de mes calculs mais mes formules

Par défaut dans Excel, lorsqu'une cellule contient une formule, c'est le résultat de l'opération qui est présenté. En revanche, il peut arriver que ce soit la formule seulement qui soit affichée dans la cellule.

Dans la feuille de calcul active, appuyez simultanément sur les touches de votre clavier [Ctrl]+["]. Les cellules avec formules qui affichaient la syntaxe de celle-ci affichent désormais le résultat de la formule. Pour visualiser de nouveau les formules, recommencez l'opération, appuyez simultanément sur les touches de votre clavier [Ctrl]+["]. En fait, ce raccourci fonctionne à la manière d'un bouton bascule, donc il peut arriver facilement au cours d'une session de travail avec Excel, de faire une fausse manipulation qui active cette fonction bascule.

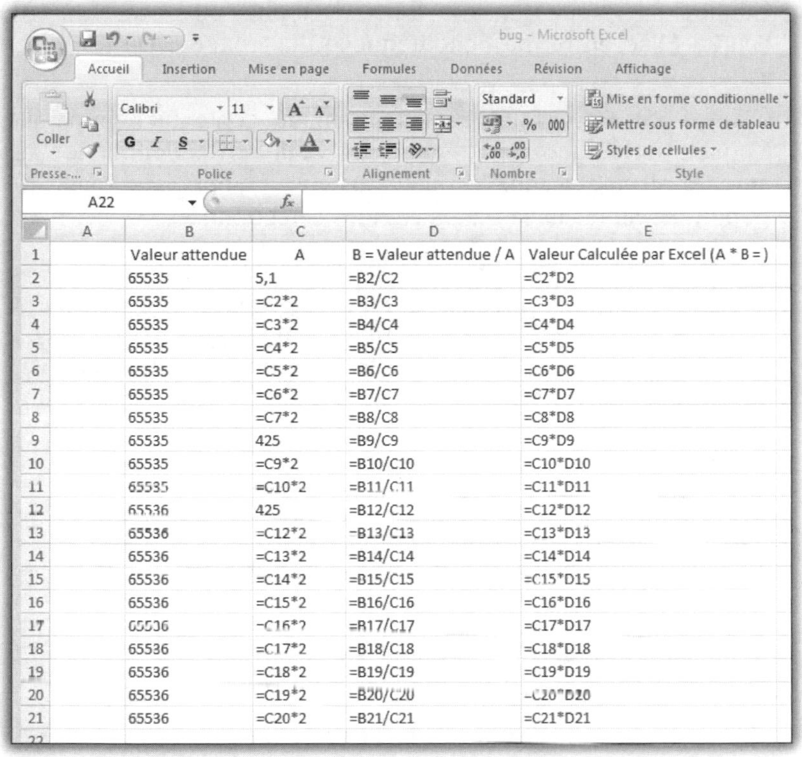

	A	B	C	D	E
1		Valeur attendue	A	B = Valeur attendue / A	Valeur Calculée par Excel (A * B =)
2		65535	5,1	=B2/C2	=C2*D2
3		65535	=C2*2	=B3/C3	=C3*D3
4		65535	=C3*2	=B4/C4	=C4*D4
5		65535	=C4*2	=B5/C5	=C5*D5
6		65535	=C5*2	=B6/C6	=C6*D6
7		65535	=C6*2	=B7/C7	=C7*D7
8		65535	=C7*2	=B8/C8	=C8*D8
9		65535	425	=B9/C9	=C9*D9
10		65535	=C9*2	=B10/C10	=C10*D10
11		65535	=C10*2	=B11/C11	=C11*D11
12		65536	425	=B12/C12	=C12*D12
13		65536	=C12*2	=B13/C13	=C13*D13
14		65536	=C13*2	=B14/C14	=C14*D14
15		65536	=C14*2	=B15/C15	=C15*D15
16		65536	=C15*2	=B16/C16	=C16*D16
17		65536	=C16*2	=B17/C17	=C17*D17
18		65536	=C17*2	=B18/C18	=C18*D18
19		65536	=C18*2	=B19/C19	=C19*D19
20		65536	=C19*2	=B20/C20	=C20*D20
21		65536	=C20*2	=B21/C21	=C21*D21

Figure 5.57 : *Formule dans une feuille de calcul*

Impossible de modifier la mise en forme d'une cellule

Par exemple, la mise en forme de la cellule contient du texte en gras avec un fond de trame jaune et lorsque que vous modifiez les caractéristiques de mise en forme de cette même cellule rien ne change, comme si Excel ne prenait pas en compte vos actions. En fait, la cellule à modifier utilise très certainement une mise en forme conditionnelle qui est prioritaire sur la mise en forme manuelle que vous cherchez à appliquer. Aussi, il faut supprimer cette mise en forme conditionnelle.

Pour cela :

1. Sélectionnez une cellule ou un groupe de cellules sur lesquelles vous désirez supprimer la mise en forme conditionnelle.

2 Cliquez sur **Accueil** dans la Barre de menu, puis cliquez sur le bouton **Mise en forme conditionnelle** du groupe *Style* du Ruban actif.

3 Cliquez sur **Effacer les règles** du menu contextuel graphique. Cliquez sur **Effacez les règles des cellules sélectionnées**. La mise en forme manuelle que vous aviez appliquée sans effet s'applique alors sur la ou les cellules sélectionnées.

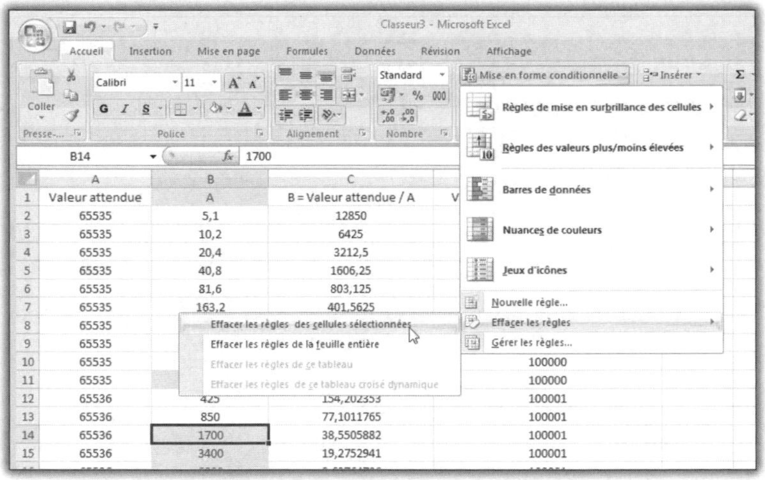

Figure 5.58 : *Supprimer une mise en forme conditionnelle*

Utiliser la base de connaissances de l'éditeur du produit Excel 2007

Comme tous les grands éditeurs de logiciels, Microsoft met à disposition de ses utilisateurs son retour d'expérience sur les incidents rencontrés sur ses produits.

Utiliser la base de connaissances en ligne Microsoft Office

De nombreux problèmes que vous rencontrez ont certainement déjà été rencontrés par d'autres utilisateurs. Selon le principe des forums, Microsoft propose des réponses et des instructions pour corriger les nombreux problèmes indiqués par ses utilisateurs. Aussi, rendez-vous sur le lien suivant **http://support.microsoft.com/search/?adv=1** pour interroger la base de connaissances de Microsoft. Dans le champ *Produit à inclure dans la recherche*, indiquez `Excel 2007` pour restreindre les réponses à Excel, puis dans le champ *Rechercher*, indiquez un mot-clé pour affiner votre recherche.

Utiliser Microsoft Office Update

Le dépannage passe avant tout par la prévention. Pour éviter les écueils subis par d'autres utilisateurs, Microsoft met régulièrement à jour des correctifs pour sa suite bureautique Microsoft Office. Rendez-vous sur le site **http://office.microsoft.com/fr-fr/downloads/CD100602001036.aspx**, afin de procéder au téléchargement et à l'installation de ces nombreux correctifs, voire procéder à l'ajout de nouvelles fonctionnalités.

5.7. Check-list

Installer ou désinstaller correctement un logiciel

- envisager les rapports et solutions aux problèmes ;
- consulter le journal des événements ;
- réaliser un auto diagnostic ou une auto réparation ;
- utiliser un point de restauration ;
- interagir sur les propriétés de compatibilité ;
- créer un point de restauration ;
- désinstaller un logiciel ;
- installer un logiciel ;
- paramétrer un programme pour corriger des erreurs ;
- émuler un autre système d'exploitation avec Virtual PC 2007 ;
- diagnostiquer et réparer Microsoft Office 2007 ;
- diagnostiquer un problème de cohabitation avec les versions précédentes d'Office ;
- diagnostiquer des problèmes d'échanges des fichiers créés avec Office 2007,
- appliquer des correctifs en masse pour Office 2007 grâce au Service Pack 1.

Traitement de texte (Microsoft Office Word 2007)

- faire en sorte que mes correspondants parviennent à lire mes documents ;
- réparer un fichier Word ;
- activer la récupération automatique de document ;
- réparer un document Word illisible à son ouverture via l'Explorateur ;
- faire en sorte que les images s'affichent dans un document ;
- effacer des symboles dans un document ;
- supprimer les interlignes par défaut ;
- insérer des formules de politesse ;
- éviter lorsqu'on saisit un mot dans un document qu'un autre mot s'affiche ;
- résoudre un problème de mise en forme d'un fichier PDF ;
- éviter qu'à la saisie d'un caractère, le caractère présent s'efface ;
- faire réapparaître le Ruban des commandes ;
- utiliser la base de connaissances de l'éditeur du produit Word 2007.

Tableur (Microsoft Office Excel 2007)

- parvenir à figer plusieurs lignes ou plusieurs colonnes ;
- visualiser l'ensemble de mes données dans une colonne ;
- éviter les colonnes ou lignes masquées ;
- voir les résultats des calculs et non les formules ;
- modifier la mise en forme d'une cellule ;
- utiliser la base de connaissances de l'éditeur du produit Excel 2007.

Chapitre 6

Les applications Internet

Depuis plusieurs années, l'évolution d'Internet est incontestable. Les technologies qui permettent de véhiculer l'information ont également évolué (xDSL), autorisant désormais l'envoi de données de type multimédia en direct ou en léger différé. Ainsi, les fonctionnalités principalement employées sur Internet que sont la messagerie, les conversations instantanées et la navigation sur le Web profitent pleinement de ces évolutions. L'utilisation d'Internet est devenue un élément à part entière de l'usage d'un ordinateur, voire dans certains cas son usage unique. C'est pourquoi les pannes de cet environnement deviennent de plus en plus sensibles et pénalisantes au quotidien.

Les pannes concernant Internet peuvent se classer en trois grandes catégories :

- les incidents de connexions au réseau ;
- les problèmes logiciels ;
- les problèmes de configuration.

6.1. Internet Explorer

Microsoft Windows Vista intègre la version 7 du navigateur Windows Internet Explorer. Cette version se caractérise à première vue par la possibilité de naviguer avec des onglets ; une seule fenêtre Internet Explorer est ouverte dans Windows Vista mais plusieurs pages web peuvent être consultées simultanément à l'aide des onglets.

Pour traiter cette section concernant le dépannage d'Internet Explorer, deux grandes catégories de problèmes seront abordés successivement :

- les incidents liés à des problèmes de connexions ;
- les incidents liés aux paramétrages du navigateur.

La page web ne peut pas être affichée

Ainsi, l'incident le plus fréquent concernant la navigation sur Internet se caractérise par l'impossibilité de consulter la page web saisie dans le champ *adresse* de la barre d'outils du navigateur (voir Figure 6.1).

Tout d'abord, essayez de saisir deux autres adresses vers des sites différents dont vous connaissez la grande disponibilité, par exemple tentez votre chance avec deux sites de moteur de recherche. Si les trois adresses ne répondent pas, votre connexion réseau a des chances de ne pas être valide.

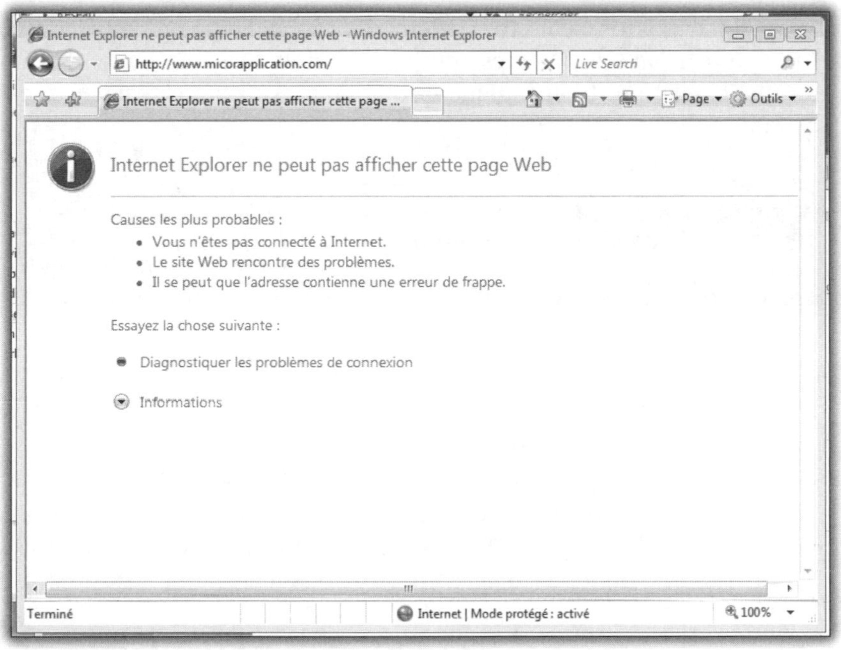

Figure 6.1 : *La page web ne peut pas être affichée*

Vérifier la connexion à Internet

Pour contrôler que la connexion à Internet est active, consultez l'icône du réseau depuis la *Zone de notifications* de la *Barre des Tâches*. Si ce dernier symbolise deux ordinateurs avec une mappemonde c'est que la connexion est correcte.

Figure 6.2 :
Connexion Internet active

Au contraire, si l'icône ne représente pas une mappemonde, cela signifie que la connexion à Internet n'est pas active, alors que la connexion au réseau est initialisée.

Figure 6.3 :
Connecté au réseau local

L'icône de connexion peut être également affichée avec une croix rouge ou un symbole *attention* représenté par un triangle jaune contenant un point d'exclamation. Ceci indique que la connexion au réseau local est inopérante.

Figure 6.4 :
Déconnecté du réseau local

Internet Explorer permet d'accéder directement à un Assistant de dépannage dans son menu outil. Procédez ainsi :

1 Cliquez sur **Diagnostiquer les problèmes de connexion** dans le menu contextuel **Outils**, accessible dans la barre d'outils de la fenêtre **Internet Explorer**.

2 Suivez les informations fournies par l'Assistant de dépannage. Une fois l'action réalisée, cliquez sur la rubrique de la boîte de dialogue **Diagnostic Réseau de Windows**. Renouvelez ces opérations pour chaque action demandée par l'Assistant de réparation.

3 Cliquez sur **Fermer** pour fermer la boîte de dialogue **Diagnostic Réseau de Windows**, une fois le problème résolu. Suivez les indications mentionnées par la boîte dialogue, indiquant d'actualiser la page web, voire fermez et relancez Internet Explorer.

Figure 6.5 : *Diagnostic réseau de Windows*

REMARQUE

Diagnostic réseau de Windows

Cet Assistant permet de résoudre des problèmes de connectivité liés au réseau local. En effet, si le réseau local est en état de fonctionnement, l'option **Diagnostiquer les problèmes de connexion** est grisée dans le menu donc inutilisable. Cette fonction n'est pas accessible si le routeur fonctionne ou si le modem DSL est joignable, alors que l'accès à Internet est inopérant.

Au lieu d'être guidées par un Assistant, ces opérations peuvent être effectuées directement par vos soins. Vérifiez en premier lieu les connexions réseau physiques de l'ordinateur. En partant de la machine, remontez jusqu'à la prise téléphonique au mur de votre habitation. Vérifiez également que les composants de votre installation sont sous tension.

1 Vérifiez que le câble réseau, classiquement un câble Ethernet avec des embouts RJ45, relie l'ordinateur au routeur DSL de votre installation, le plus souvent la boîte fournie par le FAI. Si la connexion au FAI est assurée par un modem DSL USB, le principe reste le même mais dans ce cas, vérifiez la connexion du câble USB.

2 Vérifiez que le routeur ou le modem est sous tension.

3 Vérifiez la connexion téléphonique entre la prise téléphonique murale et le routeur ou le modem, assurée le plus souvent par un câble avec des embouts RJ11, ressemblant au RJ45 mais en plus petites.

Une fois ces vérifications matérielles assurées, la connexion réseau à Internet peut ne pas s'établir pour des problèmes d'accès au réseau. Le problème peut venir du fait que votre ordinateur ne possède pas d'adresse IP (*Internet Protocole*) valide. En effet, l'ordinateur pour communiquer avec les autres machines du réseau doit être connu et pour ceci posséder une adresse afin que les autres ordinateurs d'Internet sachent lui adresser des informations. Généralement, cette adresse est fournie par votre réseau local grâce à un service nommé DHCP (*Dynamic Host Configuration Protocol*).

Vérifier que la machine possède une adresse IP

1 Cliquez sur le bouton **Démarrer** puis saisissez la commande CMD dans la zone de texte *Rechercher* et appuyez sur [←].

2 Dans la fenêtre de commande, saisissez l'instruction `ipconfig`, puis validez par la touche (←).

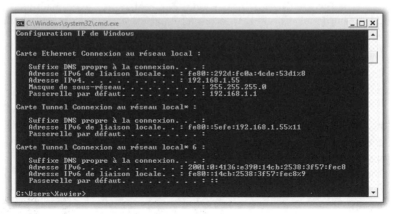

Figure 6.6 : Commande Ipconfig

3 Vérifiez que la ligne *Adresse IP v4* n'est pas vide ou ne contient pas une adresse 0.0.0.0 dans la rubrique correspondant à la carte réseau utilisée pour se connecter au réseau. Généralement, en cas de connexion à l'aide d'une carte réseau, la section à regarder porte le titre *Carte Ethernet Connexion au Réseau Local*.

4 Saisissez la commande `exit` pour quitter la fenêtre de commande.

Si l'adresse IPv4 était vide ou égale à 0.0.0.0, cliquez du bouton droit sur l'icône *Réseau* de la barre des tâches. Cliquez sur **Diagnostiquer et réparer** dans le menu contextuel.

Dans le processus de connexion à Internet, subsiste l'étape d'authentification auprès du FAI. En effet, le FAI permet d'accéder au réseau Internet par l'intermédiaire de son propre réseau. Comme sur tous les réseaux, pour pouvoir y accéder et l'utiliser, il faut s'authentifier grâce à un nom d'utilisateur et un mot de passe. Ces informations ont été fournies par le fournisseur au moment de l'inscription.

▪ Si un modem DSL connecté directement à l'ordinateur est utilisé, cliquez du bouton droit sur l'icône *Réseau* de la barre des tâches. Cliquez sur **Centre Réseau et partage** dans le menu contextuel, puis cliquez sur **Gérer les connexions réseau** dans le volet gauche de la fenêtre **Réseau et Internet/Centre Réseau et partage**. Cliquez sur l'icône *Connexion haut débit* pour ouvrir la fenêtre d'authentification **Connexion à connexion Haut débit**. Saisissez de nouveau dans les champs prévus à cet effet le nom d'utilisateur et le mot de passe, qui ont été transmis par le fournisseur d'accès au moment de l'inscription. Cliquez sur le bouton **Connecter** de la fenêtre **Connexion à connexion Haut débit** pour établir la communication entre votre modem DSL et le fournisseur d'accès.

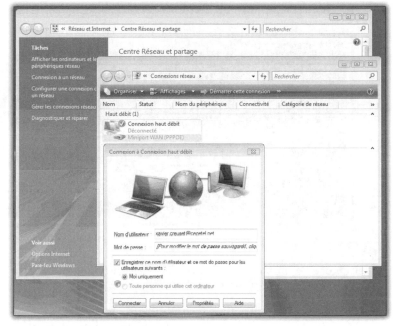

Figure 6.7 : *Connexion Internet*

Vérifier si l'adresse indiquée dans le champ adresse est valide

Les ordinateurs d'un réseau, pour communiquer entre eux, se connaissent par leur adresse IP. En revanche, cette méthode d'identification des machines n'est pas très pratique pour un homme, pour lequel il est plus simple de mémoriser des noms. C'est pourquoi le service DNS (*Domain Name System*) a été mis en œuvre sur Internet pour identifier facilement les ordinateurs à adresser, en association à l'adresse IP de la machine un nom de domaine, de type www.microapp.com. Si l'adresse de la page web indiquée dans la barre d'adresse ne s'affiche pas, il se peut que le service DNS ne fonctionne pas.

Procédez ainsi :

1 Cliquez sur le bouton **Démarrer** puis saisissez la commande CMD dans la zone *Rechercher* du menu **démarrer**.

2 Dans la fenêtre de commande, saisissez l'instruction ping suivie de l'adresse à vérifier séparée par un espace. Validez par la touche ⏎. Pour l'exemple, saisissez ping www.microapp.com.

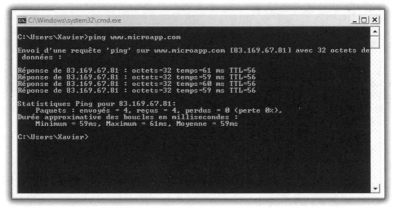

Figure 6.8 : *Commande ping*

3 Repérez le numéro de l'adresse IP, le numéro entre crochet de type [83.169.67.81].

4 Saisissez de nouveau la commande ping accompagnée de l'option -a en indiquant cette fois-ci l'adresse IP repérée précédemment. Pour l'exemple, saisissez ping -a 83.169.67.81. Le résultat de la commande indique le nom de domaine de l'adresse IP saisie. Le nom de domaine a été résolu.

5 Saisissez la commande exit pour quitter la fenêtre de commande.

La plupart du temps, les paramètres de connexion au réseau, en particulier l'accès au service DNS s'obtiennent en même temps que l'adresse IP via le DHCP. Donc pour dépanner, il faut établir voire rétablir la connexion réseau. Cliquez du bouton droit sur l'icône *Réseau* de la barre des tâches, puis cliquez sur **Diagnostiquer et réparer** dans le menu contextuel. Renouvelez les étapes 1 à 5 pour vérifier si le DNS fonctionne.

Une fois ces étapes réalisées et si la page web ne s'affiche toujours pas, il se peut que le serveur hébergeant le site web que vous désirez consulter ne fonctionne pas.

Lors de l'exécution de la commande Ping, des lignes de résultats concernant les requêtes effectuées sur le serveur distant s'affichent. Si la connectivité est bonne et le serveur disponible, la réponse à la commande Ping sera du type :

```
Réponse de 83.169.67.71 : octets=32 temps=60 ms
TTL=121
```

En cas de non-réponse de la machine à la commande Ping, le message sera du type :

```
Délai d'attente de la demande dépassé.
```

Test Ping

Le test de ping qui adresse directement une adresse d'Internet n'a d'intérêt dans le dépannage, que pour une réponse positive, afin de confirmer que la connectivité et la résolution de nom DNS fonctionnent. En effet, une réponse négative à une requête ping ne signifie pas forcément que le site web distant n'est pas en mesure d'afficher une page web. Dans un souci de sécurité informatique, de plus en plus d'administrateurs de serveurs web configurent leurs machines pour ne plus répondre aux sollicitations adressées directement par cette commande.

Si la page web ne s'affiche toujours pas, vérifiez de nouveau l'adresse saisie dans le champ prévu à cet effet du navigateur. Les erreurs de frappe, ça arrive ! En effet, à une lettre près, l'adresse saisie peut ne pas être connue des services DNS et par conséquent ne pas être résolue. Ainsi, votre demande d'affichage de la page web ne peut être routée vers une machine puisqu'elle est inconnue.

Adresse inconnue

De plus en plus souvent, en cas d'adresse web inconnue, au lieu d'afficher une page avec un message d'erreur, deux autres cas de figure peuvent se présenter. L'un consiste à vous diriger vers un site de recherche ayant comme paramètres les informations de l'adresse saisie. Souvent, le site est propre à l'éditeur de votre navigateur ; ainsi Live Search sera utilisé pour le navigateur Internet Explorer. Dans l'autre cas,

REMARQUE

si vos options de sécurité de navigateur sont basses, une page web de type hameçonnage risque de s'afficher.

Essayez de nouveau de saisir deux autres adresses vers des sites différents dont vous connaissez la grande disponibilité, comme au début de ce chapitre. Par exemple, essayez avec deux sites de moteurs de recherche. Si les trois adresses continuent à ne pas répondre, c'est votre navigateur sur lequel il faut désormais intervenir.

Effacer l'historique des pages consultées avec Internet Explorer

La consultation de chaque page du Web avec Internet Explorer est conservée dans un journal d'historique. Cet historique, selon les paramètres du navigateur, peut être utilisé et ainsi provoquer un affichage inattendu de la page web consultée, voire empêcher complètement son chargement. Aussi, pour débloquer la situation, l'une des premières actions à réaliser est de supprimer l'historique de navigation afin de forcer le navigateur à recharger la page web directement sur Internet.

1 Cliquez sur **Outils/Options Internet** dans la fenêtre **Microsoft Internet Explorer**.

2 Cliquez sur **Supprimer** dans la rubrique *Historique de navigation* de l'onglet **Général**.

3 Cliquez sur **Tout supprimer** pour confirmer dans la boîte de dialogue **Supprimer l'Historique de navigation**.

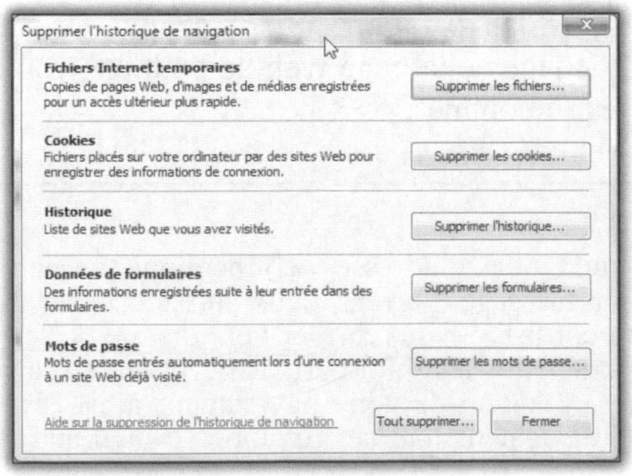

Figure 6.9 :
Supprimer l'historique de navigation

4 Cliquez sur **Oui** dans la nouvelle boîte de dialogue pour confirmer votre choix. L'ensemble des pages web consultées par l'utilisateur en cours sera effacé.

Plusieurs informations de navigation sont conservées

La version 7 d'Internet Explorer permet de faire une suppression sélective. En effet, plusieurs informations de navigation sont conservées et chacune d'elles peuvent provoquer un conflit au chargement de la page web consultée. Si la suppression de l'historique de navigation n'a pas apporté la correction désirée, vous pouvez supprimer les *Fichiers Internet temporaires*, les *Cookies*, l'*Historique*, les *Données de formulaires* et les *Mots de passe*, les uns après les autres. Attention toutefois, ces informations sont utilisées par les sites web visités ; leur suppression entraînera donc des modifications dans votre façon de naviguer jusqu'à ce qu'elles soient de nouveau enregistrées. Ceci peut être d'autant plus gênant pour les sites web nécessitant la saisie d'un identifiant et d'un mot de passe. Ne procédez à la suppression que si vous avez conservé ces informations d'une autre manière ou si vous savez comment reproduire la visite de la page web comme vous le souhaitez.

La consultation de chaque page du Web avec Internet Explorer est conservée dans un journal d'historique. Pour modifier les paramètres de gestion et ainsi optimiser la navigation à l'aide d'Internet Explorer, il s'agit d'organiser un compromis entre un affichage à jour des pages consultées et un affichage des informations déjà présentes sur l'ordinateur. Pour gérer et organiser ces mises à jour, Internet Explorer propose quatre alternatives. Pour y accéder :

1 Cliquez sur **Outils/Options Internet** dans la fenêtre **Microsoft Internet Explorer**.

2 Cliquez sur **Paramètres** dans la rubrique *Historique de navigation* de l'onglet **Général**.

3 Sélectionnez l'option désirée dans la rubrique *Vérifier s'il existe une version plus récente des pages enregistrées*.

Tableau 6.1 : Mise à jour des pages Internet Explorer hors synchronisation

Option	Résultat	Vitesse d'affichage	Risque de blocage dû à l'historique
À chaque visite de cette page Web	Met à jour l'ensemble des fichiers nécessaires à l'affichage de la page, à chaque consultation de cette dernière.	Lent	Très Faible

Tableau 6.1 : *Mise à jour des pages Internet Explorer hors synchronisation*

Option	Résultat	Vitesse d'affichage	Risque de blocage dû à l'historique
À chaque démarrage de Internet Explorer	Vérifie si la page a déjà été visitée lors d'une précédente session d'Internet Explorer. Dans ce cas, Internet Explorer recharge l'ensemble des fichiers nécessaires à la mise à jour des pages.	Moins lent	Faible
Automatiquement	Vérifie si la page a déjà été visitée lors d'une précédente session d'Internet Explorer. Dans ce cas, Internet Explorer recharge l'ensemble des fichiers nécessaires à la mise à jour des pages.	Rapide	Neutre
Jamais	Ne met jamais à jour les fichiers du Cache. Internet Explorer, en cas de visite de la même page web, affiche uniquement les informations contenues sur votre machine. Au bout de plusieurs jours, un décalage peut survenir entre les pages de votre ordinateur et celles effectivement affichées sur le Web. Ceci accélère la consultation des pages web déjà consultées.	Plus rapide	Plus élevé

REMARQUE

Périmètre d'activité

L'ensemble de ces actions ne se rapporte qu'aux fichiers concernant l'utilisateur actif.

Réinitialiser les paramètres d'Internet Explorer

Microsoft Internet Explorer 7 est une application complexe, qui tout au long de son cycle de vie s'agrémente de nouvelles fonctionnalités, mais aussi permet l'installation de programmes complémentaires. De plus, de nombreux paramètres sont modifiables, ce qui entraîne également d'autres sources de problèmes. Aussi, avant de procéder à une désinstallation pure et simple du produit, il est intéressant de procéder à une remise à zéro de tous ces ajouts, pour retrouver une situation d'origine, en réinitialisant Internet Explorer.

Procédez ainsi :

1 Cliquez sur **Outils/Options Internet** à partir de la fenêtre **Microsoft Internet Explorer**.

2 Cliquez sur l'onglet **Avancé** de la fenêtre **Options Internet**.

3 Cliquez sur **Réinitialiser** dans la rubrique *Réinitialiser les paramètres d'Internet Explorer*.

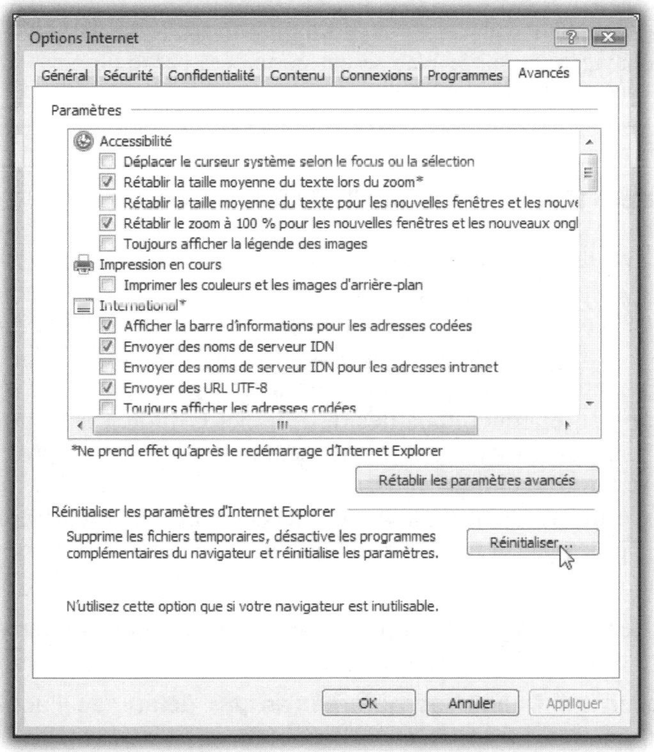

Figure 6.10 : *Réinitialiser Internet Explorer*

4 Cliquez sur le bouton **Réinitialiser** de la boîte de dialogue **Réinitialiser les paramètres d'Internet Explorer**. La boîte de dialogue informe du caractère irréversible de l'opération.

5 Cliquez sur **Fermer** dans la boîte de dialogue **Réinitialiser les paramètres d'Internet Explorer**, bouton qui apparaît une fois les opérations effectuées. Cliquez sur OK pour fermer la boîte de dialogue informant que Internet Explorer doit être arrêté, puis redémarré.

6 Cliquez sur OK pour fermer la fenêtre **Options Internet**.

7 Fermez puis ouvrez Internet Explorer pour que les modifications soient prises en compte.

REMARQUE

> **Réinitialiser**
>
> Cette opération est assez disruptive dans le sens où tous les modules complémentaires sont désinstallés ; les historiques de navigation sont perdus, les paramètres personnels reconfigurés. C'est pourquoi les nouvelles navigations sur le Web seront perturbées par le besoin d'installer les modules complémentaires.

Désactiver Internet Explorer 7

Internet Explorer est un navigateur de bonne facture mais d'autres logiciels de ce type sont également disponibles pour surfer sur le Web. Pour profiter pleinement du programme que vous avez installé, il se peut que vous désiriez désinstaller Microsoft Internet Explorer 7. Ceci n'est pas recommandé car il y a de fortes aspérités entre le système d'exploitation et les fonctionnalités de Internet Explorer, à tel point que Microsoft n'a pas prévu d'option de désinstallation de ce programme pour le système d'exploitation Windows Vista. Il est toutefois possible de profiter d'un autre navigateur, en désactivant Internet Explorer 7. Avant de procéder à ces modifications, effectuez un point de restauration.

1 Cliquez sur **Programmes par défaut** dans le menu **Démarrer** de la barre d'outils de Windows Vista.

2 Cliquez sur **Définir les paramètres par défaut de l'accès aux programmes et à l'ordinateur** de la fenêtre **Programmes/Programmes par défaut**.

3 Cliquez sur le bouton **Continuer** de la boîte de dialogue **Contrôle de compte d'utilisateur**.

4 Cliquez sur l'option *Personnalisée* de la fenêtre **Définir les paramètres par défaut de l'accès aux programmes et à l'ordinateur**, pour afficher un ensemble d'options modifiables, dont le navigateur par défaut.

5 Décochez l'option *Activer l'accès à ce programme* de la ligne correspondante à *Internet Explorer* de la rubrique *Choisissez un navigateur web par défaut*.

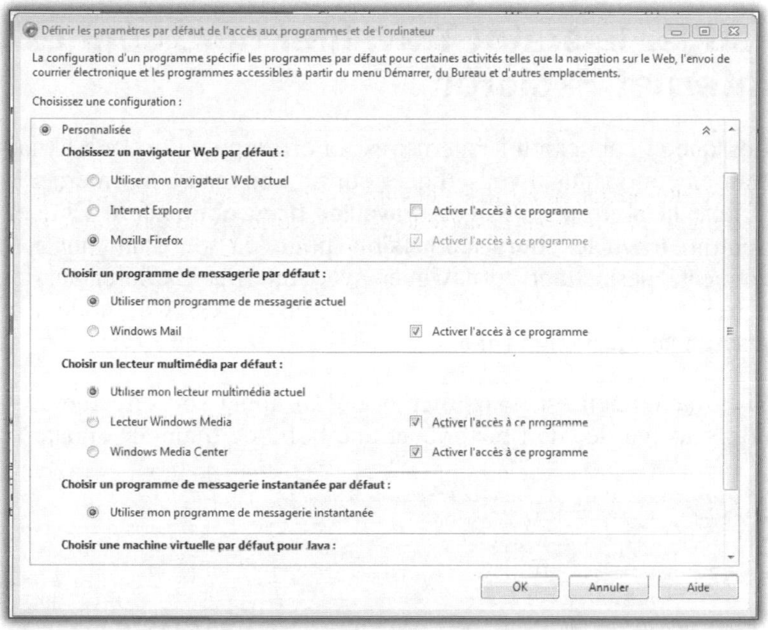

Figure 6.11 : *Désactiver Internet Explorer 7*

REMARQUE

Navigateur par défaut

L'option *Utiliser mon navigateur web actuel* est cochée par défaut. Si vous avez installé un autre navigateur et qu'il soit activé, vous devez forcer son utilisation en cochant l'option du nom du programme de la rubrique *Choisissez un navigateur par défaut*. En effet, si cette action n'est pas effectuée, comme Internet Explorer est toujours présent sur votre machine, ce sera lui qui continuera d'être utilisé pour afficher des liens ouverts, par exemple, à partir d'Office.

6 Cliquez sur OK pour fermer la fenêtre **Définir les paramètres par défaut de l'accès aux programmes et à l'ordinateur** et appliquer vos paramètres.

Pour réactiver Internet Explorer 7, il suffit d'effectuer les opérations inverses, en cochant l'option *Internet Explorer* de la rubrique *Choisissez un navigateur web par défaut.* L'option *Activer l'accès à ce programme* de la ligne correspondant à *Internet Explorer* est cochée automatiquement.

Changer le statut Travailler hors connexion d'Internet Explorer

Lorsque la connexion à Internet est interrompue alors que la navigation était en cours, quand vous cliquez sur un nouveau lien, Internet Explorer affiche la boîte de dialogue **Travailler hors connexion**. Cliquez sur le bouton **Travailler hors connexion** pour passer dans un mode non connecté permettant de naviguer avec Internet Explorer sur les pages enregistrées lors de vos précédents butinages. Ce mode est activé jusqu'à ce qu'il soit arrêté.

Si la navigation est poursuivie et qu'un appel soit effectué à une page non sauvegardée de l'historique, une boîte de dialogue apparaît.

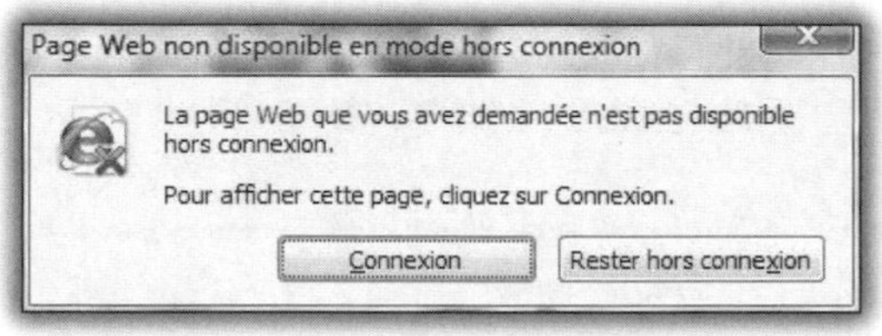

Figure 6.12 :
Connexion requise en mode Hors connexion

Cliquez sur **Connexion** pour rendre disponible l'accès à Internet, sinon confirmez en cliquant sur **Rester hors connexion**. La fenêtre **Microsoft Internet Explorer** se complète d'un message d'information - *[Travail hors connexion]*.

Le statut peut également être modifié via le menu. De même, lorsque l'ouverture d'une page web est demandée lors d'une nouvelle session de travail, alors que l'option *Travailler hors connexion* est cochée, Internet Explorer affiche une page d'information de type erreur (voir Figure 6.13).

Cliquez sur **Outils/Travailler hors connexion** à partir de la fenêtre **Microsoft Internet Explorer** pour indiquer à Internet Explorer de travailler directement sur le réseau.

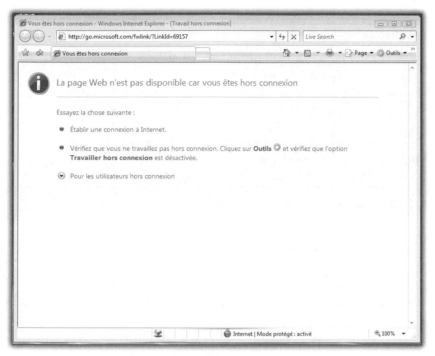

Figure 6.13 : *Page web non disponible en mode Hors connexion*

Les problèmes d'affichage d'une page web liés à la sécurité

Malgré une connexion à Internet active et des pages standards qui peuvent s'afficher, comme par exemple une page de moteur de recherche, il se peut que des pages web continuent à ne pas pouvoir être visualisées dans leur ensemble. Ceci est fort probablement dû à la configuration de sécurité active sur l'ordinateur. Pour faciliter l'approche dépannage, nous considérerons que la sécurité pour l'affichage d'une page web dans son ensemble s'appuie sur deux composants :

- le contrôle parental ;
- la gestion des accès.

D'autres éléments de sécurité peuvent avoir une influence sur l'affichage des pages web ou de services Internet, comme la lecture de vidéo en ligne, mais le plus fréquemment ceci se traduit par un élément de la page web affichée, qui ne peut être utilisé.

- les paramètres de sécurité Internet Explorer ;
- le pare-feu ;
- l'antivirus.

Consultez la section **Affichage partiel d'une page web** *page 323.*

Modification de la sécurité
Intervenir sur l'un des composants de sécurité peut avoir des conséquences sur la protection de votre machine. Même si vous subissez des désagréments en raison des paramètres de sécurité en œuvre sur l'ordinateur, il faut peser le pour et le contre des conséquences possibles de chaque modification. Est-ce que le désagrément est pire que le risque de l'autorisation à donner ?

Le contrôle parental

En fait, le contrôle parental possède un champ d'action sur la machine plus large que le simple contrôle de l'affichage de pages web. Ainsi, le contrôle parental permet de créer des règles d'utilisation de l'ordinateur pour les catégories suivantes :

- filtre Windows Vista de restriction d'accès au Web ;
- limites de durée ;
- jeux ;
- autorisation et blocage des programmes spécifiques.

Pour ce chapitre, seul le dépannage des restrictions liées à la première catégorie sera étudié.

Pour savoir si le compte d'utilisateur est sous le coup du contrôle parental, regardez la présence d'une icône représentant un adulte et un enfant dans la barre d'outils de Windows Vista.

Figure 6.14 :
Contrôle parental

Le contrôle parental vu de la personne filtrée

Lors de la navigation sur le Web, une page peut être interdite de visualisation. Dans ce cas, la page web affichée par Internet Explorer indique le blocage dû au contrôle parental.

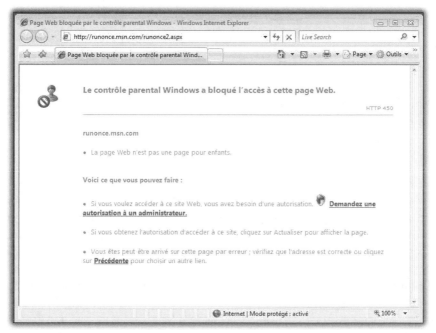

Figure 6.15 : *Blocage par le contrôle Parental*

Pour débloquer la situation, vous avez besoin de l'administrateur de l'ordinateur ou au moins de son mot de passe, mais surtout de sa connaissance ou de son jugement du site web à autoriser.

1 Cliquez sur **Demandez une autorisation à un administrateur** dans la page web. La boîte de dialogue **Contrôle de compte d'utilisateur** affiche le compte administrateur de Windows Vista, afin que son mot de passe soit saisi dans le champ prévu à cet effet. Une fois le mot de passe saisi, cliquez sur OK pour valider.

2 Cliquez sur **Toujours autoriser** de la boîte de dialogue **Contrôle Parental**, pour autoriser l'affichage de la page web. Cette action aura pour effet d'ajouter ce lien dans la liste verte, c'est-à-dire la liste des sites web autorisés. Cochez auparavant l'option *Autoriser tout contenu provenant de ce site*, si vous désirez activer l'autorisation pour l'ensemble des liens de ce site.

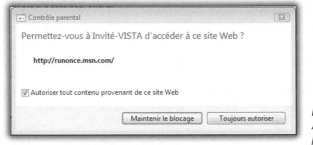

Figure 6.16 :
Autoriser une page web

3 Cliquez sur OK pour valider le message d'information indiquant que le site est désormais autorisé.

4 Cliquez sur l'icône *Actualiser* à droite de la barre d'adresse d'Internet Explorer, ou tapez sur la touche [F5], pour rafraîchir et permettre l'affichage de la page web.

Le contrôle parental vu de l'administrateur

Comme un programme de contrôle parental ne pourra jamais prendre en compte l'ensemble des paramètres de restriction propre à chaque parent, il est nécessaire de compléter les restrictions, en particulier en utilisant des listes de sites web. Afin de définir plus facilement une liste de sites à autoriser, vous pouvez consulter les sites web visités grâce aux rapports d'activités.

1 Cliquez sur **Outils/Options Internet** à partir de la fenêtre **Microsoft Internet Explorer**.

2 Cliquez sur l'onglet **Contenu** de la fenêtre **Options Internet**.

3 Cliquez sur **Contrôle parental** dans la rubrique Contrôle parental. Cliquez sur **Continuer** dans la boîte de dialogue **Contrôle de compte d'utilisateur**.

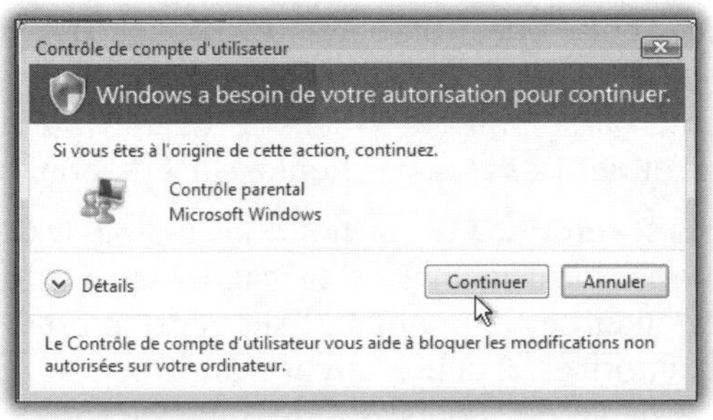

Figure 6.17 :
Contrôle de compte d'utilisateur

4 Cliquez sur l'icône de l'utilisateur pour lequel vous désirez consulter les rapports d'activités.

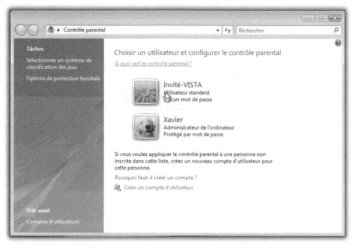

Figure 6.18 : Choix de l'utilisateur

5 Cliquez sur *Afficher les rapports d'activité* dans la rubrique *Paramètres actuels* de la fenêtre **Contrôle Parental/Contrôles utilisateur**. Le rapport s'affiche dans une fenêtre dédiée.

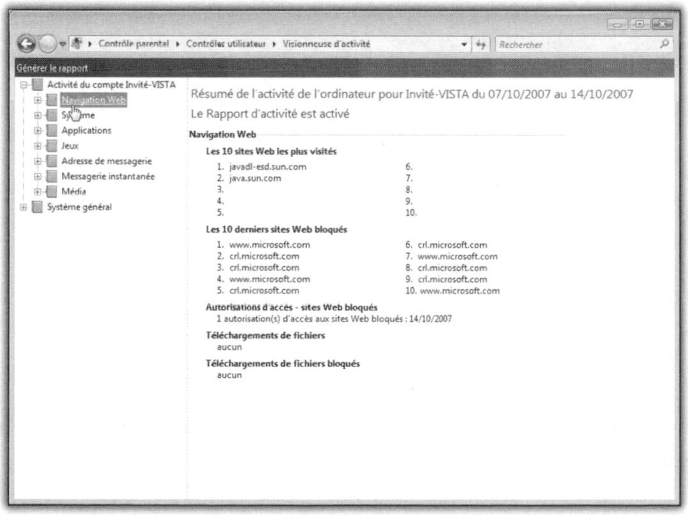

Figure 6.19 : Rapport contrôle parental

Par défaut, la fonction de contrôle parental est activée sur une valeur moyenne. Aussi, ce niveau par défaut peut ne pas être adapté à votre attente et doit être modifié selon vos besoins.

1 Cliquez sur **Outils/Options Internet** à partir de la fenêtre **Microsoft Internet Explorer**.

2 Cliquez sur l'onglet **Contenu** de la fenêtre **Options Internet**.

3 Cliquez sur **Contrôle parental** dans la rubrique *Contrôle parental.*

4 Cliquez sur l'icône de l'utilisateur pour lequel vous désirez modifier le contrôle parental.

5 Cliquez sur *Filtre Windows Vista de restrictions d'accès au Web* dans la rubrique *Paramètres Windows* de la fenêtre **Contrôle Parental/Contrôles utilisateur**.

6 Cliquez sur l'option *Personnalisé* de la rubrique *Bloquer automatiquement le contenu Web*.

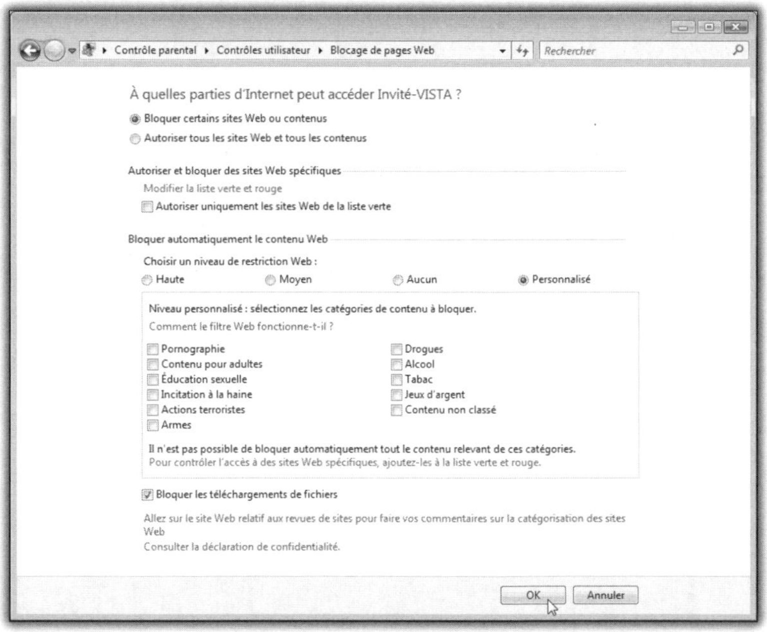

Figure 6.20 : *Contrôle parental personnalisé*

> **REMARQUE**
>
> **Contrôle parental personnalisé**
>
> Il existe trois autres niveaux de restriction web prédéfinis : *Haute*, *Moyen* (défaut) et *Aucun*. Une information sur les fonctions de restrictions de l'option choisie est alors affichée.

7 Cochez les différentes cases afin de définir votre niveau de restriction personnalisé.

8 Cliquez sur OK pour valider vos choix et fermer la fenêtre **Restriction d'accès au Web**.

9 Cliquez sur OK pour quitter la fenêtre **Contrôle Parental/Contrôles utilisateur**.

Désactiver le contrôle parental

Pour des raisons de simplicité de l'affichage des pages web, vous pouvez désirer ne plus utiliser le contrôle parental. Dans ce cas, procédez comme suit :

1 Cliquez sur **Outils/Options Internet** à partir de la fenêtre **Microsoft Internet Explorer**.

2 Cliquez sur l'onglet **Contenu** de la fenêtre **Options Internet**.

3 Cliquez sur **Contrôle parental** dans la rubrique *Contrôle parental.* Cliquez sur **Continuer** dans la boîte de dialogue **Contrôle de compte d'utilisateur**.

Figure 6.21 :
Contrôle parental utilisateur

4 Cliquez sur l'icône de l'utilisateur pour lequel vous désirez désactiver le contrôle parental.

5 Désactivez l'option en cochant la case *Désactivé* de la rubrique *Contrôle parental*.

6 Cliquez sur OK pour que la désactivation du contrôle parental sur le compte utilisateur choisi soit enregistrée. Cette désactivation sera effective uniquement lors de sa prochaine connexion.

ATTENTION

Désactiver le contrôle parental
Un programme ne remplacera jamais la vigilance réelle des parents mais il peut contribuer à un meilleur contrôle. Aussi, ne désactivez cette fonction que si vous avez prévu de mettre en pratique d'autres règles de protection pour vos enfants.

Activer ou réactiver le contrôle parental

Dans Internet Explorer 7, la fonction gestionnaire d'accès et la fonction de contrôle parental sont gérées de manière séparée. La gestion du contrôle parental utilise les règles définies par l'ICRA (*Internet Content Ratint Association*). Par défaut, ce service n'est pas activé.

1 Cliquez sur **Outils/Options Internet** à partir de la fenêtre **Microsoft Internet Explorer**.

2 Cliquez sur l'onglet **Contenu** de la fenêtre **Options Internet**.

3 Cliquez sur **Contrôle parental** dans la rubrique *Contrôle parental.* Cliquez sur **Continuer** de la boîte de dialogue **Contrôle de compte d'utilisateur**.

4 Cliquez sur l'icône de l'utilisateur pour lequel vous désirez activer le contrôle parental.

REMARQUE

Mot de passe administrateur
Si le compte administrateur de Vista n'a pas de mot de passe, une boîte de dialogue s'affiche vous demandant la prise en charge d'un mot de passe pour votre compte d'administration Windows Vista. Cliquez sur **Oui** pour ouvrir la boîte de dialogue permettant la saisie d'un mot de passe pour l'administrateur. Cliquez sur OK pour activer le mot de passe.

---

5 Activez l'option en cochant la case *Activé, les paramètres actuels sont appliqués* de la rubrique *Contrôle parental*.

Figure 6.22 : *Activer le contrôle parental*

6 Cliquez sur OK pour l'activation du contrôle parental sur le compte utilisateur choisi.

Formatage d'un disque
Un message d'information apparaît si l'un de vos disques durs est formaté en type FAT. En effet, dans ce cas le contrôle parental ne peut pas appliquer les sécurités d'accès aux fichiers définis dans les options. Cliquez sur OK pour fermer la boîte de dialogue **Contrôle parental Windows**.

7 Fermez la fenêtre **Contrôle parental** en cliquant sur l'icône de fermeture d'une fenêtre (croix blanche, dans un carré rouge).

8 Cliquez sur OK pour fermer la boîte de dialogue **Options Internet**.

Contrôle parental
Le contrôle parental est une fonction de sécurité intégrée à Windows Vista et qui peut être gérée directement à partir du Panneau de configuration de Windows Vista.

Contrôle parental
Un programme ne remplacera jamais la vigilance des parents. Aussi, il est nécessaire d'interdire soi-même l'accès à certains sites web ou au contraire d'autoriser ceux de son choix. Pour vous aider à identifier les sites, vous pouvez accéder au *Rapport d'activité du contrôle parental*.

Le gestionnaire d'accès

Le gestionnaire d'accès était assez communément appelé Contrôle parental. En fait, dans Internet Explorer 7 la fonction gestionnaire d'accès et la fonction de contrôle parental sont gérées de manière séparée. La gestion des accès utilisée se fonde sur des règles définies par l'ICRA *(Internet Content Ratint Association)*. Par défaut, ce service n'est pas activé et concerne uniquement le filtrage des sites via Internet Explorer 7. En revanche, si cette fonction d'Internet Explorer est activée, des pages web peuvent ne pas être affichées.

Le gestionnaire d'accès vu de la personne filtrée

Lorsqu'une page web est saisie et que le gestionnaire d'accès est activé, la boîte de dialogue **Gestionnaire d'accès**, qui demande un mot de passe superviseur s'affiche. Pour débloquer la situation, vous avez besoin du superviseur d'Internet ou au moins de son mot de passe, mais aussi de sa connaissance ou de son jugement concernant le site web à autoriser.

Figure 6.23 :
Gestionnaire d'accès

Une fois le mot de passe saisi, cliquez sur OK dans la boîte de dialogue **Gestionnaire d'accès** pour afficher la page web.

Le gestionnaire d'accès vu de l'administrateur

Lorsque les options par défaut de chaque catégorie sont actives, la navigation sur Internet nécessite la saisie du mot de passe superviseur quasiment systématiquement, pouvant donner l'impression d'un problème de l'ordinateur. Aussi, il est nécessaire d'adapter les paramètres pour obtenir un compromis entre tranquillité de navigation et risque de visualisation de sites incorrects.

Procédez ainsi :

1 Cliquez sur **Outils/Options Internet** dans la fenêtre **Microsoft Internet Explorer**.

2 Cliquez sur l'onglet **Contenu** de la fenêtre **Options Internet**.

3 Cliquez sur **Paramètres** dans la deuxième rubrique *Contrôle*. Saisissez le mot de passe du superviseur dans la boîte de dialogue. Cliquez sur OK.

4 Sélectionnez la catégorie de votre choix dans l'onglet **Contrôle d'accès**.

5 Cliquez sur le curseur de sélection, puis déplacez ce curseur sur le niveau de votre choix en maintenant le bouton de la souris appuyé.

REMARQUE

Information concernant le niveau d'accès
Une information concernant le niveau sélectionné est affichée dans la zone *Description*.

6 Recommencez l'opération pour chacune des catégories choisies.

7 Cliquez sur **Appliquer** puis sur OK.

Autoriser à ne pas filtrer, par le gestionnaire d'accès, des sites web donnés

L'application de filtre d'accès telle qu'elle est utilisée par le gestionnaire d'accès s'applique par défaut à l'ensemble des sites web consultés. En revanche, il est possible d'autoriser certains sites d'accès à être visualisés sans contrôle. Cela constitue une solution alternative à la désactivation de la fonction de contrôle d'accès.

Procédez ainsi :

1 Cliquez sur **Outils/Options Internet** dans la fenêtre **Microsoft Internet Explorer**.

2 Cliquez sur l'onglet **Contenu** dans la fenêtre **Options Internet**.

3 Cliquez sur **Paramètres** dans la rubrique *Contrôle d'accès*. Saisissez le mot de passe du superviseur dans la boîte de dialogue. Cliquez sur OK.

4 Cliquez dans le champ *Autoriser ce site web* et sur l'onglet **Sites autorisés**.

5 Saisissez l'adresse du site à autoriser puis cliquez sur **Toujours**. La liste des sites web autorisés et non autorisés se met à jour.

6 Recommencez cette opération autant de fois qu'il y a de sites web à autoriser.

7 Cliquez sur OK.

Sites non désirés

Pour supprimer un site de la liste, sélectionnez-le à partir de la liste puis cliquez sur **Supprimer**.

Désactiver le gestionnaire d'accès

Si malgré tout, pour des raisons de simplicité de l'affichage des pages web et d'administration du contrôle d'accès des pages web, vous désirez ne plus utiliser le gestionnaire d'accès, procédez comme suit :

1 Cliquez sur **Outils/Options Internet** à partir de la fenêtre **Microsoft Internet Explorer**.

2 Cliquez sur l'onglet **Contenu** de la fenêtre **Options Internet**.

3 Cliquez sur **Désactiver** dans la rubrique *Contrôle d'accès* de la fenêtre **Options Internet**.

4 Cliquez sur **Continuer** dans la boîte de dialogue **Contrôle de compte d'utilisateur**.

5 Saisissez le mot de passe superviseur dans le champ prévu à cet effet dans la boîte de dialogue **Mot de passe superviseur requis**. Cliquez sur OK pour valider. Cliquez de nouveau sur OK dans la boîte de dialogue informant que le gestionnaire d'accès a été désactivé.

Désactiver le gestionnaire d'accès

Un programme ne remplacera jamais la vigilance réelle d'un superviseur, mais il peut contribuer à un meilleur contrôle. Aussi, ne

| | désactivez cette fonction que si vous avez prévu de mettre en pratique des règles de protection ou de contrôle. |

Activer ou réactiver le gestionnaire d'accès

Même si un programme ne remplace pas un contrôle visuel des pages consultées, c'est un outil précieux de contrôle. C'est pourquoi, après une désactivation pour débloquer une situation, il est peut-être nécessaire de le remettre en service.

1 Cliquez sur **Outils/Options Internet** à partir de la fenêtre **Microsoft Internet Explorer**.

2 Cliquez sur l'onglet **Contenu** de la fenêtre **Options Internet**.

3 Cliquez sur **Activer** dans la rubrique *Contrôle d'accès* de la fenêtre **Options Internet**.

4 Cliquer sur **Continuer** dans la boîte de dialogue **Contrôle de compte d'utilisateur**.

5 La boîte de dialogue **Gestionnaire d'accès** s'affiche si le gestionnaire d'accès n'avait jamais été activé sur la machine. Plusieurs catégories sont prises en charge (*Contenu à caractère sexuel, Langue, Nudité, Violence*, etc.). Le niveau de contrôle d'accès par défaut de chaque catégorie est le plus restrictif. Pour modifier ce niveau de contrôle d'accès, sélectionnez la catégorie, puis à l'aide de la souris positionnez le curseur sur le niveau désiré. Quatre niveaux sont définis : *Aucun, Limité, Partiel, Non Restreint*. Si le gestionnaire d'accès avait déjà été activé, saisissez le mot de passe superviseur pour réactiver le gestionnaire d'accès (voir Figure 6.24).

6 Cliquez sur OK. Lors de la première activation, une boîte de dialogue concernant la création d'un mot de passe superviseur s'affiche. Dans le champ *Mot de passe*, saisissez le mot de passe que vous désirez attribuer. Cette valeur est à reporter dans la zone où confirmer le mot de passe. Placez dans le champ conseil un mémorandum afin de déduire le mot de passe en cas d'oubli.

Gestionnaire d'accès

Contrôle d'accès | Sites autorisés | Général | Paramètres avancés

Sélectionnez une catégorie pour afficher les niveaux de contrôle d'accès :

ICRA3
   Contenu à caractère sexuel
   Contenu donnant le mauvais exemple auprès des jeunes enfants
   Contenu généré par l'utilisateur
   Contenu suscitant peur, intimidation, etc.
   Incitation/représentation de discrimination ou de méchanceté

Ajustez la barre de défilement pour spécifier les sites que les utilisateurs sont autorisés à visiter :

Aucun

Description

Pas de baisers passionnés, d'actes sexuels masqués ou suggérés, d'
attouchements sexuels visibles, de langage sexuel explicite, d'
érections, d'actes sexuels explicites ou d'érotisme quel que soit le

Pour afficher la page Internet de ce service de contrôle d'accès, cliquez sur Informations.   [Informations]

[OK]   [Annuler]   [Appliquer]

Figure 6.24 : *Gestionnaire d'accès*

Oubli du mot de passe

Retenez ce mot de passe, il vous sera demandé à chaque fois que les règles ne sont pas respectées ou lorsque vous voudrez modifier les règles.

La fréquence de saisie de ce mot de passe est très élevée dans le cas des options de catégorie par défaut.

7 Cliquez sur OK ; un message d'informations s'affiche. Cliquez sur OK.

8 Cliquez sur OK dans la boîte de dialogue **Options Internet** pour accéder à la navigation.

Première activation

Si le service n'avait jamais été activé sur l'ordinateur, le choix des paramètres est grisé.

Affichage partiel d'une page web

La navigation sur Internet depuis plusieurs années maintenant fait appel à de nombreux services. En effet, une page web désormais est souvent dynamique, c'est-à-dire qu'elle se construit en fonction de programmes hébergés sur le serveur, mais elles sont aussi animées. Dans ce cas, elle fait appel à des composants spécifiques, voire complémentaires de votre navigateur. Tout ou partie de ces composants sont activés ou interdits dans les paramètres de votre navigateur. Selon les paramètres activés dans Internet Explorer, la page web consultée peut ne pas afficher tous les éléments qui la composent.

Appliquer les paramètres de sécurité par défaut par zone

Tout au long de l'utilisation de votre ordinateur et en particulier d'Internet Explorer, vos options de sécurité évoluent. En revanche, ces options de sécurité peuvent devenir bloquantes dans vos habitudes de navigation. La possibilité de remettre les paramètres par défaut s'offre à vous.

1 Cliquez sur **Outils/Options Internet** dans la fenêtre **Microsoft Internet Explorer**.

2 Cliquez sur l'onglet **Sécurité**.

3 Cliquez sur l'icône représentant l'élément **Internet** dans la liste de la rubrique *Cliquez sur une zone pour afficher ou modifier les paramètres de sécurité* pour spécifier ses paramètres de sécurité (voir Figure 6.25).

4 Cliquez sur **Niveau par défaut**. Dans la rubrique *Niveau de sécurité pour cette zone*, le curseur vertical à trois positions indiquant le niveau de sécurité appliqué se place par défaut sur *Moyen-haut*.

REMARQUE

Niveau par défaut activé

L'option *Niveau par défaut* se grise et n'est plus sélectionnable jusqu'aux prochaines modifications du niveau de sécurité de la zone de contenu.

5 Cliquez sur l'icône représentant l'élément **Intranet local** dans la liste de la rubrique *Cliquez sur une zone pour afficher ou modifier les paramètres de sécurité*.

Figure 6.25 : *Options de sécurité Internet Explorer*

6 Cliquez sur **Niveau par défaut**. Dans la rubrique *Niveau de sécurité pour cette zone*, le curseur vertical à cinq positions indiquant le niveau de sécurité appliqué se place par défaut sur *Moyenne-basse*.

7 Cliquez sur l'icône représentant l'élément **Sites de confiance** dans la liste de la rubrique *Cliquez sur une zone pour afficher ou modifier les paramètres de sécurité*.

8 Cliquez sur **Niveau par défaut**. Dans la rubrique *Niveau de sécurité pour cette zone*, le curseur vertical à cinq positions indiquant le niveau de sécurité appliqué se place par défaut sur *Moyenne*.

9 Cliquez sur l'icône représentant l'élément **Sites sensibles** dans la liste de la rubrique *Cliquez sur une zone pour afficher ou modifier les paramètres de sécurité*.

10 Cliquez sur **Niveau par défaut**. Dans la rubrique *Niveau de sécurité pour cette zone*, le curseur vertical à cinq positions indiquant le niveau de sécurité appliqué se place par défaut sur *Haute*.

11 Cliquez sur **Appliquer** pour confirmer la mise en œuvre de l'ensemble de vos choix.

12 Cliquez sur OK pour fermer la boîte de dialogue **Options Internet**.

Une fois les niveaux par défaut remis en œuvre, testez de nouveau l'affichage de la page web qui était en défaut.

REMARQUE

Finalité du niveau d'accès

Pour chacun des niveaux de sécurité appliqués dans chaque zone de contenu web, une information explique la finalité du niveau de sécurité en place.

Personnaliser les paramètres de sécurité par défaut par zone

Si des éléments d'une page continuent à ne pas être visualisable, il faut personnaliser le niveau de sécurité.

Pour cela :

1 Cliquez sur **Outils/Options Internet** dans la fenêtre **Microsoft Internet Explorer**.

2 Cliquez sur **Personnaliser le niveau** dans la rubrique sélectionnée sous l'onglet **Sécurité**.

3 Sélectionnez l'option de votre choix dans la fenêtre **Paramètres de Sécurité – Zone Internet**. Cliquez sur OK pour appliquer les modifications et quitter la fenêtre. Cliquez de nouveau sur OK pour revenir à la fenêtre principale **Microsoft Internet Explorer**.

REMARQUE

Prise en compte des modifications

La modification de l'un de ces paramètres ne sera effective qu'après l'arrêt puis la relance d'Internet Explorer. Même si ceci peut être fastidieux, nous vous conseillons de modifier les paramètres un par un et de tester l'affichage de la page web à chaque modification, pour identifier quel paramètre est nécessaire au bon fonctionnement de la page web, sans pour autant autoriser d'autres paramètres à tort, ou au moins des paramètres qui pourraient ouvrir d'autres portes de sécurité.

Paramètres particuliers

Parmi les paramètres précédents qui s'appliquent pour l'ensemble des sites visités, la modification des autorisations est fréquemment requise pour deux d'entre eux :

- les cookies ;
- les fenêtres publicitaires.

Leur gestion est d'autant plus difficile que selon les cas, ils peuvent être désirés ou non. Adopter une politique générale ne se révèle donc pas adapté.

Gestion des cookies pour des sites définis

Bloquer les cookies

Les cookies sont des informations concernant votre ordinateur, créées lors de la consultation de page web. Lorsque vous consultez de nouveau la même page web qui utilise des cookies, celle-ci s'affiche en fonction des informations personnelles enregistrées. C'est ainsi que sur les portails nécessitant l'identification par une adresse électronique, s'affiche une page avec des informations personnelles, par exemple le portail d'un fournisseur d'accès. En revanche, ceci est plus gênant lorsque vous consultez un site par hasard et que vous n'avez pas l'attention de laisser des informations vous concernant. C'est pourquoi Internet Explorer permet la gestion des cookies.

Procédez ainsi :

1 Cliquez sur **Outils/Options Internet** dans la fenêtre **Microsoft Internet Explorer**.

2 Cliquez sur l'onglet **Confidentialité** dans la fenêtre **Options Internet** (voir Figure 6.26).

3 Cliquez sur **Sites** dans la rubrique *Paramètres*.

4 Dans le champ *Adresse du site web*, saisissez l'adresse http du site pour lequel vous bloquez la diffusion d'information.

5 Cliquez sur **Refuser**. Le domaine du site devient disponible dans la liste de la rubrique *Sites web gérés*.

Figure 6.26 : *Onglet Confidentialité*

REMARQUE

Sites non désirés

Pour retirer un site de la liste, sélectionnez-le puis cliquez sur **Supprimer**.

Pour changer la valeur de l'autorisation d'une d'adresse présente dans la liste des sites web gérés, sélectionnez-la puis cliquez sur Autoriser ou Refuser selon votre choix.

Autoriser les cookies pour des sites définis

Comme vu précédemment pour naviguer sur des pages web d'un site connu, pour lequel vous saisissez régulièrement des informations vous concernant, il peut être plus simple, si ce dernier utilise des cookies, de permettre leur utilisation. Ce site s'alimentera lui-même des informations nécessaires grâce aux cookies précédemment mis à jour.

Autoriser les cookies

ATTENTION

Comme toute action de diffusion d'informations personnelles, il est nécessaire d'avoir confiance envers le destinataire de ces informations. Le principe demeure le même pour l'autorisation de cookies à un site web. Faites-le uniquement pour des sites que vous connaissez et dont vous êtes sûr du bon usage des informations.

Procédez ainsi :

1 Cliquez sur **Outils/Options Internet** dans la fenêtre **Microsoft Internet Explorer**.

2 Cliquez sur l'onglet **Confidentialité** de la fenêtre **Options Internet**.

3 Cliquez sur **Sites** dans la rubrique *Paramètres*.

Figure 6.27 :
Gérez les sites

4 Dans le champ *Adresse du site web*, saisissez l'adresse http du site pour lequel vous autorisez la diffusion d'informations.

 Généraliser l'autorisation à un domaine

REMARQUE

En fait, pour autoriser d'une manière un peu plus globale l'accès au site, seul le nom de domaine du site est inscrit dans la liste des sites, soit en général les deux valeurs autour du dernier point de l'adresse racine.

Par exemple, pour autoriser l'ensemble des informations demandées par le site `http://xxxx.yyyy.com/index.html`, indiquez directement la valeur `yyyy.com`.

5 Cliquez sur **Autoriser**. Le domaine du site devient disponible dans la liste de la rubrique *Sites web gérés*.

Sites non désirés
Pour retirer un site de la liste, sélectionnez-le puis cliquez sur **Supprimer**.

Pour changer la valeur de l'autorisation d'une adresse présente dans la liste des sites web gérés, sélectionnez-la puis cliquez sur **Autoriser** ou **Refuser** selon votre choix.

Gestion des fenêtres publicitaires pour des sites définis

Bloquer les fenêtres publicitaires intempestives

Les fenêtres publicitaires sont fréquemment utilisées lors de la visite de site marchands afin de "faire l'article" sur un produit. En revanche, cet affichage s'appuie sur l'exécution d'un programme ou module qui peut être utilisé a des feins malveillantes. C'est pourquoi lors de la visite de sites inconnus, il est préférable par défaut de bloquer l'affichage des publicités intempestives.

Pour cela :

1 Cliquez sur **Outils/Options Internet** dans la fenêtre **Microsoft Internet Explorer**.

2 Cliquez sur l'onglet **Confidentialité** de la fenêtre **Options Internet**.

3 Sélectionnez l'option *Activer le bloqueur de fenêtres publicitaires intempestives* de la rubrique *Bloqueur de fenêtres publicitaires intempestives*.

Gestion par défaut des publicités
L'option concernant le blocage des publicités intempestives est sélectionnée par défaut dans Internet Explorer.

Autoriser l'affichage de fenêtres publicitaires pour des sites précis uniquement

Les paramètres de blocage des fenêtres publicitaires s'appliquent par défaut à l'ensemble des pages web visitées. Afin de permettre la survenue de fenêtres publicitaires tout en appliquant des filtres, des exclusions peuvent être définies, par exemple pour consulter les sites marchands que vous visitez habituellement.

Procédez ainsi :

1 Cliquez sur **Outils/Options Internet** dans la fenêtre **Microsoft Internet Explorer**.

2 Cliquez sur l'onglet **Confidentialité** de la fenêtre **Options Internet**.

3 Sélectionnez l'option *Activer le bloqueur de fenêtres publicitaires intempestives* de la rubrique *Bloqueur de fenêtres publicitaires intempestives*.

4 Cliquez sur **Paramètres**.

5 Saisissez le site dans le champ *Adresse du site web à autoriser*.

6 Cliquez sur **Ajouter**. La liste *Sites autorisés* se met à jour.

7 Cliquez sur **Fermer** puis sur **Appliquer** et enfin sur OK pour revenir à l'écran principal d'Internet Explorer.

Sites non désirés

Pour supprimer une valeur de la liste, sélectionnez l'adresse puis cliquez sur **Supprimer**.

Modules complémentaires manquants

Ces modules ajoutent de nouvelles fonctionnalités au navigateur permettant de visualiser ou de jouer des composants multimédias des pages web consultées. Si ces composants ne sont pas ajoutés, le navigateur ne peut pas exploiter la page visitée et affiche alors des zones comprenant une croix rouge, au lieu d'afficher une image, une animation, etc (voir Figure 6.28).

Modules complémentaires

Des codes malveillants peuvent être chargés à votre insu sous cette forme de modules complémentaires, parfois également appelés

REMARQUE

composants ActiveX selon le type de module. Par mesure de protection, il est fortement conseillé de désactiver les modules d'origine inconnue, quitte à les réactiver au besoin.

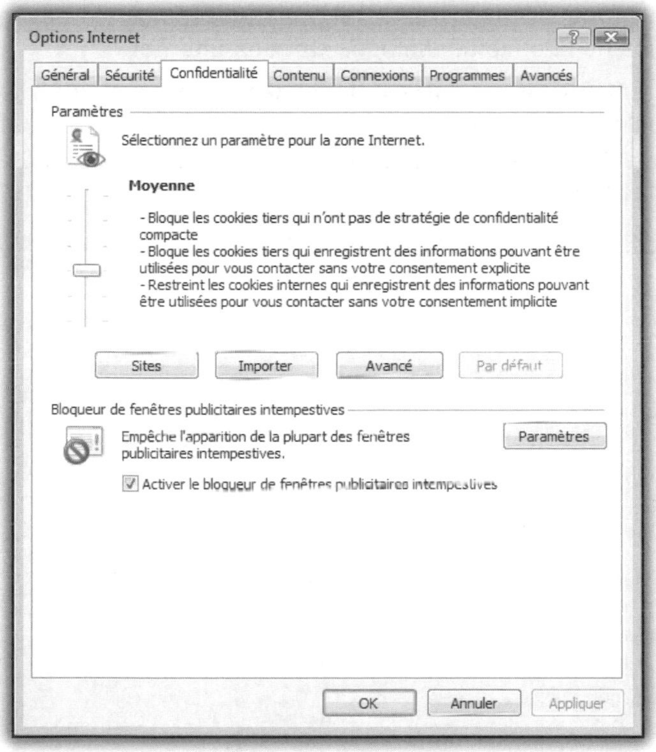

Figure 6.28 : *Module complémentaire manquant*

Par défaut, soit le module complémentaire nécessaire à l'affichage de la page web est installé sur la machine mais désactivé, soit il n'est pas installé.

Activer un module complémentaire

Si un module complémentaire est désactivé, un message d'information apparaît lors de navigation indiquant le statut du module complémentaire nécessaire.

La présence de cette icône dans la barre de statut de la bordure inférieure de la fenêtre d'Internet Explorer indique qu'un module complémentaire est désactivé.

Procédez ainsi :

1 Cliquez sur **Outils/Options Internet** puis sélectionnez l'onglet **Programmes** de la boîte de dialogue **Options Internet**.

2 Cliquez sur **Gérer les modules complémentaires** pour ouvrir la boîte de dialogue du même nom.

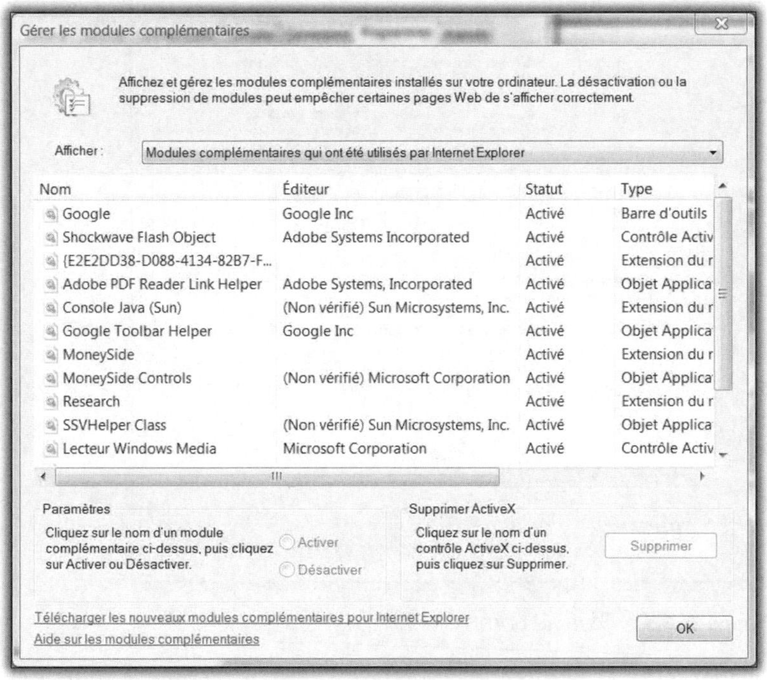

![Gérer les modules complémentaires]

Affichez et gérez les modules complémentaires installés sur votre ordinateur. La désactivation ou la suppression de modules peut empêcher certaines pages Web de s'afficher correctement.

Afficher : Modules complémentaires qui ont été utilisés par Internet Explorer

Nom	Éditeur	Statut	Type
Google	Google Inc	Activé	Barre d'outils
Shockwave Flash Object	Adobe Systems Incorporated	Activé	Contrôle Activ
{E2E2DD38-D088-4134-82B7-F...		Activé	Extension du r
Adobe PDF Reader Link Helper	Adobe Systems, Incorporated	Activé	Objet Applica
Console Java (Sun)	(Non vérifié) Sun Microsystems, Inc.	Activé	Extension du r
Google Toolbar Helper	Google Inc	Activé	Objet Applica
MoneySide		Activé	Extension du r
MoneySide Controls	(Non vérifié) Microsoft Corporation	Activé	Objet Applica
Research		Activé	Extension du r
SSVHelper Class	(Non vérifié) Sun Microsystems, Inc.	Activé	Objet Applica
Lecteur Windows Media	Microsoft Corporation	Activé	Contrôle Activ

Paramètres

Cliquez sur le nom d'un module complémentaire ci-dessus, puis cliquez sur Activer ou Désactiver.
○ Activer
○ Désactiver

Supprimer ActiveX

Cliquez sur le nom d'un contrôle ActiveX ci-dessus, puis cliquez sur Supprimer.
Supprimer

Télécharger les nouveaux modules complémentaires pour Internet Explorer
Aide sur les modules complémentaires

OK

Figure 6.29 : *Gérez les modules complémentaires*

3 Cliquez sur l'élément des modules à gérer à partir de la liste de choix de la rubrique *Afficher*.

REMARQUE

Liste de choix des modules complémentaires
Par défaut, la liste de choix affichée est *Modules complémentaires actuellement chargés dans Internet Explorer*.

4 Dans la liste, sélectionnez le module à gérer. Cliquez sur **Activer** dans la rubrique *Paramètres* pour activer le module sélectionné. (Pour le désactiver, cliquez sur la commande **Désactiver** de la rubrique *Paramètres*.)

5 Cliquez sur OK dans la boîte de dialogue **Gérer les modules complémentaires** pour valider et revenir à la boîte de dialogue **Options Internet**.

6 Une boîte de dialogue informant de la nécessité de fermer et de redémarrer Internet Explorer pour la prise en compte de l'action s'affiche. Cliquez sur OK pour fermer la boîte de dialogue.

7 Cliquez sur OK pour confirmer l'ensemble des actions et revenir à la fenêtre **Microsoft Internet Explorer**.

8 Fermez Internet Explorer. Au prochain redémarrage du navigateur, l'action sera prise en compte. Selon les modules complémentaires, cette action peut être inutile.

Désactiver un module complémentaire

Pour désactiver un module complémentaire, suivez les indications précédentes. Seule l'étape 4 est légèrement différente. Un module complémentaire fonctionne comme un programme autonome et peut provoquer des erreurs lors de son exécution à l'affichage d'une page web. Pour identifier un module complémentaire qui provoque une erreur, il faut désactiver tous les modules complémentaires puis arrêter et relancer Internet Explorer. Ensuite, activez un à un les modules complémentaires, jusqu'à identifier le module qui provoque l'erreur. Il faut recharger la page web après chaque activation, après avoir arrêté et relancé Internet Explorer.

Une fois le module complémentaire identifié, supprimez-le ou désactivez-le.

REMARQUE

Supprimer un module complémentaire
Par défaut, seuls les modules complémentaires que vous avez installés possèdent l'option de suppression active. En effet, les modules complémentaires préinstallés ne peuvent être que désactivés.

Supprimer un module complémentaire

Comme nous venons de le voir, une fois un module complémentaire identifié comme initiateur d'une erreur, il faut le supprimer.

1 Cliquez sur **Outils/Options Internet** puis sélectionnez l'onglet **Programmes** de la boîte de dialogue **Options Internet**.

2 Cliquez sur **Gérer les modules complémentaires** pour ouvrir la boîte de dialogue du même nom.

3 Cliquez sur l'élément des modules à gérer à partir de la liste de choix de la rubrique *Afficher*.

Liste de choix des modules complémentaires

Par défaut, la liste de choix affichée est *Modules complémentaires qui ont été utilisés par Internet Explorer*.

4 Dans la liste, sélectionnez le module à supprimer. Cliquez sur **Supprimer** de la rubrique *ActiveX* pour désinstaller le module sélectionné. Suivez les instructions de l'Assistant de suppression qui peut être différent selon les modules.

5 Cliquez sur OK dans la boîte de dialogue **Gérer les modules complémentaires** pour valider et revenir à la boîte de dialogue **Options Internet**.

6 Une boîte de dialogue informant sur la nécessité de fermer et de redémarrer Internet Explorer pour la prise en compte de l'action s'affiche. Cliquez sur OK pour fermer la boîte de dialogue.

7 Cliquez sur OK pour confirmer l'ensemble des actions et revenir à la fenêtre **Microsoft Internet Explorer**.

8 Fermez Internet Explorer. Au prochain redémarrage du navigateur, l'action sera prise en compte.

Installer ou réinstaller un module complémentaire

Lorsqu'un module complémentaire a été désinstallé ou est manquant pour l'affichage d'une page web, le navigateur Internet Explorer propose de l'installer par défaut. Dans ce cas, rendez-vous directement au point 5. Autrement, vous pouvez installer à votre guise un module complémentaire sans pour autant consulter une page web spécifique.

1 Cliquez sur **Outils/Options Internet**, puis sélectionnez l'onglet **Programmes** de la boîte de dialogue **Options Internet**.

2 Cliquez sur **Gérer les modules complémentaires** pour ouvrir la boîte de dialogue du même nom.

3 Cliquez sur le lien *Télécharger les nouveaux modules complémentaires pour Internet Explorer* dans la fenêtre **Gérer les modules complémentaires**.

4 Une fois la page web de Microsoft affichée, sélectionnez l'add-on ou le module complémentaire de votre choix. Suivez les instructions de la page web pour procédez au téléchargement puis à l'installation.

Figure 6.30 : Installer un module complémentaire

5 Selon les options de sécurité en vigueur dans Internet Explorer, le programme d'installation de la page web, le plus souvent un ActiveX, peut être bloqué. Cliquez du bouton droit sur la bannière indiquant qu'un contrôle ActiveX a été bloqué. Cliquez sur **Installer le contrôle ActiveX** dans le menu contextuel pour que l'installation du module complémentaire débute.

6 Cliquez sur **Continuer** dans la boîte de dialogue **Contrôle de compte d'utilisateur**.

7 Cliquez sur **Installer** dans la boîte de dialogue **Installateur de modules complémentaires Internet Explorer – Avertissement de ....**

8 Une fois l'installation du module complémentaire réalisée, selon la configuration du programme d'installation du module complémentaire, une boîte de dialogue indique qu'il faut redémarrer toutes les instances d'Internet Explorer afin que le module soit actif. Cliquez sur **Oui** si la boîte de dialogue vous invite à redémarrer toutes vos instances du navigateur.

Les modules complémentaires les plus courants sont Java, Flash Player, Shockwave et Macromedia. Rendez-vous sur les sites **http://www.adobe .com/fr** ou **http://java.com/fr/download/index.jsp**.

Problème d'affichage des pages sécurisées

Les pages sécurisées souvent reconnaissables par l'en-tête de leur adresse commençant par HTTPS peuvent ne pas s'afficher pour des problèmes de configuration du navigateur. En effet, des paramètres nécessaires à la visualisation d'une page sécurisée peuvent être inactifs et ne pas permettre l'affichage de la page web ou d'une partie de celle-ci.

Niveau de chiffrement

Le niveau de chiffrement actif dans Internet Explorer 7 est de 256 bits. Aussi les erreurs liées à un problème de comptabilité avec un serveur utilisant une clé de chiffrement supérieure nécessitent une mise à jour spécifique du navigateur. Pour vérifier le niveau de chiffrement, cliquez sur **A propos de Internet Explorer** dans le menu contextuel de l'**Aide** de la barre de menu. Pour que l'option **Aide** soit visible du menu, cliquez sur l'icône représentée par >> pour élargir la barre de menu.

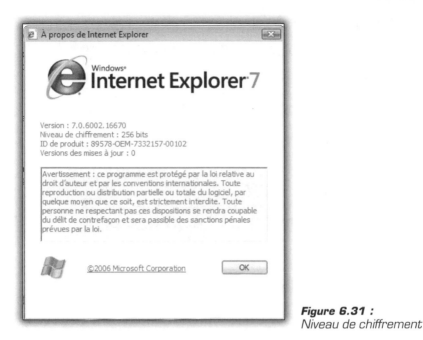

Figure 6.31 :
Niveau de chiffrement

Activer les protocoles SSL

SSL est un protocole d'échange sécurisé d'informations entre deux machines. Comme tout protocole, il faut que la version utilisée par votre ordinateur soit capable de communiquer avec le protocole installé sur la machine distante. Si vous connaissez la version utilisée par la machine distante, vérifiez directement que ce dernier est activé dans votre navigateur. Par défaut, activez tous les protocoles installés dans les options d'Internet Explorer.

1 Cliquez sur **Outils/Options Internet** dans la fenêtre **Microsoft Internet Explorer**.

2 Cliquez sur l'onglet **Avancés** de la fenêtre **Options Internet**.

3 Vérifiez si les options *SSL 2.0*, *SSL 3.0* et *TLS 1.0* sont cochées. Si ce n'est pas le cas, cochez les options non sélectionnées de la rubrique *Sécurité* (voir Figure 6.32).

4 Cliquez sur OK pour fermer la fenêtre **Options Internet**.

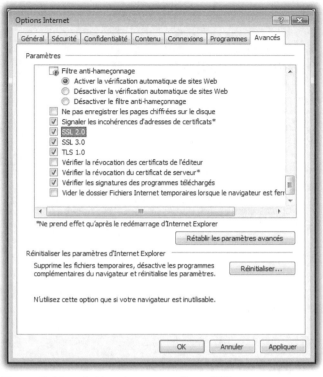

Figure 6.32 : *Activer les paramètres SSL*

Le cache SSL

Les perturbations liées à l'utilisation de SSL peuvent provenir du cache SSL. En effet, la méthode SSL d'échange de données sécurisées est consommatrice en nombre d'octets échangés sur votre ligne. Aussi pour éviter de recharger certaines données, un cache stocké sur votre ordinateur est utilisé. En revanche, il peut arriver que le cache ne se mette pas à jour et provoque une différence entre les informations conservées sur votre machine et les informations désirées par la machine distante.

Pour forcer la mise à jour du cache SSL sur votre machine, il faut vider le cache SSL, de la même façon qu'il faut parfois supprimer les fichiers temporaires de navigation lorsqu'une page web ne s'affiche pas correctement.

Pour cela :

1 Cliquez sur **Outils/Options Internet** dans la fenêtre **Microsoft Internet Explorer**.

2 Cliquez sur l'onglet **Contenu** de la fenêtre **Options Internet**.

3 Cliquez sur le bouton **Effacer l'état SSL** de la rubrique *Certificats*.

4 Cliquez sur OK pour fermer la boîte de dialogue informant de la suppression du cache SSL. Cliquez de nouveau sur OK pour fermer la fenêtre **Options Internet**.

Gérer les certificats

Les échanges d'informations sécurisés s'appuient sur l'utilisation de certificats. Pour simplifier, nous considérerons que ces certificats servent à identifier les machines qui communiquent entre elles. Pour que la communication entre les deux ordinateurs fonctionne, il faut que les certificats soient valides. Cette validité est assurée principalement par une durée, dont la limite est une date et une autorisation en fonction de son "identité informatique".

Vérifier la validité d'un certificat

Le statut de validité d'un certificat est consultable via les options d'Internet Explorer :

1 Cliquez sur **Outils/Options Internet** dans la fenêtre **Microsoft Internet Explorer**.

2 Cliquez sur l'onglet **Contenu** de la fenêtre **Options Internet**.

3 Cliquez sur le bouton **Certificats** de la rubrique *Certificats*.

4 Sélectionnez **Authentification du client** dans la liste de sélection *Rôle prévu* de la boîte de dialogue **Certificats**.

5 Sélectionnez dans la liste le certificat à vérifier, après avoir sélectionné l'onglet de votre choix. Cliquez sur **Affichage**, dans la rubrique *Détails de certificat* de la boîte de dialogue **Certificats**.

6 Cliquez sur l'onglet **Chemin d'accès de certification** puis vérifiez le statut du certificat dans la rubrique *État du certificat* de la boîte de dialogue **Certificat** (voir Figure 6.33).

7 Cliquez sur OK pour fermer la boîte de dialogue **Certificat**. Recommencez l'opération à partir du point 5 pour chaque certificat à contrôler.

Certificat

| Général | Détails | Chemin d'accès de certification |

Chemin d'accès de certification

▣ Certum

Afficher le certificat

État du certificat :

Ce certificat est valide.

En savoir plus sur les chemins d'accès des certificats

OK

Figure 6.33 :
Certificat valide

8 Cliquez sur **Fermer** pour quitter la boîte de dialogue **Certificats**. Cliquez sur OK pour fermer la fenêtre **Options Internet**.

Pour vérifier directement le certificat utilisé pour la consultation de la page web en cours, l'icône d'un cadenas apparaît à droite du champ prévu afin de saisir ou afficher l'adresse, dans la fenêtre principale d'**Internet Explorer**.

9 Cliquez sur cette icône puis cliquez sur **Affichez les certificats** dans le menu contextuel. Suivez les instructions indiquées à partir de l'étape 6.

Renouveler ou Installer un certificat

Le site web que vous consultez demande un certificat pour accéder à des informations ou vous indique que votre certificat n'est plus valide (voir Figure 6.34).

La plupart du temps, le certificat sera généré en ligne en fonction des informations nécessaires fournies par vos soins. Cette procédure s'effectue sous la forme d'un Assistant au travers de pages web (par exemple : la déclaration d'impôts sur le revenu utilise ce principe lors de votre première connexion à votre espace).

Choisir un certificat numérique

Identification

Le site Web que vous voulez visiter requiert une identification. Choisissez un certificat.

Nom	Émetteur

Informations... | Afficher le certificat...

OK | Annuler

Figure 6.34 :
Certificat manquant

Une autre méthode consiste à importer un certificat à partir d'un fichier crypté.

Procédez ainsi :

1 Cliquez sur **Outils/Options Internet** dans la fenêtre **Microsoft Internet Explorer**.

2 Cliquez sur l'onglet **Contenu** dans la fenêtre **Options Internet**.

3 Cliquez sur le bouton **Certificats** dans la rubrique *Certificats*.

4 Cliquez sur le bouton **Importer** dans la boîte de dialogue **Certificats**.

5 Cliquez sur **Suivant** dans la fenêtre de l'Assistant Importation de certificat.

6 Cliquez sur **Parcourir** pour sélectionner le fichier de certificat à importer. Une fois le fichier sélectionné, cliquez sur **Ouvrir** dans la boîte de dialogue **Ouvrir**.

REMARQUE

Fichier certificat
Par défaut, Internet Explorer cherche les fichiers contenant un certificat qui porte l'extension CER ou CRT, reconnaissable dans l'Explorateur à l'icône représentant un diplôme. Ces fichiers sont

construits selon la norme X509. Il existe d'autres normes de construction d'un fichier certificat, par exemple PKCS #7.

7 Cliquez sur **Suivant** pour passer à l'étape du choix du magasin de stockage du Certificat. Ceci correspond, entre autres, aux onglets qui permettent de choisir la catégorie des certificats installés dans Internet Explorer. Par défaut, l'option de magasin Personnel est choisie. Cliquez sur **Suivant** pour poursuivre l'Assistant.

8 Cliquez sur **Terminer** pour fermer l'Assistant Importation de certificat et procéder à l'importation. Cliquez sur OK pour fermer la boîte de dialogue informant que le certificat s'est correctement installé.

9 Cliquez sur **Fermer** pour quitter la boîte de dialogue **Certificats**. Cliquez sur OK pour fermer la fenêtre **Options Internet**.

Échange de certificats

Ce principe est très utile en cas de changement d'ordinateurs. Selon le même principe, il faut d'abord exporter le certificat à partir de la machine source. Ensuite, il faut l'importer sur la machine cible, c'est-à-dire l'ordinateur sur lequel le certificat est manquant, en suivant les instructions données précédemment.

Problèmes divers avec Internet Explorer

Précédemment, les problèmes d'Internet Explorer selon l'approche d'un incident d'affichage de la page web consultée ont été abordés. Malgré tout, il peut subsister des problèmes avec l'utilisation d'Internet explorer. Comme il a été vu auparavant, les problèmes techniques sont principalement corrigés par des manipulations s'appuyant sur le principe de la désinstallation, puis de la réinstallation du produit ou de la fonction. Aussi, dans cette section, nous aborderons davantage la correction d'incidents liés au paramétrage d'Internet Explorer par une série d'exemples non exhaustif.

Modifier la fréquence de mise à jour par défaut des flux RSS

Lorsque vous vous abonnez à un flux RSS, vous pouvez penser que les mises à jour de ce flux sont inopérantes, car les informations n'évoluent pas au cours de votre session de travail. En fait, par défaut les paramètres de mise à jour du flux sont définis à un jour. Selon le type de flux auquel vous vous abonnez généralement, ce délai paraît parfois trop long. Vous pouvez modifier cette valeur attribuée par défaut.

1 Cliquez sur l'icône en forme d'étoile de la barre de navigation de la fenêtre Windows Internet Explorer.

2 Cliquez sur l'icône *Flux* pour afficher la liste de vos flux RSS.

REMARQUE

Raccourcis Flux RSS

Pour afficher directement la liste de vos Flux RSS et ainsi accéder directement à leur dossier d'organisation, appuyez simultanément sur les touches [Ctrl]+[J] à partir de la fenêtre Windows Internet Explorer.

3 Cliquez du bouton droit sur un flux RSS puis sélectionnez **Propriétés** dans le menu contextuel. La boîte de dialogue **Propriétés des Flux** s'affiche.

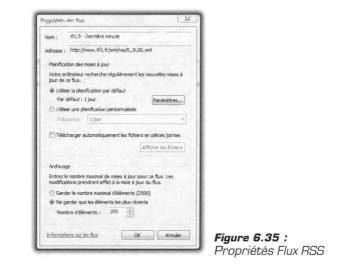

Figure 6.35 :
Propriétés Flux RSS

4 Cliquez sur l'option *Utiliser la planification par défaut* de la rubrique *Planification des mises à jour*, puis cliquez sur **Paramètres** pour ouvrir une nouvelle boîte de dialogue **Paramètres de flux**.

5 Cliquez sur la liste déroulante *Tous les* de la rubrique *Planification par défaut* puis sélectionnez la fréquence de mise à jour de votre choix, allant de 15 minutes à 1 semaine.

6 Cliquez sur OK pour fermer la boîte de dialogue **Paramètres de flux**.

7 Cliquez sur OK pour fermer la boîte de dialogue **Propriétés des flux**.

Choisir sa langue par défaut lors de la visite de site web multilingue

L'incident le plus courant est l'affichage systématique en anglais des pages web visitées. En fait, les mêmes pages web sont désormais consultées depuis de multiples pays, aussi pour permettre une meilleure navigation et surtout une meilleure compréhension de l'information diffusée, les fournisseurs de sites tentent d'afficher les pages web dans la langue du pays du visiteur en s'appuyant sur l'information de langue du navigateur. Il faut donc définir la langue à utiliser par Internet Explorer.

Pour cela :

1 Cliquez sur **Outils/Options Internet** dans la fenêtre **Microsoft Internet Explorer**.

2 Cliquez sur **Langue** dans la rubrique *Apparence* de l'onglet **Général**.

3 Une boîte de dialogue affichant la langue gérée s'affiche, qui devrait être *Français* par défaut. Dans le cas du problème pris en exemple, il s'agit d'une autre langue.

4 Si *Français (France) [fr-FR]* manque dans la liste de la rubrique *Langue*, cliquez sur **Ajouter**. La liste des langues prises en charge s'affiche. Sélectionnez celle de votre choix, soit pour l'exemple *Français (France) [fr-FR]*. Recommencez l'opération autant de fois qu'il existe de langues à ajouter puis cliquez sur OK pour valider.

5 Dans la liste des langues prises en charge par votre navigateur, dans la mesure où il y en existe plusieurs, vous devez les afficher par ordre de priorités. Sélectionnez la langue que vous désirez utiliser par défaut lors de la navigation. Cliquez sur **Monter** autant de fois que nécessaire pour faire remonter la langue de votre choix en tête de liste.

6 Cliquez sur OK pour valider.

Choix de la langue affichée

Cette option n'a pas vocation à traduire les pages web. Et si le site visité ne gère pas l'option multi langue, la page s'affichera dans sa langue de conception.

Navigation par onglet indisponible

Une des nouvelles fonctionnalités d'Internet Explorer est la possibilité de naviguer par onglet. En revanche, cette option peut être désactivée et la navigation Internet Explorer devenir ainsi moins confortable. Pour réactiver la navigation par onglet, suivez les instructions ci-après :

1 Cliquez sur **Outils/Options Internet** dans la fenêtre **Microsoft Internet Explorer**.

2 Cliquez sur **Paramètres** dans la rubrique *Onglets* de l'onglet **Général**.

3 Cliquez sur **Paramètres par défaut** dans la boîte de dialogue **Paramètres des onglets de navigation**. Ceci aura pour effet d'activer l'option *Activer la navigation avec onglets (nécessite le redémarrage d'internet Explorer)*.

4 Cliquez sur OK pour fermer la boîte de dialogue **Paramètres des onglets de navigation**. Cliquez sur OK pour fermer la fenêtre **Options Internet**.

5 Fermez vos sessions Internet Explorer en cours. Relancez Internet Explorer pour vérifier que la navigation par onglet est active, reconnaissable à la disposition de la barre d'outils.

MSN France | Accueil   Page ▼ Outils ▼

Figure 6.36 : Navigation avec onglets

Retrouver un onglet de navigation

Désormais Internet Explorer 7 intègre la navigation par onglet. Cette navigation à l'avantage de permettre de naviguer sur plusieurs pages web en même temps à partir de la même fenêtre Internet Explorer. En revanche, beaucoup d'onglets ouverts simultanément rendent difficile le retour à une page web spécifique.

Pour identifier rapidement l'onglet sur lequel revenir, Internet Explorer permet d'obtenir un aperçu visuel de l'ensemble des onglets actifs. Cliquez sur l'icône *Aperçu mosaïque*.

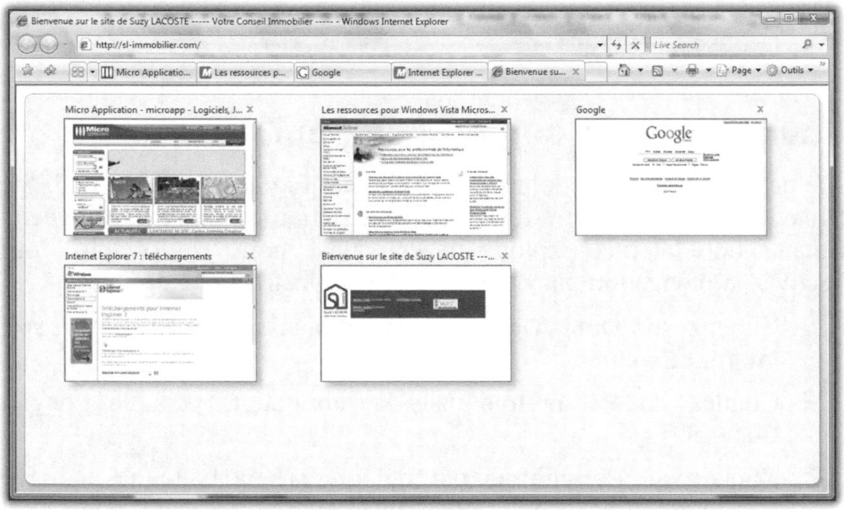

Figure 6.37 : *Aperçu mosaïque*

REMARQUE

Touche de raccourci
L'aperçu mosaïque peut être affiché en utilisant la combinaison de touches [Ctrl]+[Q].

Désactiver et/ou désinstaller les barres d'outils ajoutées a Internet Explorer

Lors de la navigation sur le Web et l'installation de produits en ligne, d'autres programmes sont souvent installés simultanément. Tout d'abord, pour éviter ces installations intempestives, lisez bien les informations fournies par le site, mais aussi décochez les options qui permettent l'installation de ces produits complémentaires. Malgré tout, vous pouvez désirer cette installation à un moment donné, puis vouloir retirer le programme ultérieurement.

La barre d'outils de Google sera utilisée pour l'exemple.

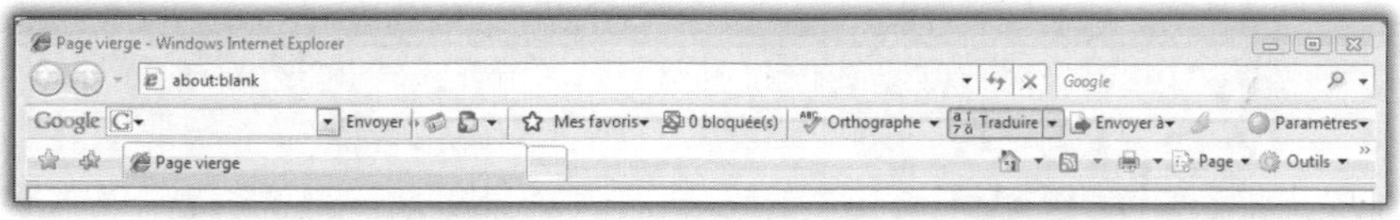

Figure 6.38 : Google barre

Désactiver la barre d'outils Google

Cliquez du bouton droit sur la barre d'outils d'Internet Explorer, puis cliquez sur **Google** dans le menu contextuel afin de désactiver la barre d'outils Google. Une coche est présente devant l'option *Google*, lorsque la barre est active.

Désinstaller la barre d'outils Google

La barre d'outils Google est gérée comme un module complémentaire et un programme ; aussi sa désinstallation peut s'effectuer de deux manières, soit en passant par la gestion des modules complémentaires d'Internet Explorer, soit en désinstallant la barre d'outils Google comme un programme.

Procédez ainsi :

1 Cliquez sur le bouton **Démarrer/Panneau de configuration** de la barre des tâches de Windows Vista.

2 Cliquez sur **Désinstaller un programme** de la rubrique *Programmes* dans la fenêtre **Panneau de configuration**.

3 À l'ouverture de la fenêtre, la liste des programmes installés se construit. Sélectionnez **Google Toolbar for Internet Explorer** puis cliquez sur le bouton **Désinstaller**. Cliquez sur **Continuer** à l'affichage de la fenêtre **Contrôle de compte d'utilisateur** pour que Windows Installer débute la suppression de l'application (voir Figure 6.39).

La liste des programmes installés se met à jour. Lorsque vous la consultez de nouveau, le logiciel désinstallé ne figure plus dans celle-ci.

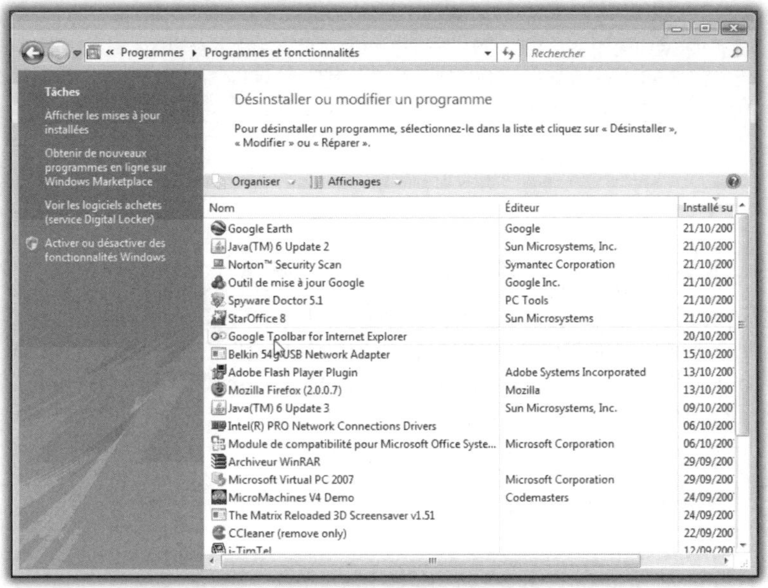

Figure 6.39 : *Désinstaller la barre d'outils Google*

6.2. Windows Mail

La consultation de message électronique peut se faire via l'interface web de pages spécialisées dans la gestion de compte de messagerie. Mais l'utilisation d'un programme de messagerie installé sur l'ordinateur offre d'autres avantages, comme la consultation des messages enregistrés sur votre machine, sans que vous soyez obligé d'être connecté à Internet. Le programme de messagerie, également appelé client de messagerie de Windows Vista se nomme Windows Mail. Pour ce chapitre, nous considérons malgré tout que la connexion au réseau Internet fonctionne en permanence.

Problème de synchronisation de la boîte aux lettres

Pour consulter ses messages, il faut que Windows Mail se connecte au serveur de messagerie puis télécharge localement les informations de la boîte aux lettres distante. Selon les protocoles utilisés, soit l'échange permet une copie conforme des boîtes aux lettres localement et à distance, soit les messages sont déplacés localement. Cette opération d'échange de courriers avec le serveur central s'appelle une synchronisation. Avant de poursuivre, assurez-vous que vous avez en votre possession toutes les informations concernant votre compte de messagerie. Ces informations sont transmises par votre fournisseur de boîte aux lettres électronique, le plus souvent votre fournisseur d'accès Internet.

Problème de compte d'utilisateur

Pour savoir qui demande la synchronisation des messages, le serveur de la messagerie a besoin de vous authentifier. Pour cela, il doit recevoir votre nom d'utilisateur et le mot de passe associé. Si l'un ou l'autre sont inconnus du serveur, vous obtenez le message d'erreur suivant.

Figure 6.40 :
Compte d'utilisateur

Saisissez alors votre compte de messagerie ainsi que le mot de passe associé.

Pour éviter de saisir votre compte et votre mot de passe à chaque synchronisation avec le serveur, vous pouvez saisir ces informations dans les options du compte.

1 Cliquez sur **Outils/Comptes** dans la fenêtre **Boîte de réception - Windows Mail**.

2 Sélectionnez le compte à modifier dans la rubrique *Courrier* de la boîte de dialogue **Comptes Internet**. Cliquez sur **Propriétés**.

3 Cliquez sur l'onglet **Serveur** dans la boîte de dialogue **Propriétés de compte de messagerie**.

4 Saisissez le compte d'utilisateur dans le champ *Nom d'utilisateur de messagerie* dans la rubrique *Serveur de messagerie pour courrier entrant* de la boîte de dialogue **Propriétés de compte de messagerie**.

5 Saisissez le mot de passe associé dans le champ *Mot de passe*. Cochez l'option *Mémoriser le mot de passe* afin que la connexion au serveur de messagerie se fasse automatiquement, sans votre intervention.

6 Cliquez sur OK pour fermer la boîte de dialogue **Propriétés de compte de messagerie**. Cliquez sur **Fermer** pour quitter la boîte de dialogue **Comptes Internet** et revenir à la fenêtre principale de **Windows Mail**.

REMARQUE

Compte de messagerie
Des comptes de messagerie peuvent facilement être créés en ligne. Le fournisseur de messagerie peut ne pas vous faire parvenir de courrier papier résumant les informations de votre compte. Lors de la création de votre compte de messagerie en ligne, notez toutes les informations techniques délivrées. Sinon, rendez-vous de nouveau sur le site web du fournisseur de messagerie, dans la section support de ce site, avant de récupérer les informations utiles.

Problème de serveur de messagerie

Pour s'authentifier sur un serveur, il faut adresser la demande de connexion au bon serveur de messagerie. Si le serveur est inconnu, vous obtenez le message d'erreur suivant.

Figure 6.41 :
Serveur inconnu

1 Cliquez sur **Outils/Comptes** dans la fenêtre **Boîte de réception - Windows Mail**.

2 Sélectionnez le compte à modifier dans la rubrique *Courrier* de boîte de dialogue **Comptes Internet** puis cliquez sur **Propriétés**.

3 Cliquez sur l'onglet **Serveur** dans la boîte de dialogue **Propriétés de compte de messagerie**.

4 Saisissez l'adresse du serveur de messagerie *Courrier entrant* dans la rubrique *Mon serveur de messagerie pour courrier entrant est* de la boîte de dialogue **Propriétés de compte de messagerie**.

5 Saisissez l'adresse du serveur de messagerie *Courrier sortant* dans la rubrique *Mon serveur de messagerie pour courrier entrant est* de la boîte de dialogue **Propriétés de compte de messagerie**.

REMARQUE

Adresse de serveur différente

Souvent les adresses de serveurs entrant et sortant sont différentes. En effet, pour faciliter la distinction entre les types de services, les fournisseurs de messagerie donnent un nom d'adresse des serveurs en fonction du service technique qu'ils assurent. Ainsi, l'envoi de courrier est assuré principalement par le service SMTP sur les serveurs de messagerie, c'est pourquoi fréquemment l'adresse du serveur pour les courriers sortant de votre ordinateur porte un nom du type `smtp.domaine.net`. Il en est de même pour les courriers entrants qui utilisent le service POP3. Ainsi le nom du serveur pour les courriers entrants est du type `pop.domaine.net`. Ces informations sont mentionnées sur les papiers de votre FAI lorsqu'il transmet aussi l'hébergement de messagerie.

6 Cliquez sur OK pour fermer la boîte de dialogue **Propriétés de compte de messagerie**. Cliquez sur **Fermer** pour quitter la boîte de dialogue **Comptes Internet** et revenir à la fenêtre principale de **Windows Mail**.

Forcer la synchronisation

La synchronisation s'effectue une première fois à l'ouverture de Windows Mail, puis toutes les 30 minutes. En revanche, lorsque la synchronisation automatique n'a pas pu s'effectuer, il est nécessaire de procéder à une synchronisation manuelle, pour vérifier si la fonction d'échange des messages est opérationnelle. Cliquez sur **Outils/Synchroniser tout** dans la fenêtre **Windows Mail**.

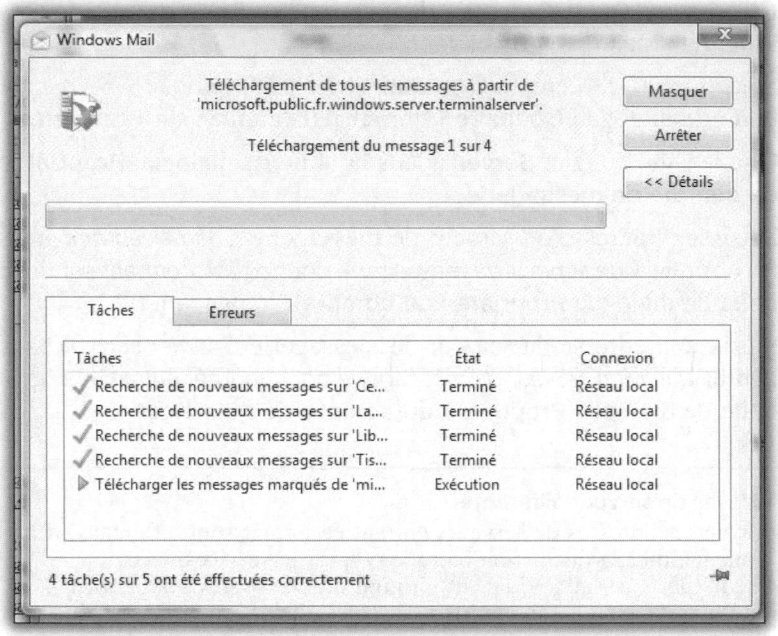

Figure 6.42 : *Synchroniser tout*

Cette même opération peut également être effectuée en cliquant sur **Outils/Envoyer et recevoir/Envoyer et recevoir tout** dans la fenêtre **Windows Mail**.

Cette approche permet de se rendre compte que cette opération peut être décomposée en deux tâches distinctes.

  ▪ La synchronisation pour recevoir les courriers, c'est-à-dire le téléchargement des messages du serveur de messagerie Internet vers votre machine locale. Cliquez sur **Outils/Envoyer et recevoir/Recevoir tout** dans la fenêtre **Windows Mail**.

  ▪ La synchronisation pour envoyer les courriers, c'est-à-dire un téléchargement des courriers créés de la machine locale vers le serveur de messagerie Internet. Cliquez sur **Outils/Envoyer et recevoir/Envoyer tout** dans la fenêtre Windows Mail.

L'avantage de décomposer l'échange d'information sur la bande passante est surtout appréciable lorsqu'une ligne à petit débit est utilisée pour la connexion à Internet. Ceci permet une certaine maîtrise de l'utilisation de sa bande passante.

Autoriser un expéditeur

Il peut arriver que vous ne receviez plus les messages en provenance d'un ou plusieurs expéditeurs. En fait, vous avez avec Windows Mail la possibilité de bloquer ou d'autoriser la réception des messages en provenance d'un expéditeur. Windows Mail propose d'effectuer la gestion de deux types de liste : une liste d'expéditeurs approuvés et une autre d'expéditeurs bloqués. Aussi, il faut vérifier que les expéditeurs pour lesquels vous ne recevez pas de message ne sont pas dans cette liste.

1 Cliquez sur **Outils/Options du courrier indésirable** à partir de la barre de menu dans la fenêtre **Windows Mail**.

2 Cliquez sur l'onglet **Expéditeurs bloqués** de la boîte de dialogue **Options du courrier indésirable**.

3 Sélectionnez dans la liste l'expéditeur à débloquer, puis cliquez sur **Supprimer**. La liste des utilisateurs bloqués se met à jour.

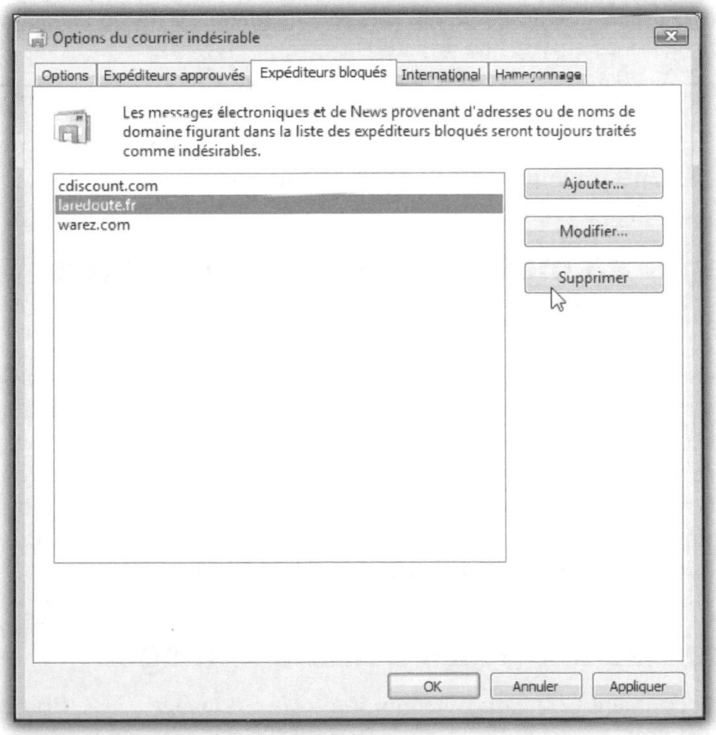

Figure 6.43 : *Expéditeur bloqué*

4 Cliquez sur l'onglet **Expéditeurs approuvés** de la boîte de dialogue **Options du courrier indésirable**.

5 Cliquez sur **Ajouter** puis saisissez l'adresse de votre correspondant à autoriser dans la boîte de dialogue **Ajouter une adresse ou un domaine**.

6 Cliquez sur OK pour valider et revenir à la boîte de dialogue **Options du courrier indésirable**.

REMARQUE

Contacts Windows

Par défaut, l'ensemble de vos contacts Windows est approuvé grâce à l'option *Approuver également les messages électroniques de mes Contacts Windows*.

Vous pouvez également mettre à jour de manière automatique cette liste d'expéditeurs autorisés en cochant l'option *Ajouter automatiquement les personnes auxquelles j'envoie un message électronique à la liste des expéditeurs approuvés*. Cette saisie automatique aura l'avantage d'éviter les fautes de frappe susceptibles d'arriver lorsque vous saisissez manuellement une adresse et ainsi éviter de ne pas recevoir des messages d'un expéditeur, alors que vous croyez l'avoir autorisé.

---

7 Cliquez sur OK pour fermer la boîte et dialogue et revenir à la fenêtre principale de Windows Mail.

Protéger sa messagerie des messages indésirables

La messagerie électronique est devenue un outil de communication très convoité par les firmes commerciales, elles peuvent ainsi faire des annonces publicitaires ciblées et rapides. Cette possibilité est également utilisée par de personnes moins scrupuleuses. La messagerie constitue un moyen de s'introduire sur votre machine, par l'exécution de programmes spécifiques, c'est pourquoi il est nécessaire d'activer des protections, en supplément des antivirus traditionnels.

Gérer les courriers d'hameçonnage

L'hameçonnage est une technique qui consiste à extorquer de l'information personnelle afin d'être réutilisée à des fins le plus souvent de type usurpation d'identité. Ainsi, en fonction des informations recueillies, les personnes mal attentionnées utilisent vos propres informations personnelles pour naviguer, voire effectuer des actions frauduleuses sur Internet. Aussi, afin d'éviter d'être sollicité par des messages d'hameçonnage, le plus souvent demandant de vous inscrire sur un site Internet, Windows mail supprime par défaut ce type de message.

1 Cliquez sur **Outils/Options du courrier indésirable** à partir de la barre de menu dans la fenêtre **Windows Mail**.

2 Cliquez sur l'onglet **Hameçonnage** de la boîte de dialogue **Options du courrier indésirable**.

3 Vérifiez que l'option **Protéger ma boîte de réception des messages contenant des liens d'hameçonnage potentiel** est cochée.

REMARQUE

Conserver les messages d'hameçonnage
Par défaut, les messages d'hameçonnage sont supprimés mais Windows Mail vous propose de les déplacer dans le dossier *Courrier indésirable*. Cliquez sur *Déplacer le courrier d'hameçonnage vers le dossier Courrier indésirable* pour activer l'option.

Paramétrer sa liste de courrier indésirable

Un moyen rapide de filtrer un grand nombre de messages est de bloquer les messages en fonction du domaine Internet. Ainsi, vous pouvez bloquer les messages en provenance d'un pays en fonction de son code ou du type d'alphabet utilisé.

1 Cliquez sur **Outils/Options du courrier indésirable** à partir de la barre de menu dans la fenêtre **Windows Mail**.

2 Cliquez sur l'onglet **International** de la boîte de dialogue **Options du courrier indésirable**.

3 Cliquez sur **Liste des domaines de niveau supérieur bloqués** pour ouvrir la boîte de dialogue correspondante.

4 Sélectionnez dans la liste le code pays à bloquer dans la boîte de dialogue **Liste des domaines de niveau supérieur bloqués**.

Autoriser un seul pays

REMARQUE

Pour autoriser un seul pays en deux clics, cliquez sur **Sélectionner tout** puis, dans la liste de tous pays sélectionnés, décochez le pays à autoriser. Cette opération est toutefois très restrictive, aussi vérifiez si vous continuez à recevoir des courriers de l'ensemble de vos correspondants, surtout pour ceux basés à l'étranger. Si ce n'est pas le cas, décochez le pays d'où leurs messages proviennent. Le code pour la France est FR. Pour se déplacer plus vite dans la liste des pays, qui est triée par ordre alphabétique, tapez au clavier les deux caractères du code pays.

5 Cliquez sur OK pour fermer la boîte de dialogue **Liste des domaines de niveau supérieur bloqués**.

6 Cliquez sur **Liste de chiffrement bloqué** pour ouvrir la boîte de dialogue **Liste des codages bloqués**.

7 Sélectionnez dans la liste le type de caractères alphabétiques que vous ne désirez plus recevoir dans votre messagerie. Ainsi sélectionnez **Chinois traditionnel** si vous ne désirez plus recevoir de message écrit avec ce type d'alphabet.

8 Cliquez sur OK pour fermer la boîte de dialogue **Liste des codages bloqués**.

9 Cliquez sur OK pour fermer la boîte de dialogue **Options du courrier indésirable**.

Définir ses options avec Windows Mail

Windows Mail est un client de messagerie assez complet. Par conséquent, de nombreux paramétrages sont disponibles. Ils pourront provoquer des incidents non désirés si l'option sélectionnée ne correspond pas à vos attentes, par exemple le fait que les images ne s'affichent pas dans le courrier lu. Dans ce cas, activez l'option *Télécharger les images* de l'onglet **Sécurité**. Cette fiche a seulement pour but de vous indiquer qu'il faut vérifier les options si un problème persiste à l'utilisation de Windows Mail.

Pour accéder aux options de paramétrage, cliquez sur **Outils/Options** dans la fenêtre **Windows Mail**. Les options sont réparties en dix onglets.

▫ Onglet **Général** ;

▫ Onglet **Lecture** ;

- Onglet **Confirmations de lectures** ;
- Onglet **Envois** ;
- Onglet **Message** ;
- Onglet **Signatures** ;
- Onglet **Orthographe** ;
- Onglet **Sécurité** ;
- Onglet **Connexion** ;
- Onglet **Avancé**.

Cliquez sur OK pour activer vos options et revenir à la fenêtre **Windows Mail**.

Sauvegarder/récupérer sa messagerie

La messagerie fait partie des applications les plus utilisées du Poste de travail. C'est pourquoi la perte de sa configuration de messagerie et de ses messages devient très pénalisante. Il est donc nécessaire de procéder régulièrement à des actions de sauvegardes, pour être en mesure de restaurer ses données au moment voulu. Pour se prémunir des désagréments engendrés par la perte de ses messages, il faut sauvegarder ces derniers régulièrement en trouvant un compromis entre pénibilité et importance du nombre de la perte éventuelle de messages.

Sauvegarder

Pour effectuer une sauvegarde complète de sa messagerie, procédez en trois étapes :

- sauvegarder sa liste de contacts ;
- sauvegarder son compte de messagerie ;
- sauvegarder ses messages.

Sauvegarder sa liste de contacts

La liste de contacts s'enrichit au fur et à mesure de l'utilisation de l'ordinateur. Selon les informations que vous saisissez, cette liste de contacts peut être très complète. Dans ces conditions, sa perte devient préjudiciable. Pour se prémunir de sa disparition complète, il est nécessaire d'en effectuer des sauvegardes régulières. La liste de contacts ou carnet d'adresses est un programme à part entière de Windows Vista exécutable en écrivant `Contacts` dans le champ *Rechercher* du bouton **Démarrer** ; autrement, à partir de Windows Mail :

1 Cliquez sur **Outils/Contacts Windows** à partir de la fenêtre **Windows Mail**.

2 Cliquez sur **Exporter** dans la fenêtre **Contacts**.

3 Sélectionnez le format de fichier **CSV (valeurs séparées par des virgules** puis cliquez sur **Exporter** de la boîte de dialogue **Exporter les Contacts Windows**, pour passer à l'étape suivante de la génération du fichier d'exportation des contacts.

4 Saisissez le nom du fichier à enregistrer dans le champ *Enregistrer le fichier exporté sous* de la boîte de dialogue **Exportation CSV**. Cliquez sur **Parcourir** pour sélectionner le répertoire de destination du fichier.

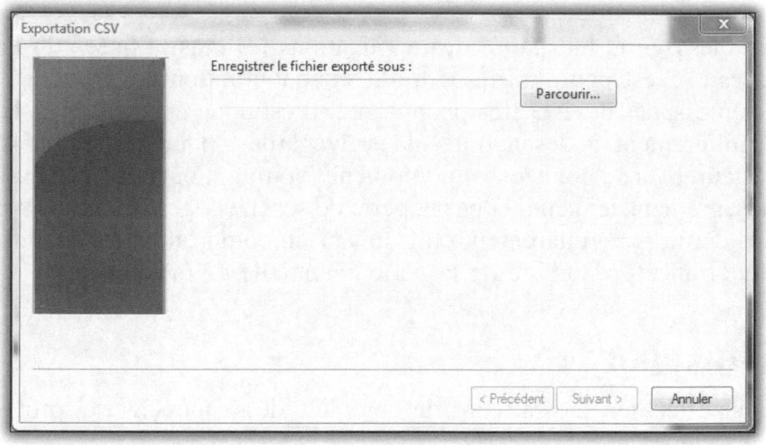

Figure 6.44 : *Exportez votre liste de contacts*

5 Cliquez sur **Enregistrer** dans la boîte de dialogue **Enregistrer sous** puis cliquez sur **Suivant**.

6 Sélectionnez les champs que vous désirez exporter de la rubrique *Sélectionnez les champs à exporter* de la fenêtre **Exportation CSV**.

7 Cliquez sur **Terminer** pour procéder à la génération du fichier d'exportation des Contacts Windows.

8 Cliquez sur OK dans la boîte de dialogue informant de la bonne réalisation de l'exportation pour revenir à la boîte de dialogue **Exporter les Contacts Windows**.

9 Cliquez sur **Fermer** pour revenir à la fenêtre **Contacts**.

10 Fermez la fenêtre **Contacts** en cliquant sur l'icône représentant une croix blanche dans un rectangle rouge, pour revenir la fenêtre principale de **Windows Mail**.

Sauvegarder son compte de messagerie

Définir un compte de messagerie nécessite la saisie de nombreux paramètres, dont certains renseignements sont fastidieux à obtenir. Il est intéressant dans ces conditions d'effectuer une sauvegarde de la définition du compte de messagerie.

Pour cela :

1 Cliquez sur **Outils/Comptes** à partir de la fenêtre principale **Windows Mail**.

2 Sélectionnez dans la liste le compte courrier à sauvegarder. Cliquez sur **Exporter** dans la boîte de dialogue **Comptes Internet**.

3 Sélectionnez le répertoire de destination du fichier de sauvegarde du compte à partir de la boîte d'exploration **Exportation d'un compte Internet**. Le chemin de destination par défaut est *Windows Mail\Stationery*. Le nom du fichier proposé par défaut est celui du compte. L'extension **.IAF* est attribuée au fichier. Cliquez sur **Enregistrer** pour procéder à l'enregistrement.

4 Cliquez sur **Fermer** pour revenir à la fenêtre principale **Windows Mail**.

Sauvegarder ses messages

Le principe reste le même et consiste à exporter vos messages dans un dossier spécifique de stockage.

1 Cliquez sur **Fichier/Exporter/Messages** à partir de la barre de menu de la fenêtre principale **Windows Mail**.

2 Sélectionnez le format d'exportation **Microsoft Windows Mail** de la boîte de dialogue **Sélectionner un programme**. Cliquez sur **Suivant**.

3 Cliquez sur **Parcourir** pour sélectionner le répertoire de destination des messages à exporter. Une fois le répertoire défini, cliquez sur **Sélectionner un dossier** dans la fenêtre d'exploration active. Cliquez sur **Suivant** dans la boîte de dialogue **Exportation de Windows Mail**.

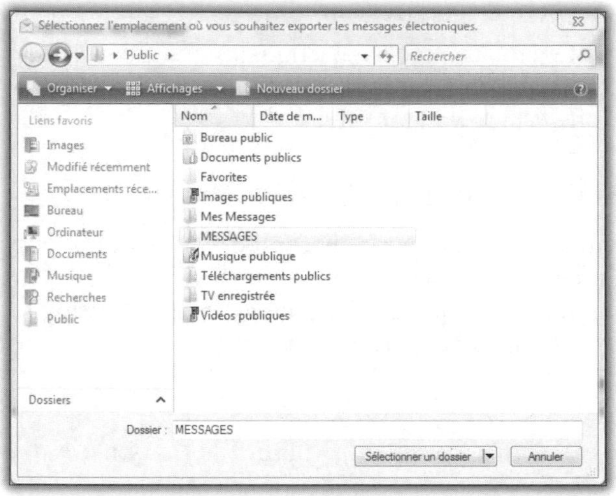

Figure 6.45 : *Fenêtre d'exploration*

4 Sélectionnez **Tous les dossiers** de la rubrique *Sélectionner des dossiers* de la boîte de dialogue **Exportation de Windows Mail**. Cliquez sur **Suivant** pour débuter l'exportation des messages.

5 Une fois l'exportation terminée, cliquez sur **Terminer** pour fermer la boîte de dialogue **Exportation de Windows Mail**.

REMARQUE

Sauvegarde

Pour une meilleure capacité à récupérer de l'information en cas de défaillance sérieuse de votre disque dur, il est préférable de copier le répertoire généré sur un support amovible tel un CD inscriptible. De la qualité de gestion de vos sauvegardes dépendra la facilité à récupérer vos informations. Les CD ou supports amovibles étant souvent manipulés, il est préférable d'effectuer une sauvegarde croisée sur plusieurs supports amovibles. C'est-à-dire un jour sur un premier support amovible, puis un autre jour sur le deuxième support, puis le jour suivant sur le premier support, etc.

REMARQUE

Répertoire de travail Windows Mail

Le répertoire de travail de Windows Mail se situe dans *C:\Users\UTILISATEUR\AppData\Local\Microsoft\Windows Mail*. La valeur UTILISATEUR est variable selon l'identifiant du compte utilisateur connecté.

Récupérer ses messages

Pour effectuer une récupération complète de sa messagerie, il faut procéder aux trois étapes inverses de la sauvegarde de messagerie :

- récupérer ses messages ;
- restaurer son compte de messagerie ;
- restaurer sa liste de contact Windows.

Récupérer ses messages

Il faut récupérer ses messages à partir d'une sauvegarde valide. C'est pourquoi, lors de la sauvegarde des messages, il faut repérer et noter l'endroit de stockage de vos données, afin de retrouver plus facilement les données à restaurer.

1 Insérez le support amovible sur lequel le répertoire a été sauvegardé.

2 Cliquez sur **Fichier/Importer/Messages** à partir de la barre de menu de la fenêtre principale **Windows Mail**.

3 Sélectionnez le format d'importation **Microsoft Windows Mail 7** de la boîte de dialogue **Sélectionner un programme** puis cliquez sur **Suivant**.

4 Cliquez sur **Parcourir** pour sélectionner le répertoire source des messages à importer. Une fois le répertoire défini, cliquez sur **Sélectionner un dossier** dans la fenêtre d'exploration active, puis cliquez sur **Suivant** dans la boîte de dialogue **Importation de Windows Mail**.

5 Sélectionnez **Tous les dossiers** dans la rubrique *Sélectionner des dossiers* de la boîte de dialogue **Importation de Windows Mail**. Cliquez sur **Suivant** pour débuter l'importation des messages.

6 Une fois l'importation terminée, cliquez sur **Terminer** pour fermer la boîte de dialogue **Importation de Windows Mail**.

REMARQUE **Messages importés**

Les messages sont importés dans le sous-répertoire *Dossier importé* créé automatiquement, dans le répertoire principal *Dossier locaux*.

Restaurer son compte de messagerie

Définir un compte de messagerie nécessite la saisie de nombreux paramètres, dont certains renseignements peuvent être fastidieux à obtenir. Il est intéressant dans ces conditions d'effectuer une importation d'un fichier de paramètres d'un compte de messagerie déjà enregistré.

Pour cela :

1 Cliquez sur **Outils/Comptes** à partir de la fenêtre principale **Windows Mail**.

2 Cliquez sur **Importer** dans la boîte de dialogue **Comptes Internet**.

3 Sélectionnez le fichier de configuration du compte portant l'extension *.IAF* à partir de la boîte d'exploration **Importation d'un compte Internet**. Cliquez sur **Ouvrir** pour procéder à l'importation. La liste des comptes se met à jour avec le nouveau compte importé.

4 Cliquez sur **Fermer** pour revenir à la fenêtre principale **Windows Mail**.

Restaurer sa liste de contacts Windows

En cas de perte de son carnet d'adresses et si des sauvegardes régulières ont été effectuées, il est alors possible de le récupérer.

Pour cela :

1 Cliquez sur **Outils/Contacts Windows** à partir de la fenêtre **Windows Mail**.

2 Cliquez sur **Importer** dans la barre de menu de la fenêtre **Contacts**.

3 Sélectionnez le format de fichier *CSV (valeurs séparées par des virgules*. Cliquez sur **Importer** dans la boîte de dialogue **Importer dans les Contacts Windows** pour passer à l'étape suivante.

4 Saisissez le nom du fichier à importer dans le champ *Sélectionnez un fichier à importer* de la boîte de dialogue **Importation CSV**, puis sur **Parcourir** pour sélectionner le répertoire source du fichier. Cliquez sur **Suivant**.

REMARQUE

Type de fichier à importer

Vous pouvez importer un carnet d'adresses généré par Outlook Express, en sélectionnant le choix *Fichier du carnet d'adresses Windows (contacts Outlook Express)*. Par défaut, les fichiers de carnet d'adresses générés avec Outlook Express portent l'extension *WAB*.

5 Sélectionnez les champs que vous désirez importer dans la rubrique *Mappez les champs à importer* de la fenêtre **Importation CSV**.

6 Cliquez sur **Terminer** pour procéder à l'importation du fichier de contacts Windows. Une boîte de dialogue **Confirmation du remplacement** apparaît si un contact portant déjà un nom identique dans votre liste courante est trouvé. Cliquez sur **Oui** pour procéder au remplacement de cette nouvelle entrée par celle déjà en place dans votre liste de contacts Windows.

7 Cliquez sur **Fermer** de la boîte de dialogue **Importer dans les contacts Windows**, pour revenir à la fenêtre **Contacts**.

8 Fermez la fenêtre **Contacts** en cliquant sur l'icône représentant une croix blanche dans un rectangle rouge, pour revenir à la fenêtre principale de **Windows Mail**.

6.3. Check-list

- corriger le problème "La page web ne peut pas être affichée" ;
- effacer l'historique des pages consultées avec Internet Explorer ;
- réinitialiser les paramètres d'Internet Explorer ;
- désactiver Internet Explorer 7 ;
- changer le statut *Travailler hors connexion* d'Internet Explorer 7 ;
- résoudre les problèmes d'affichage d'une page web liés à la sécurité ;
- configurer le contrôle parental ;
- résoudre les problèmes liés aux modules complémentaires manquants : activer un module complémentaire, installer ou réinstaller un module complémentaire ;
- corriger les problèmes d'affichage des pages sécurisées ;
- activer les protocoles SSL ;

- activer le cache SSL ;
- savoir gérer les certificats ;
- modifier la fréquence de mise à jour par défaut des flux RSS ;
- choisir sa langue par défaut lors de la visite de sites web multilingues ;
- retrouver un onglet de navigation ;
- désactiver et/ou désinstaller les barres d'outils ajoutées à Internet Explorer ;
- résoudre les problèmes de synchronisation de la boîte aux lettres ;
- corriger les problèmes de serveur de messagerie ;
- forcer la synchronisation de sa boîte aux lettres ;
- autoriser un expéditeur ;
- protéger sa messagerie des messages indésirables ;
- gérer les courriers d'hameçonnage ;
- paramétrer sa liste de courriers indésirables ;
- changer la disposition de la fenêtre Windows Mail ;
- définir ses options avec Windows Mail ;
- sauvegarder/récupérer sa messagerie.

Annexes

7.1. Récupérer le système suite à une panne matérielle ou logicielle

Lorsque Windows Vista refuse de démarrer suite à l'infection par un virus, une panne logicielle ou matérielle, vous pouvez tenter une réinstallation de l'ensemble de l'ordinateur (à condition que vos données soient sauvegardées) ou une réparation à partir des Options de récupération système, qui remplacent la Console de récupération des versions précédentes de Windows.

Ces options de récupération système regroupent plusieurs outils mais sont accessibles uniquement depuis le DVD d'installation de Windows Vista (option *Réparer l'ordinateur*).

L'outil de redémarrage système

Si vous n'avez pas pu résoudre les problèmes grâce au mode Sans échec, il sera possible, si le système est totalement inutilisable, d'employer l'outil de redémarrage système.

L'outil de redémarrage système permet de résoudre les problèmes tels que des fichiers système corrompus ou effacés par erreur et de restaurer le système à une date antérieure.

Il remplace la Console de récupération des versions antérieures de Windows.

ATTENTION   **Ordinateurs préinstallés**

L'outil de redémarrage système peut ne pas être disponible si votre ordinateur a été pré installé. Le fournisseur de matériel aura certainement implanté un outil similaire, ou simplement un outil de restauration système de son choix.

Démarrer l'outil de redémarrage système

L'outil de redémarrage système est disponible en démarrant sur le DVD-ROM de Windows Vista :

1 Insérez le média d'installation de Windows Vista. Au démarrage de l'ordinateur, assurez-vous de démarrer sur le lecteur de DVD-ROM (consultez le manuel de l'ordinateur pour cette procédure).

2 Une fois le média d'installation chargé, Windows vous proposera la langue d'installation du système. Validez si le français est la langue valide. Sinon sélectionnez-le dans les listes déroulantes. Cliquez sur le bouton **Suivant**.

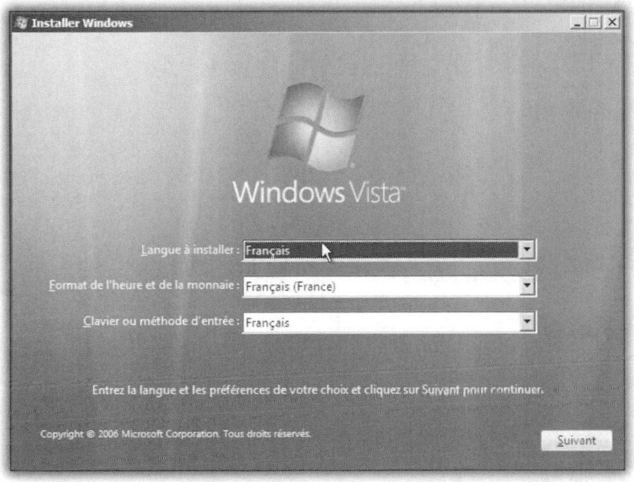

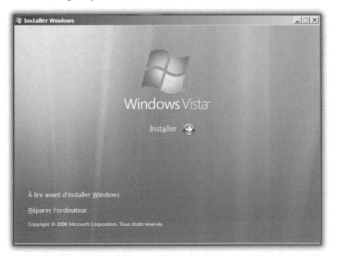

Figure 7.1 : Sélection de la langue du système d'exploitation

3 Dans la fenêtre d'installation, il sera possible de choisir **Réparer l'ordinateur**. Cliquez sur ce lien afin d'exécuter l'outil de redémarrage système.

Figure 7.2 : Installation de l'ordinateur

4 L'outil de redémarrage système recherchera l'ensemble des versions de Windows installées sur l'ordinateur. Sélectionnez la version de Windows à réparer puis cliquez sur le bouton **Suivant**.

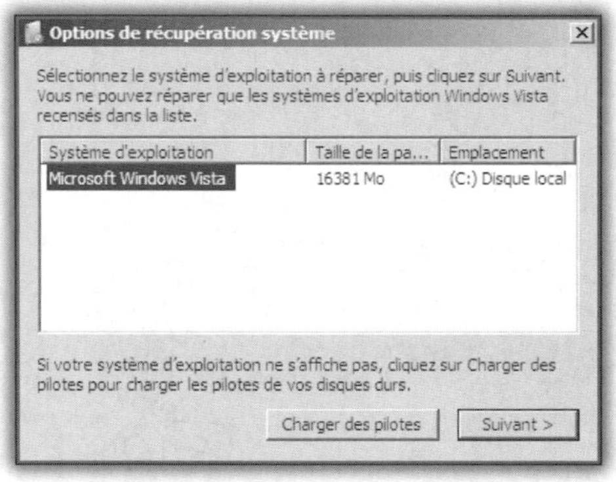

Figure 7.3 :
Liste des versions de Windows installées sur l'ordinateur

Windows recherchera les problèmes courants de l'installation.

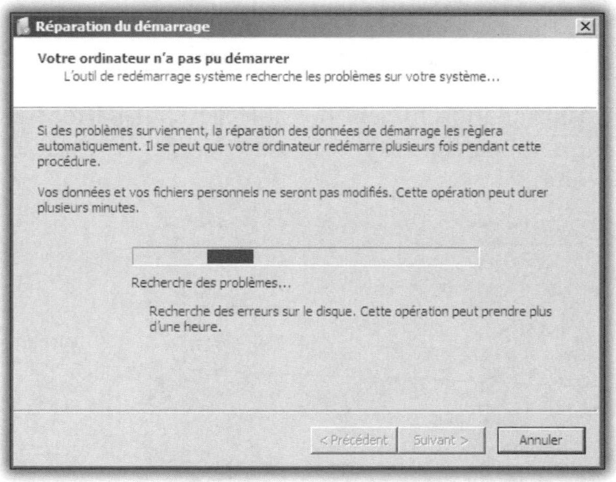

Figure 7.4 : *Recherche automatique des problèmes de démarrage Windows*

Une fois les problèmes courants recherchés, Windows proposera de réparer les fichiers de démarrage système. Cliquez sur le bouton **Restaurer**.

Une fois l'opération de restauration terminée, cliquez sur le bouton **Terminer**.

Figure 7.5 : *Restauration des fichiers système*

REMARQUE

Pilote du disque dur

Si le système n'apparaît pas dans la liste, il est probable que l'outil de réparation système ne reconnaisse pas vos disques durs. Munissez-vous du pilote de disque et cliquez sur le bouton **Charger les pilotes**.

Les différentes options de l'outil de redémarrage système

L'outil de redémarrage système, s'il n'a pas détecté d'erreur au démarrage, ouvrira le menu des **Options de récupération système**.

Figure 7.6 : *Le menu des Options de récupération système*

Réparation du démarrage

Si votre ordinateur lors de son démarrage, indique qu'une entrée et absente, utilisez cette option. Les fichiers de démarrage de Windows Vista seront automatiquement réinstallés convenablement.

L'outil recherchera les différents problèmes liés à cette installation de Windows et tentera de les réparer. Comptez un délai plus ou moins long en fonction de la complexité du problème. Une fois l'opération exécutée, cliquez sur le bouton **Terminer** et le système redémarrera.

Restaurer le système

Le système Windows Vista enregistre régulièrement des points de restauration. Ces derniers sont créés lorsque Windows détecte un changement de configuration (pilote, paramètres système, etc.) ou seront créés à intervalles réguliers (définis par défaut tous les jours à minuit si l'ordinateur est allumé).

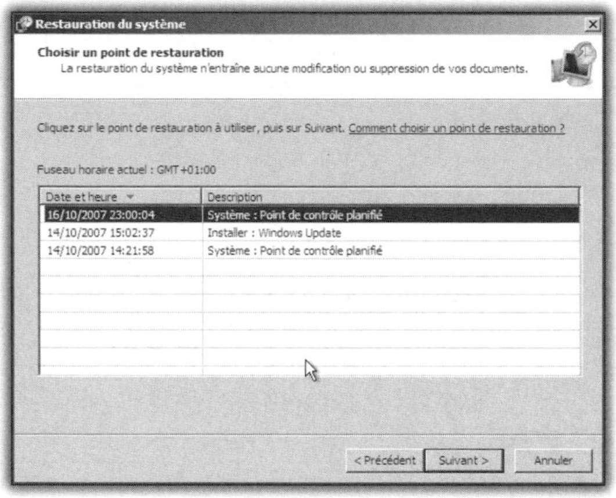

Figure 7.7 : Liste des différents points de restauration

REMARQUE   **Points de restauration**

Pour consulter ou changer l'heure de création d'un point de restauration automatiques, rendez-vous dans **Panneau de configuration/Système et maintenances/Outils d'administration/Planificateur de tâches**. Recherchez dans les listes déroulantes : **Microsoft/Windows/System Restore**.

Procédez ainsi :

1 Cliquez sur le lien *Restaurer le système*. Une fois lues les informations de la boîte de dialogue, cliquez sur le bouton **Suivant**.

2 Dans la liste des points de restauration, sélectionnez le point de restauration du système le plus approprié, puis cliquez sur le bouton **Suivant**.

3 Cochez le disque système devant être sélectionné (normalement le disque dur est sélectionné par défaut). Cliquez une nouvelle fois sur le bouton **Suivant**.

4 Cliquez sur le bouton **Terminer** pour lancer la restauration basée sur les points de restauration. Une fois la restauration terminée, l'utilitaire vous proposera de redémarrer le système. Cliquez sur le bouton **Redémarrer**.

Restauration de l'image Windows

Sauvegarde complète de l'ordinateur
La sauvegarde complète de l'ordinateur est disponible uniquement sur les versions *Professionnelle*, *Entreprise* et *Intégrale* de Windows Vista.

Si vous avez réalisé une sauvegarde complète de votre ordinateur dans un état correct, il sera alors possible à l'aide des outils prévus à cet effet d'effectuer une restauration complète de l'ordinateur. Cette sauvegarde pourra être réalisée sur un ou plusieurs DVD ou sur un disque dur externe.

Image Windows
Les données enregistrées sur le disque C : après la sauvegarde seront définitivement perdues hormis si elles ont étés sauvegardées. Préférez une réinstallation du système si vos fichiers sont trop sensibles.

Disque externe
Pour qu'un disque USB soit reconnu, assurez-vous qu'il est connecté avant que l'outil **Restaurer** de l'outil de redémarrage ne soit lancé.

Outil de diagnostic de la mémoire Windows

Cet outil permettra de diagnostiquer la mémoire physique (RAM) de l'ordinateur. L'intégralité de la mémoire sera analysée afin de déterminer si un problème existe.

1 Cliquez sur le lien *Outil de diagnostic de la mémoire Windows*. Une boîte de dialogue s'affichera proposant de rechercher immédiatement les problèmes éventuels ou de planifier cette recherche au prochain démarrage.

2 Cliquez sur **Redémarrer maintenant et recherchez les problèmes éventuels**. L'ordinateur redémarrera et cherchera les problèmes liés à la mémoire.

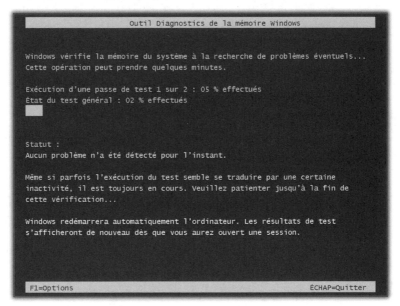

Figure 7.8 : *Analyse de la mémoire par le système*

Invite de commandes

La traditionnelle Invite de commandes permettra de réaliser les tâches d'administration générale disponibles. Utilisez l'invite de commandes seulement si vous êtes familiarisé avec elle.

Figure 7.9 : *L'invite de commandes de l'outil de redémarrage système pointe automatiquement sur le lecteur x:\sources*

Considérant que le système est inopérant, l'outil de redémarrage système offre une liste de commandes disponibles depuis un ramdisk pointant sur x:\sources.

Le fonctionnement du système est toujours anormal

Si malgré toutes ces opérations, le système fonctionne toujours de manière anormale, vérifiez la structure de vos disques avec l'utilitaire Chkdsk suivi du commutateur /R dans une invite de commandes. L'option /R permettra de détecter les erreurs sur le disque.

Exemple : chkdsk c: /R.

Si la commande provoque l'affichage d'une erreur, tentez de la corriger avec le commutateur /F.

Exemple : chkdsk c: /F.

Check-list

- récupérer le système suite à un plantage (matériel ou hardware) ;
- utiliser les options de récupération de Windows Vista ;
- tenter une réparation de disque.

7.2. Glossaire

AC3 : Norme audio permettant de profiter de 5.1 canaux audio. Également appelé Dolby Digital, permet l'utilisation de deux canaux avant, un canal central, deux canaux arrière (surround) et un canal grave (LFE).

Account : Compte utilisateur.

ACL : Liste de contrôle d'accès. Gestion des droits d'utilisation d'un objet.

ACPI : (*Advanced Component Power Interface*). Standard permettant la gestion poussée des économies d'énergie.

ActiveX : Technologie prenant en charge les fonctions avancées du multimédia : gestion de la 3D, du son, de la vidéo...

Adresse électronique : Adresse de messagerie électronique utilisée pour s'envoyer du courrier sur Internet. Généralement représentée sous la forme `prénom.nom@domaine.pays`.

Adresse IP : Adresse utilisée par le protocole TCP/IP pour identifier une machine (poste, PC, serveur, routeur).

ADSL : Technologie permettant de faire transiter des données à haut débit via un câble téléphonique.

ADSL2+ : Évolution de la norme ADSL permettant d'augmenter le débit (jusqu'à 20 Mo ATM).

AGP : (*Accelerated Graphic Port*). Bus rapide utilisé pour la connexion d'une carte graphique sur la carte mère de l'ordinateur.

Agrément PTT : France Télécom pose certaines conditions pour qu'un appareil puisse être connecté sur ses réseaux. Un appareil ne portant pas l'autocollant certifiant qu'il est agréé par le ministère des Postes et Télécommunications ne doit pas être branché sur la prise téléphonique. Cela concerne également votre modem.

Aide contextuelle : Aide en ligne relative à l'élément sélectionné.

Aide en ligne : Documentation et aide intégrée à un programme.

AMD : Constructeur de microprocesseurs dont l'Athlon.

Amorcer : Amorcer l'ordinateur consiste à le démarrer. Pendant la phase d'amorçage, les périphériques sont identifiés, et le système d'exploitation chargé.

Anonymous FTP : Utilisation anonyme d'un serveur FTP. Le login utilisé est alors `anonymous,` et le mot de passe est généralement l'adresse email.

Anti-crénelage : Procédé permettant de lisser l'affichage à l'écran.

Antivirus : Programme permettant d'analyser, de bloquer ou d'éradiquer un virus informatique.

Applet : Programme intégré à une page web permettant d'exécuter des fonctions particulières.

Archive : Ensemble de fichiers regroupés dans un dossier compressé.

ASCII : Abréviation d'*American Standard Code for Information Interchange*. Un fichier ASCII contient uniquement du texte, sans aucun formatage.

ATA : Normes utilisées sur les disques IDE.

ATAPI : Évolution de la norme ATA intégrant les lecteurs de CD-ROM et lecteurs de bandes.

Athlon : Processeur fabriqué par AMD.

Authoring : Action consistant à créer la structure d'un DVD vidéo (création des menus, etc.).

AVI : (*Audio Video Interleave*). Format de fichier vidéo dans lequel sont inclus la vidéo et l'audio.

Backup : Terme anglais désignant une sauvegarde.

Bande passante : Définit la quantité de données pouvant transiter dans un laps de temps (généralement une seconde) sur un support (fil, bus). Souvent utilisée pour mesurer la rapidité d'un réseau (local ou distant).

Barre d'état : Barre se trouvant en bas de chaque fenêtre Windows, permettant de diffuser des informations à l'utilisateur.

Barre d'outils : Barre située sous le menu d'une fenêtre Windows. Elle est composée d'icônes permettant l'activation de commandes usuelles sans avoir à ouvrir les menus.

Barre de défilement : Éléments situés en bas et à droite des fenêtres Windows, permettant d'afficher l'intégralité de la fenêtre si le contenu de cette dernière est plus grand que la surface d'affichage du Bureau.

Barre des tâches : Barre située au bas du Bureau de Windows. Elle contient le menu **Démarrer**, la barre de lancement rapide, les programmes réduits à l'état d'icônes et différentes informations sur les programmes ou utilitaires lancés au démarrage du PC (heure/date, antivirus, réglage du son et de l'affichage).

Barrette mémoire : Composant de l'ordinateur, utilisé pour le stockage des informations. La quantité de mémoire annoncée par Windows Vista est composée par les barrettes de mémoire installées dans l'ordinateur.

BIOS : (Abréviation de *Basic Input Output System*). Le BIOS se trouve dans une mémoire intégrée au PC. Il contient des instructions élémentaires du système d'exploitation pour le contrôle des périphériques.

Bit : Le bit est la plus petite unité de donnée informatique. Il ne code que deux informations possibles : 0 ou 1. Un ensemble de 8 bits forme un octet. 1 024 octets constituent 1 kilooctet (Ko), 1 024 Ko donnent 1 mégaoctet (Mo).

Bit par seconde (*bps*) : Indique le nombre de bits transmis par seconde sur une liaison existante.

Blu-Ray : Standard de DVD haute résolution. Permet de stocker 27 Go de données par couche.

BlueTooth : Technologie de réseau local sans fil, de faible portée. Le débit théorique est de 720 kbit/s à une distance théorique de 10 mètres. Le bluetooth est essentiellement utilisé pour connecter des claviers, souris, téléphones portables, casques, etc.

Boîte de dialogue : Fenêtre utilisée par Windows, permettant de proposer un choix à l'utilisateur. Généralement, la réponse attendue est **OUI**, **NON** ou **Annuler**.

Boot : Désigne la phase d'initialisation et de démarrage de l'ordinateur.

Browser : Terme anglais désignant un programme de navigation web (ex : Internet Explorer).

Bug (bogue) : Dysfonctionnement au sein d'un programme provoquant un comportement bizarre de l'application, voire un blocage plus ou moins important, et parfois des pertes de données. Les bugs sont des erreurs des développeurs, qui sont en général corrigées au fil du temps par l'apparition de Service Packs, de patches ou de nouvelles versions du logiciel.

Bus de donnée : Désigne les conducteurs de la carte mère permettant au processseur de recevoir les données en provenance de la mémoire de l'ordinateur

Carte d'acquisition vidéo : Carte enfichable permettant d'importer des images depuis un Tuner TV (incorporé ou non) ou de toute source vidéo externe.

Carte mère : Élément fondamental du PC. La carte mère est le socle sur lequel viennent se connecter tous les périphériques (disques durs, clavier, cartes d'extension, processeur, mémoires).

Carte son : Élément permettant au PC de faire entendre les sons générés par les jeux et les applications multimédias. Cette carte permet également de transformer les signaux analogiques d'une source externe en signaux numériques.

CD-R : Compact disc enregistrable.

CD-ROM : Compact disc enregistré.

CD-RW : Compact disc réenregistrable.

Chat : Terme anglais signifiant bavardage, causette. On désigne ainsi un dialogue par clavier interposé lors d'une connexion Internet.

Chipset : Jeux de composants. Élément hardware en charge de la gestion des différents éléments hardware du PC.

Clé USB : Périphérique de stockage composé d'une mémoire flash, permettant de transporter des données.

Compte : Combinaison d'un nom et d'un mot de passe permettant d'ouvrir une session si le compte est déclaré.

- **Compte Administrateur** : compte possédant tous les droits sur l'ordinateur ;
- **Compte Invité** : compte possédant des droits limités ;
- **Compte Utilisateur** : compte possédant des droits et un environnement de travail personnalisable.

Contrôle de compte d'utilisateur : Procédé permettant de n'affecter que des droits d'utilisateur standard à un compte administrateur. Ce dernier se voit obligé de confirmer toute action pouvant affecter la sécurité du système (installation de programme, ajout de matériel, etc.).

Cookies : Informations sous forme de fichiers utilisées par certains sites web afin de conserver vos préférences ou des données d'ordre privé.

CPU : (*Central Processing Unit*) le microprocesseur, l'élément principal de l'ordinateur, permettant d'effectuer les calculs et traitements (par exemple le Pentium).

DDR : Type de barrettes de mémoire.

DDR2 : Type de barrettes de mémoire.

Défragmentation : Méthode permettant le regroupement des morceaux de fichiers éparpillés sur la surface magnétique d'un disque dur.

Démarrage : Élément du menu **Démarrer/Programmes**. Tous les raccourcis placés dans ce dossier seront automatiquement exécutés lors du démarrage de Windows.

Disque dur : Élément de stockage de fichiers et de programmes du PC. Sa capacité s'exprime en gigaoctets (1 Go = 1 024 Mo).

Disquette : Support de données de faible capacité, permettant le transport de fichiers de petite taille (moins de 1,44 Mo). Il existe des disquettes de plus haute capacité, à utiliser avec un lecteur spécifique (lecteur zip).

DNS : *Domaine Name Server* ou Serveur de Nom de domaine, permettant d'utiliser un nom clair pour indiquer une adresse précise sur Internet. Le DNS s'occupe de la translation entre le nom en clair et l'adresse IP exacte du serveur.

Dossier (ou répertoire) : Emplacement de stockage sur un disque dur ou un CD-ROM permettant de classer des fichiers selon un thème particulier. Il est fortement conseillé d'utiliser des dossiers pour éviter une trop grande confusion entre vos données.

Double core : Génération de processeur incluant deux unités de calculs.

Download : Téléchargement de données binaires depuis une messagerie, un site Internet ou un serveur FTP vers le PC.

Drag & Drop (glisser-déplacer) : Méthode consistant à sélectionner un objet (fichier, icône) en cliquant dessus. Il suffit de le déplacer, tout en maintenant le bouton de la souris appuyé, et de le déposer à l'endroit cible en relâchant le bouton.

DRAM : Type de barrette de mémoire.

Driver : Terme anglais désignant un pilote de périphérique.

DVD : (*Digital Versatile Disc*). Support de données de même dimension qu'un CD-ROM mais pouvant contenir plusieurs gigaoctets (jusqu'à 20 Go).

- **DVD DL** : DVD au format - ou + enregistrable double couche (*Dual Layer*) permettant de stocker 8,5 Go ;
- **DVD-R** (**+R**) : support de donnée DVD enregistrable ;
- **DVD-RW** (**+RW**) : support de donnée DVD ré enregistrable.

Échantillonnage : Désignation d'un signal audio analogique transformé en signal digital.

Économiseur d'écran : Programme évitant que l'écran affiche pendant une trop longue durée la même image (risque de marquage de l'écran cathodique ou LCD).

E-mail : (*Electronic mail*). Nom donné aux messages électroniques. Francisé en courriel (pour courrier électronique).

Ethernet : Désigne un réseau local (LAN). Les ordinateurs sont reliés au moyen de cartes réseau et d'un câble Ethernet RJ45 et/ou d'un hub.

Explorateur : Programme Windows de navigation dans l'arborescence du disque dur. Permet entre autres le déplacement, la copie et la suppression des fichiers et des dossiers.

FAI : Abréviation désignant un fournisseur d'accès à Internet.

Fenêtre : Élément principal de Windows. Tous les programmes sont exécutés dans des fenêtres.

Feuille de calcul : Désigne la surface de travail d'un logiciel tableur comme Excel.

Fichier : Ensemble clos de données pouvant contenir les informations les plus diverses : texte, tableau, image, programme, séquence audio ou vidéo. Le nom des fichiers de Windows Vista peut être composé de 255 caractères, à l'exclusion des caractères spéciaux (, ! / ? % > <).

FireWall : Ou *pare-feu*. Programme de protection de votre ordinateur.

FireWire : Interface de connexion haut débit permettant de relier un caméscope numérique à votre ordinateur. Cette interface est également utilisée parfois pour connecter d'autres périphériques externes exigeant une grande rapidité (un disque dur, par exemple).

Flash : Technologie permettant l'affichage de pages animées sur le Web.

Formater : Méthode consistant à préparer un support magnétique (disque, disque dur) afin d'y stocker des données (fichiers, dossiers).

Forum : Espace de discussion sur le Web.

Freeware : Programme gratuit mis à la disposition de tous par son auteur.

GIF : (*Graphics Interchange Format*). Format de fichier très répandu dans le monde Internet. Ce dernier code l'image en 256 couleurs, peut définir une fonction de transparence pour une couleur et compresse l'image originale.

Glisser-déplacer : Voir Drag & Drop.

Go : Abréviation de gigaoctets (1 024 mégaoctets).

Hardware : Désigne toute la partie matérielle d'un ordinateur.

Hertz : Unité de mesure de fréquence : 1 hertz = 1 cycle par seconde, le cycle en question pouvant être une oscillation ou un changement d'état. Un ordinateur fonctionnant à 1 GHz est donc capable de traiter environ un milliard d'opérations par seconde.

HTML : (*HyperText Markup Language*) ou langage de description hypertexte. Langage utilisé pour la création de pages web (Internet).

HTTP : (*HyperText Transfer Protocol*). Protocole de transmission hypertexte, qui régit la communication entre le serveur web et le navigateur web pendant la durée d'une session www.

Icône : Symbole graphique utilisé par Windows pour représenter un fichier, un dossier ou un programme.

IDE : (*Integrated Disc Electronics*). Norme d'interface pour disques durs IDE. Le contrôleur de disque dur correspondant se trouve intégré au disque dur lui-même.

IMAP : Protocole de messagerie, qui permet a contrario du POP la conservation des messages sur le serveur.

Installation : Méthode désignant l'exécution d'un programme spécial, copiant sur le disque dur les fichiers et bibliothèques nécessaires à l'exécution d'un programme. Configure également le PC.

Interface : Terme utilisé pour définir l'environnement d'échange homme/machine. L'interface de Windows Vista est le Bureau.

Internet : Réseau d'interconnexion entre ordinateurs qui s'étend sur le monde entier et se compose d'une multitude de réseaux plus petits.

IP : Protocole réseau utilisé sur Internet et sur les réseaux privés.

JAVA : Langage de programmation utilisé entre autres pour les applets.

JPEG : Format de fichier utilisé pour les photographies numériques. Il assure un excellent compromis entre la taille (en kilooctets) et la qualité de l'image.

Ko : Abréviation de kilooctets (1 024 octets).

LAN : *Local Area Network*. Réseau local permettant de relier des ordinateurs entre eux dans un périmètre défini (bureau, bâtiment…).

LCD : Technologie utilisée par les écran à cristaux liquides.

Lecteur de disquettes : Périphérique permettant d'écrire et de lire les données d'une disquette.

Login : Information de nom de compte permettant d'ouvrir une session.

Mémoire :

- **cache** : mémoire à accès rapide utilisée par le processeur pour stocker les données en attente de traitement ;
- **flash** : mémoire pouvant conserver l'information stockée hors tension. Les clés de stockage USB sont composées de mémoire flash ;
- **partagée** : espace de mémoire physique partagé entre les programmes et l'affichage ;
- **physique** : mémoire utilisée par l'ordinateur pour stocker les informations temporaires des programmes ;
- **vidéo** : mémoire physique dédiée à l'affichage ;
- **virtuelle** : partie d'un disque dur, utilisée en tant que mémoire.

Menu contextuel : Menu lié à une icône ou un fichier. Obtenu à partir d'un clic droit sur l'objet concerné.

MIDI : Norme de communication dédiée à la musique et aux instruments compatibles.

MIPS : Abréviation désignant une mesure de puissance de calcul (million d'instructions par seconde).

MMX : Norme appliquée aux processeurs Intel depuis le Pentium décrivant un jeu de 57 instructions dédiées aux fonctions multimédias.

Mo : Abréviation de mégaoctets (1 024 kilooctets).

Modem : Abréviation de Modulateur/Démodulateur. Appareil permettant la communication entre deux PC, en utilisant le réseau téléphonique classique.

Modem ADSL : Modem dédié au haut débit.

Moniteur : Terme désignant l'écran (cathodique ou LCD) relié à un ordinateur.

Moteur de recherche : Site web dédié à la recherche d'informations sur Internet.

MPEG : Format de fichier utilisé pour l'encodage de fichiers vidéo.

Navigateur : Programme permettant de naviguer sur Internet (Internet Explorer).

NetBEUI : Protocole réseau de Microsoft permettant à des postes de travail sous Windows de communiquer entre eux.

Netware : Système d'exploitation réseau de la société Novell.

News : Nouveautés. Dans le contexte Internet, news désigne les nouvelles divulguées dans les groupes de discussion, les newsgroups.

Numéris : Réseau numérique téléphonique permettant un taux de transfert pouvant aller jusqu'à 128 kbit/s.

Octet : Unité d'information composée de 8 bits. Un octet correspond à un caractère. Les valeurs possibles sont comprises entre 0 et 255 (décimal) ou 0 et FF (hexadécimal).

OCR : Procédé de reconnaissance de caractères.

OEM : Désigne un produit vendu sous un autre nom que celui du manufacturier.

Onduleur : Appareillage chargé de réguler la tension secteur et d'éviter les micro-coupures.

Open source : Catégorie de logiciels fournis avec le code source, c'est-à-dire le programme tel qu'il a été conçu par les développeurs. Vous pouvez donc l'améliorer vous-même. La notion d'open source est différente de celle de domaine public (freeware). Linux est un système d'exploitation Open source.

PAO : Abréviation de publication assistée par ordinateur. Logiciel permettant la mise en page des informations en vue de leur publication sur le support papier.

Parallèle : Un port parallèle est un port spécialement conçu pour connecter une imprimante. Aujourd'hui, ce port est de plus en plus fréquemment remplacé par le port USB, plus rapide et plus simple d'utilisation.

Pare-feu : Programme de protection de l'ordinateur, empêchant les intrusions en provenance du réseau ou d'Internet.

PCI : Bus de connexion sur la carte mère d'un PC permettant l'utilisation de carte d'extension PCI.

PCI EX : Bus d'extension amélioré, remplaçant progressivement les composants graphiques AGP.

Pilote : Logiciel intermédiaire entre un composant matériel et une application et qui permet à cette dernière de fonctionner tout en exploitant au maximum les capacités du matériel.

Plantage : Un ordinateur "plante" lorsqu'il se bloque et qu'il devient inutilisable, pour une raison ou une autre (logiciel instable…). La plupart du temps, la seule solution est de redémarrer l'ordinateur.

Plug & play : Fonction de Windows permettant la reconnaissance et l'installation automatique des périphériques connectés à l'ordinateur.

POP : Protocole utilisé pour récupérer les messages électroniques entre un client et un serveur de mails.

PPM : (Pages par minute). Abréviation désignant le débit d'un imprimante.

Presse-papiers : Programme stockant les éléments échangés entre différents programmes via des Copier/Coller.

Proxy : Serveur intermédiaire, qui stocke les pages Internet déjà demandées par d'autres utilisateurs. Évite ainsi la perte de temps par la consultation du site final.

Rebooter : Action consistant à redémarrer l'ordinateur.

Réseau : Interconnexion de plusieurs ordinateurs par des câbles spéciaux.

Résolution : Désigne la surface affichée sur un écran (nombre de pixels). Plus la résolution est élevée, plus la surface de travail est grande.

Restauration : Opération consistant à recopier le contenu d'une sauvegarde.

RJ11, RJ45 : Type de connecteur utilisé en télématique et téléphonie ainsi que dans les réseaux.

Sauvegarde : Copie particulière de fichiers sur support amovible permettant de conserver et de protéger ces derniers d'une panne matérielle ou d'une attaque virale.

Scanner : Appareil permettant la numérisation de pages de texte ou de photographies.

SCSI (*Small Computer System Interface*) : Interface spéciale et optionnelle du PC à laquelle on peut connecter jusqu'à sept périphériques tels que des lecteurs de CD-ROM, des graveurs, des disques durs, des scanners, etc. Le SCSI garantit un débit constant des données, contrairement à l'IDE.

Serial ATA (*SATA*) : Nouvelle norme utilisée sur les disques IDE, permettant d'obtenir un débit optimal entre le disque dur et le processeur.

Serveur : Ordinateur connecté au réseau et fournissant des applications, de l'espace disque, etc.

Shareware : Les programmes sharewares sont des logiciels que l'on peut d'abord se procurer dans une version bridée. Si le logiciel vous plaît, vous payez un droit d'entrée directement au programmeur et recevez la version complète.

SMTP : Protocole utilisé pour le transport de messages électroniques (mails).

Sous-dossier : Il s'agit d'un dossier (répertoire) qui se trouve dans un autre dossier et peut à son tour contenir un dossier et des fichiers.

SSL : Protocole de chiffrement de données sur Internet. Une connexion SSL est une connexion sécurisée.

Système d'exploitation : Programme permettant à l'ordinateur de communiquer avec l'utilisateur et avec les périphériques (lecteur de disquettes, disque dur...). Windows Vista est le système d'exploitation de votre ordinateur.

TabletPC : Périphérique permettant l'utilisation d'un stylet pour la saisie d'information.

TCP/IP : (*Transmission Control Protocol/Internet Protocol*). Protocole réseau utilisé entre autres pour Internet.

To : Abréviation de téraoctets (1 024 gigaoctets).

URL : Abréviation utilisée pour désigner une adresse Internet.

USB : Bus permettant le chaînage de 127 périphériques lents (clavier, souris, modem...) et le hot plug (connexion à chaud des périphériques). La nouvelle norme USB 2 propose des débits plus rapides (pour connecter un disque dur externe, par exemple).

USB2.0 : Bus haut débit (rétro compatible avec USB1.0 et USB1.1).

VGA : Standard minimum d'affichage d'une carte vidéo. Le VGA permet un minimum de 640 x 480 en 16 couleurs.

VRAM : Type de mémoire vidéo.

Wi-Fi : Technologie de réseau sans fil, permettant la connexion à haut débit à Internet au travers d'un modem ADSL Wi-Fi.

WYSIWYG : (*What you see is what you get*). Représentation identique à l'écran et lors de l'impression.

Zip : Format de fichiers permettant de compresser plusieurs fichiers en un seul, de moindre taille.

Chapitre 8

Index

A

Accéder au BIOS, 18
Accès
  disques, 222
  interdit, 133
Accueil, 274, 290
Actions par défaut, 181
Activer
  le contrôle parental, 316
  le contrôle des comptes
  d'utilisateurs, 102
ActiveX, 331, 334
Administrateur, 95, 239, 311
Adresse, 294, 298, 300
  IP, 297, 299
  MAC, 117
  saisie, 301
Aero, 27, 32, 238
Affichage, 237, 285
  limité, 28
Afficher l'intégralité
du mappage, 115
Aide et support, 159
Ajouter un port, 145, 176
Analyse complète, 180, 182, 184
Analyseur de performances, 87
Ancien programme, 252
Annonces publicitaires, 354
Annuler un filtre, 286
Antivirus, 74, 187, 354
Applications, 230
Arrêt d'un périphérique, 53
Assistance à distance, 158, 176
Assistant
  création d'un volume, 25
  de dépannage, 228, 296
  de réinitialisation de mot de
  passe, 171
  de réparation, 231, 269, 296
  Mot de passe oublié, 168

Associations de fichier, 271
ATA, 23
Authentification, 298, 350
  du client, 339
Auto réparation, 269
Autorisation, 95, 126, 311,
  329, 353
  connexion, 150
  un programme
  à communiquer, 143
Autres paramètres
de sécurité, 173

B

Bande passante, 52, 352
Barre
  d'outils, 294, 296, 310
  de menu, 336
Barrettes, 45
Base
  de connaissances de Microsoft,
  228, 283, 291
  de registre, 192, 240, 245
Bibliothèque multimédia, 139
BIOS, 18
Bitdefender, 188
Bloquer, 314, 326, 329, 353, 355
  tout le trafic,, 150
Boîte aux lettres, 348
Boot, 21
  Boot Device Priority, 22
Bureau à distance, 152
Butinage, 308

C

Câble Ethernet / réseau, 297
Cache
  mettre à jour, 303

E

Écran
  bleu, 44, 64
  noir, 234
Écrire un fichier, 234
Éditeur, 246
  du Registre, 99
Effectuer un formatage rapide, 26
Effet, 234, 236
Élément
  passif, 116
  de sécurité, 309
  en quarantaine, 182
Emplacement
  de l'image, 273
  réseau, 122
Enregistrement, 270
Entreprise, 201
Environnement de travail, 270
Erreur
  au démarrage, 369
  de fonctionnement, 248
Esclave, 24
Espace à réserver pour la vitesse
du système, 48
État
  de la protection, 173
  des mises à jour
  automatiques, 173
  du Pare-feu, 173
Ethernet, 116, 118, 297
Événement, 231
Evtx, 71
Excel, 288
Exécuter en tant que, 97
Exécution, 227
Expéditeur, 353
Exportation, 358
Extender Media center, 215
Extension, 272

F

F-Secure, 188
FAI, 297-298
Familiale Premium, 202
Fenêtre, 285
  publicitaires, 329
Fichier
  d'échange, 219
  de la dernière sauvegarde, 197,
  200
  fragmentés, 209
  journal du pare-feu, 148
  temporaires, 222
  Word 2007 corrompu, 270
Figer les volets, 285
Filtrage des sites, 318
Filtre actif, 286
Filtrer, 287, 355
  le journal, 73
Firewall, 141
Flash Player, 336
Flux RSS
  Paramétrer, 343
  Propriétés, 343
Fonction bascule, 288
Fonctionnalités
  3D, 29
  Windows, 244
Fonctions de calculs, 284
Format , 263
  d'enregistrement, 266
  de fichier, 265
  ZIP, 269
Formater et repartitionner les
disques, 24, 206
Formule, 284, 288
  de politesse, 278
Forums, 283
Fournisseur, 298, 344
Fréquence, 197
Full duplex, 120

G

H

I

J

K

L

M

N

O

Z

Composé en France par Jouve
11, bd de Sébastopol - 75001 Paris

Achevé d'imprimer en ALLEMAGNE
Par l'imprimerie CPI – Clausen & Bosse
25917 Leck, Mai 2009

BIBLIO RPL Ltée

G – AOUT 2009